L'effet de la reconnaissance des unions
sur les lesbiennes au Canada :
encore distinctes et presque « équivalentes »

Kathleen A. Lahey

Faculté de droit, Université Queen's

Les recherches relatives à la présente étude et la publication de celle-ci ont été financées par le Fonds de recherche en matière de politiques de Condition féminine Canada. Le présent document exprime les opinions de l'auteure et ne représente pas nécessairement la politique officielle de Condition féminine Canada ou du gouvernement du Canada.

Septembre 2001

Condition féminine Canada se fait un devoir de veiller à ce que toutes les recherches menées grâce au Fonds de recherche en matière de politiques adhèrent à des principes méthodologiques, déontologiques et professionnels de haut niveau. Chaque rapport de recherche est examiné par des spécialistes du domaine visé à qui on demande, sous le couvert de l'anonymat, de formuler des commentaires sur les aspects suivants :

- l'exactitude, l'exhaustivité et l'actualité de l'information présentée;
- la mesure dans laquelle la méthodologie et les données recueillies appuient l'analyse et les recommandations;
- l'originalité du document par rapport au corpus existant sur le sujet et son utilité pour les organisations oeuvrant pour la promotion de l'égalité, les groupes de défense des droits, les décisionnaires, les chercheuses ou chercheurs et d'autres publics cibles.

Condition féminine Canada remercie toutes les personnes qui participent à ce processus de révision par les pairs.

Données de catalogage avant publication (Canada)
Lahey, Kathleen Ann

L'effet de la reconnaissance des unions sur les lesbiennes au Canada : encore distinctes et presque « équivalentes »

Texte en anglais et en français disposé tête-bêche.
Titre de la p. de t. addit. : The Impact of Relationship Recognition on Lesbian Women in Canada

Publ. aussi sur l'Internet.
Comprend des références bibliographiques.

ISBN 0-662-65940-6
No de cat. SW21-82/2001

1. Lesbiennes – Droit – Canada.
2. Homosexualité – Droit – Canada.
3. Lesbiennes – Impôts – Canada.
4. Lesbiennes – Politique gouvernementale – Australie.
5. Discrimination à l'égard des femmes – Canada.
I. Canada. Condition féminine Canada.
II. Titre.

KE4399.L33 2001   346.'7101'3   C2001-980222-6F

Gestion du projet : Vesna Radulovic, Condition féminine Canada
Coordination de l'édition : Mary Trafford et Cathy Hallessey, Condition féminine Canada
Révision et mise en page : PMF Services de rédaction inc. / PMF Editorial Services Inc.
Traduction : Université d'Ottawa, Centre de traduction et documentation juridiques
Lecture comparative : Normand Bélair
Coordination de la traduction : Monique Lefebvre, Condition féminine Canada
Contrôle de la qualité de la traduction : Serge Thériault

Pour d'autres renseignements, veuillez communiquer avec la :
Direction de la recherche
Condition féminine Canada
123, rue Slater, 10e étage
Ottawa (Ontario) K1P 1H9
Téléphone : (613) 995-7835
Télécopieur : (613) 957-3359
ATME : (613) 996-1322
Courriel : research@swc-cfc.gc.ca

Ce document est aussi accessible sur le site Web de Condition féminine Canada, à l'adresse http://www.swc-cfc.gc.ca/.

RÉSUMÉ

La présente étude évalue l'effet de la reconnaissance des unions sur les lesbiennes en tant que catégorie. Elle mène à deux grandes conclusions. Premièrement, toutes les lois qui reconnaissent les unions lesbiennes et gaies continuent d'exercer de bien des façons de la discrimination contre les personnes homosexuelles. Deuxièmement, le fait d'appliquer un traitement conjugal aux couples lesbiens et gais aux fins des programmes fédéraux d'impôt sur le revenu, d'aide sociale et de retraite mènera à une augmentation des impôts et à une diminution des prestations sociales pour ceux d'entre eux qui touchent les revenus les plus bas. Il a été déterminé, au moyen d'une microsimulation, que ces nouveaux coûts seront de l'ordre de 130 à 155 millions de dollars en 2000, tandis que les nouveaux avantages financiers découlant de la reconnaissance des unions ne sont que de 10 à 15 millions de dollars environ.

Ce sont les lesbiennes et les couples gais à faible revenu qui supportent la plus grande part de ces coûts. En tant que femmes, les lesbiennes sont fortement défavorisées par leur sexe, et cette situation est en outre aggravée par les effets de la sexualité, de la race, de l'incapacité, de l'âge et des responsabilités familiales. Le fait de recourir à des seuils de faible revenu, aux concepts relatifs au revenu familial, à l'impôt sur le mariage et à des économies d'échelle présumées pour plafonner l'aide aux personnes à faible revenu transforme la reconnaissance des unions en une façon d'alourdir la charge fiscale totale que supportent les couples à faible revenu.

Les solutions recommandées dans les pages qui suivent comportent l'élimination, dans les lois fédérales, de toutes les formes restantes de discrimination fondée sur la sexualité, ainsi que l'utilisation de l'individu, et non du couple, comme unité de base des politiques d'imposition et de transfert. Ces mesures, jointes à l'accroissement des avantages sociaux, des prestations familiales et des dispositions fiscales concernant les couples non conjugaux, ainsi que l'abrogation des prestations de nature fiscale ou de transfert visant à subvenir aux besoins des adultes physiquement aptes qui sont dépendants d'un point de vue économique, élimineront une grande partie de la régressivité du système d'imposition et de transfert aux niveaux de revenu inférieurs. L'amélioration de la progressivité du régime fiscal entier aidera en outre à réduire l'incidence des pénalités gouvernementales sur les couples et les ménages à faible revenu.

Des recommandations sont également formulées dans ce document au sujet de l'amélioration de la collecte de données, de la protection des droits de la personne et de la réforme du droit.

TABLE DES MATIÈRES

LISTE DES FIGURES ET TABLEAUX

iv

PRÉFACE

Une bonne politique gouvernementale est fonction d'une bonne recherche en matière de politiques. C'est pour cette raison que Condition féminine Canada a établi le Fonds de recherche en matière de politiques en 1996. Il appuie la recherche indépendante en matière de politiques sur des enjeux liés au programme gouvernemental qui doivent faire l'objet d'une analyse comparative entre les sexes. L'objectif visé est de favoriser le débat sur les enjeux liés à l'égalité des sexes et de permettre aux personnes, groupes, stratégistes et analystes de politiques de participer plus efficacement à l'élaboration des politiques.

La recherche peut porter sur des enjeux nouveaux et à long terme, ou sur des questions urgentes et à court terme dont l'incidence sur chacun des sexes requiert une analyse. Le financement est accordé au moyen d'un processus d'appel de propositions ouvert et en régime de concurrence. Un comité externe, non gouvernemental, joue un rôle de premier plan dans la détermination des priorités de la recherche, le choix des propositions financées et l'évaluation du rapport final.

Le présent rapport de recherche a été proposé et préparé en réponse à un appel de propositions lancé en août 1998, qui avait pour thème *L'intersection du sexe et de l'orientation sexuelle : conséquences de la réforme des politiques sur les partenaires d'une union lesbienne*. Le but de cet appel de propositions était d'examiner les répercussions sur les femmes d'une union lesbienne d'éventuelles réformes aux politiques et programmes gouvernementaux pour les rendre conformes aux récentes décisions judiciaires qui exigent l'inclusion des couples de même sexe.

Condition féminine Canada a financé deux projets de recherche sur la question. Le second projet financé dans le cadre de cet appel de propositions, qui s'intitule *La reconnaissance des couples de lesbiennes : Un droit sans équivoque*, est de Irène Demczuk, Michèle Caron, Ruth Rose et Lyne Bouchard.

Nous remercions les chercheuses et les chercheurs de leur apport au débat sur les politiques gouvernementales.

SOMMAIRE

La présente étude évalue l'effet de la reconnaissance des unions sur les lesbiennes en tant que catégorie. Elle mène à deux grandes conclusions. Premièrement, toutes les lois qui reconnaissent les unions lesbiennes et gaies continuent d'exercer de bien des façons de la discrimination contre les personnes homosexuelles. Deuxièmement, le fait d'appliquer un traitement conjugal aux couples lesbiens et gais aux fins des programmes fédéraux d'impôt sur le revenu, d'aide sociale et de retraite mènera à une augmentation des impôts et à une diminution des prestations sociales pour ceux d'entre eux qui touchent les revenus les plus bas. Il a été déterminé, au moyen d'une microsimulation, que ces nouveaux coûts seront de l'ordre de 130 à 155 millions de dollars en 2000, tandis que les nouveaux avantages financiers découlant de la reconnaissance des unions ne sont que de 10 à 15 millions de dollars environ.

Ce sont les lesbiennes et les couples gais à faible revenu qui supportent la plus grande part de ces coûts. En tant que femmes, les lesbiennes sont fortement défavorisées par leur sexe, et cette situation est en outre aggravée par les effets de la sexualité, de la race, de l'incapacité, de l'âge et des responsabilités familiales. Le fait de recourir à des seuils de faible revenu, aux concepts relatifs au revenu familial, à l'impôt sur le mariage et à des économies d'échelle présumées pour plafonner l'aide aux personnes à faible revenu transforme la reconnaissance des unions en une façon d'alourdir la charge fiscale totale que supportent les couples à faible revenu.

Les solutions recommandées dans la présente étude sont les suivantes :

- Remplacer, dans les lois canadiennes, la « présomption hétérosexuelle » par la présomption selon laquelle toutes les dispositions en matière d'union s'appliquent à tous les couples, indépendamment de leur sexe, de leur sexualité, de leur identité sexuelle ou de leur sexe officiel. Cela devrait se faire par voie de déclaration judiciaire ainsi que par voie législative.

- Abroger la clause relative au mariage qui figure dans le projet de loi fédéral C-23 ainsi que dans la motion relative au mariage de 1998.

- Reconnaître le droit de se marier à tous les couples conjugaux, et offrir à tous les couples un choix sensé entre le mariage et la cohabitation.

- Reconnaître la totalité des droits et des attributs du mariage à tous les couples qui se marient, sans distinction aucune quant à la classification, la forme, l'enregistrement, la déclaration ou les effets juridiques de leur union.

- Reconnaître la totalité des droits et des attributs de la cohabitation légalement reconnue à tous les couples conjugaux qui répondent aux critères prévus, sans distinction aucune quant à la sexualité, à l'identité sexuelle ou au sexe officiel.

- Remplacer le couple par l'individu comme unité de base des politiques d'imposition et de transfert. Les dispositions ou les pénalités ayant une incidence disparate sur les individus, les couples ou les parents à faible revenu devraient être soigneusement restructurées de manière à supprimer cet effet.

- Éliminer toutes les subventions directes et de nature fiscale qui visent à subvenir aux besoins des adultes physiquement aptes qui sont dépendants d'un point de vue économique.

- Remplacer les seuils de revenu fondés sur le couple par des seuils fondés sur l'individu.

- Éliminer tous les impôts sur le mariage.

- Étendre les suppléments pour personne seule à tous les adultes dans les lois applicables.

- Abroger les formules de prestations qui dépendent d'économies d'échelle dans le calcul des prestations fondées sur les couples.

- Éviter d'étendre les dispositions fondées sur les couples aux unions non conjugales.

- Étendre toutefois les avantages sociaux et les exemptions fiscales concernant les régimes d'avantages sociaux aux bénéficiaires non conjugaux de manière à égaliser la répartition des avantages entre les adultes vivant seuls jusqu'à ce que l'on puisse mettre en oeuvre pour les ménages à deux revenus un programme de crédits basé sur le revenu gagné.

- Réviser tous les critères relatifs aux conflits d'intérêts de manière que le lien de dépendance soit une question de fait plutôt qu'une question de présomption juridique.

Le présent document comporte aussi des recommandations conçues pour améliorer la capacité du gouvernement fédéral de s'acquitter de ses obligations législatives envers les lesbiennes, les gais, les bisexuels, les transgendéristes, les transsexuels et les personnes à double personnalité et leurs familles.

- Recueillir des données sur tous les individus, les couples et les familles qui sont affectés par la sexualité ou l'identité sexuelle.

- Mettre en permanence ces données à la disposition des chercheuses et des chercheurs.

- Inclure les couples affectés par la sexualité ou l'identité sexuelle dans le champ de la discrimination fondée sur l'« état matrimonial » dans la loi fédérale intitulée *Loi sur les droits de la personne*.

- Établir une commission chargée de recueillir des données, de présenter des rapports au Parlement et de formuler des recommandations permanentes au sujet de l'adoption, à l'échelon fédéral, de réformes relatives à la sexualité et à l'identité sexuelle, et ce, pendant une période d'au moins cinq ans.

INTRODUCTION

La reconnaissance par l'État des unions lesbiennes et gaies est une tendance aujourd'hui bien établie dans le droit canadien. Au cours des deux dernières années, trois administrations ont reconnu aux couples lesbiens et gais de nombreux droits et responsabilités conférés aux conjoints, dans des projets de loi de portée générale[1]. Plusieurs contestations judiciaires concernant le déni des droits de mariage à des couples lesbiens et gais ont été déposées en 2000[2]. On s'attend à ce que le parlement des Pays-Bas autorise les couples lesbiens et gais à se marier en 2001[3], et de nouvelles dispositions législatives concernant la reconnaissance des unions ont commencé à voir le jour ailleurs dans le monde[4]. Le résultat net de ces changements est que, aux fins des politiques de l'État, un nombre croissant de couples hétérosexuels et homosexuels sont traités comme s'ils étaient des conjoints.

L'extension générale du traitement conjugal aux couples non mariés constitue essentiellement une mesure d'égalité officielle. Contrairement aux litiges, qui portent, par voie de contestation, sur des dispositions discriminatoires précises et qui comprennent nécessairement une analyse de fond sur le bien-fondé de chaque cas particulier, la législation de portée générale a suivi une approche mécanique. En redéfinissant dans les lois des termes comme « conjoint » de manière à inclure les cohabitants de même sexe ou de sexe différent, les réformes de portée générale ont mis davantage l'accent sur l'application d'un grand nombre de dispositions aux cohabitants, et accordé relativement peu d'importance au bien-fondé des dispositions elles-mêmes. En fait, ces dernières années, il n'y a eu absolument aucun examen de l'emploi continu du couple en tant qu'unité centrale des politiques juridiques ou sociales de l'État.

La présente étude évalue l'effet de la reconnaissance des unions sur les lesbiennes en tant que groupe. Ces dernières (et, le cas échéant, les gais) ont été choisies comme point de mire à cause de leur situation unique au sein de la société canadienne. Exclues des structures familiales reconnues durant la majeure partie de l'histoire du Canada, et pourtant associées depuis longtemps à la main-d'oeuvre rémunérée ainsi qu'à la formation d'unions, à l'éducation des enfants et à la recherche de la sécurité sociale et économique sans l'appui des politiques familiales de l'État, ces femmes sont nettement défavorisées par leur sexe ainsi que par leur sexualité. La présente étude vise à déterminer de quelle façon les réformes juridiques qui commencent à traiter les lesbiennes et les gais comme des membres à part entière de la famille humaine les touchent — d'un point de vue tant positif que négatif.

Les premiers choix politiques

La situation juridique et politique des unions entre adultes est un aspect fondamental de la politique sociale et économique du Canada, et cela est manifeste depuis près d'un siècle. Par exemple, lorsque la première loi de l'impôt sur le revenu a été adoptée au Parlement — en 1917 — de vifs débats ont aussitôt éclaté à propos de la question de savoir si le régime d'impôt sur le revenu devrait traiter tous les contribuables de la même manière ou s'il fallait accorder aux hommes mariés des avantages fiscaux spéciaux.

Ce débat est survenu lorsque le gouvernement a décidé qu'à cause de la grande diversité des ménages dans la société canadienne, il convenait mieux d'accorder à tous les contribuables de généreuses exemptions particulières plutôt que d'adopter des exemptions structurées qui ne seraient offertes qu'à quelques contribuables. Comme l'a expliqué le ministre des Finances au moment où il a présenté cette caractéristique de la *Loi de l'impôt de guerre sur le revenu* :

> [TRADUCTION]
> Il serait injuste de fonder la distinction uniquement sur le nombre de personnes que compte une famille, car il y a de nombreux citoyens qui doivent prendre soin non seulement d'enfants, mais aussi d'autres personnes à leur charge. Il y a de nombreux citoyens qui, en plus de leur propre famille, doivent en outre prendre soin de la famille d'un frère ou d'une sœur ou, encore, d'une mère ou d'un père âgé[5].

Cette proposition a fait scandale. Des députés ont souligné qu'il était injuste de mettre les hommes célibataires et les « vieilles filles touchant un revenu imposable » dans la même situation que les hommes mariés ayant des enfants : [TRADUCTION] « Je pense qu'il est tout à fait injuste de mettre un homme sans enfant sur le même pied que le père d'une grosse famille, qui a des enfants à nourrir et à vêtir, à envoyer à l'école, etc.[6] ».

Les hommes célibataires, affirmait-on, [TRADUCTION] « s'en tirent trop facilement[7] »; les « vieilles filles », présumait-on, n'avaient personne à leur charge, et les femmes mariées sans enfant, prétendait-on, étaient « libres », et avaient le choix d'exercer un emploi rémunéré ou de [TRADUCTION] « réduire énormément les dépenses » en travaillant à la maison[8] ».

> [TRADUCTION]
> Nous avons en cette Chambre quelques exemples frappants d'hommes non mariés. Je ne suis pas en faveur du fait d'encourager un homme à faire preuve d'un certain relâchement à cet égard, car je crois qu'un homme devrait se marier, dans la mesure du possible, quand il atteint un certain âge. Bien sûr, pour certains d'entre eux, ce n'est pas de leur faute[9].

Les arguments s'accumulant, les députés devinrent de plus en plus courroucés à l'idée que l'on traite les hommes mariés, avec toutes les personnes à leur charge, de la même façon que tous ces autres groupes. En fin de compte, le gouvernement accepta de réduire l'exemption individuelle de 3 000 $ à 1 500 $ pour les contribuables non mariés, et il fut envisagé dans une certaine mesure de hausser l'exemption à 4 000 $ pour les hommes ayant six enfants ou plus[10].

Les premiers changements

Au cours des décennies qui ont suivi, les femmes — y compris les lesbiennes — sont devenues plus visibles dans les débats politiques. Les premiers pas du mouvement féministe ont attiré l'attention sur la discrimination exercée à l'endroit des femmes, et la participation des femmes aux industries de guerre a introduit dans les débats publics des questions liées à l'autonomie financière des femmes et au lesbianisme. Après la guerre, l'accent mis de nouveau sur les responsabilités domestiques des femmes a incité les politiciens à édicter diverses dispositions conçues pour accorder aux couples mariés la reconnaissance et l'appui de l'État.

Même si, durant toute cette période, le rôle des femmes en tant que travailleuses rémunérées a suscité de plus en plus d'attention, la plupart des mesures législatives ont continué d'être axées sur les femmes en tant qu'épouses et en tant que mères. Il est clair qu'au cours des années 1950, on présumait invariablement, tant dans les litiges que dans la législation, que le mariage était l'unité fondamentale de la politique juridique. C'est donc dire que les couples mariés sont demeurés l'objectif premier de la politique juridique et sociale du Canada jusqu'à la fin des années 1960.

La fin des années 1960 a donné lieu à de vastes changements dans le paysage de la politique sociale. Le mouvement pour la défense des droits civiques aux États-Unis, l'émergence du mouvement féministe à la fin des années 1960 et, à New York, en 1969, la révolte de Stonewall sont des événements qui ont tous attiré l'attention du public sur la légitimité du fait d'interpréter la politique juridique et économique en se basant uniquement sur les couples mariés hétérosexuels à revenu unique.

Au Canada, l'année 1974 a été marquante à ce chapitre. Les premières études commandées par le Conseil consultatif de la situation de la femme (CCSF) — mis sur pied à la suite d'une recommandation de la Commission royale d'enquête sur la situation de la femme au Canada — a soumis à un examen approfondi la définition d'un « conjoint », et ce, presque au même moment où les activistes lesbiennes et gais ont commencé à exiger que l'on reconnaisse les unions homosexuelles. Dans deux études menées par Henri Major (1974, 1975), le Conseil consultatif a attiré l'attention sur le manque général de cohérence dans la loi au sujet des conjoints « de fait » non mariés. Il a été recommandé dans ces études que l'on simplifie les critères appliqués aux femmes soutenant être des conjoints de fait et que l'on accorde les prestations de conjoint aux épouses de fait dans les principaux régimes de prestations de l'État (cela se limitait aux prestations de retraite d'ancien combattant destinées aux épouses de guerre).

À peu près à la même époque où le CCSF a commencé à faire pression pour que l'on englobe les couples de fait dans la définition du mot « conjoint », des informations selon lesquelles des couples lesbiens et gais avaient commencé à demander des permis de mariage ont fait leur apparition dans les médias. Le gouvernement fédéral a rapidement profité de l'ouverture créée par les recommandations du CCSF pour commencer à inclure des définitions de « conjoint » à caractère hétérosexuel dans les lois où il était question d'unions de fait[11].

En remaniant de cette façon la définition des « conjoint » en 1974 et en 1975, le gouvernement fédéral a fait le premier grand pas pour ce qui était de ne plus restreindre les prestations fédérales aux couples mariés seulement. Il s'agissait là d'un geste libéralisant pour les couples hétérosexuels. Cependant, il s'agissait aussi d'un geste régressif pour les couples lesbiens et gais. Des définitions législatives du mariage qui, durant la majeure partie du siècle, n'avaient fait aucune référence au sexe ou à la sexualité s'étaient tout à coup transformées en des dispositions à caractère strictement hétérosexuel quand elles avaient été modifiées en vue d'inclure dans la définition d'un « conjoint » les couples cohabitants, si les deux personnes étaient « de sexe opposé ».

En même temps que le gouvernement fédéral du Canada commençait à inclure dans sa législation des clauses relatives aux personnes de sexe opposé, les tribunaux du Canada et des États-Unis ont commencé à fermer la porte aux couples lesbiens et gais désireux de se marier[12]. C'est ainsi qu'à la fin des années 1970, il ne semblait y avoir dans le droit canadien aucune possibilité de reconnaître les unions lesbiennes ou gaies. Mais au moins, pour la première fois, la question avait été soulevée expressément dans le droit canadien.

L'effet de la *Charte canadienne des droits et libertés*

Dans les années 1980, la *Charte canadienne des droits et libertés* a offert aux couples lesbiens et gais de nouvelles chances d'obtenir une reconnaissance juridique de leur union. Cette lutte a duré plus de 15 ans, mais a mené à des changements radicaux dans la loi.

Les dispositions de la *Charte* en matière d'égalité ont ouvert de façon inattendue le débat entourant le statut des couples lesbiens et gais. Au point de vue législatif, la décision de retirer des lois et des règlements les distinctions fondées sur le sexe ont amené à remplacer des mots comme « épouse » ou « époux » par des termes non sexistes, comme « conjoint ». C'est donc dire que des expressions telles que « épouse de fait » ont été remplacées par des formules comme « personnes qui cohabitent ». Bien conscient que les termes non sexistes de ce genre n'excluaient plus expressément les couples lesbiens et gais, le gouvernement a limité aux couples « de sexe opposé » les définitions relatives à la cohabitation des « conjoints ». Ainsi, en 1985, après avoir subi des pressions pour faire correspondre les lois de la province aux garanties en matière d'égalité de l'article 15 de la *Charte*, l'Ontario a ajouté la notion d'« orientation sexuelle » à son Code des droits de la personne. Toutefois, elle a modifié simultanément dans le Code la définition d'un « conjoint » de manière à inclure les cohabitants, mais à exclure les cohabitants « de sexe opposé ».

L'élément hétérosexuel de la définition de la cohabitation reconnue était manifestement conçu pour éviter que les couples lesbiens et gais aient recours à la nouvelle clause d'« orientation sexuelle » des droits de la personne pour obtenir la reconnaissance de leur union[13]. Les opposants à cette nouvelle clause avaient soutenu que celle-ci présagerait la destruction de la famille traditionnelle. S'exprimant au nom du gouvernement, Ian Scott, qui exerçait à l'époque les fonctions de procureur général, a rassuré l'Assemblée législative en affirmant que ces modifications étaient destinées à protéger uniquement les droits personnels ou individuels des lesbiennes et des gais et, a-t-il déclaré, [TRADUCTION] « le gouvernement n'a pas l'intention de redéfinir la famille dans la législation ontarienne de façon à inclure les couples non mariés de même sexe[14] ».

L'article 15 de la *Charte* offrait aussi un fondement constitutionnel permettant aux lesbiennes et aux gais de contester devant les tribunaux un déni de droits. L'article 15 a permis aux personnes homosexuelles de contester des dispositions législatives particulières concernant les droits individuels. Ce fait a mené à des décisions importantes où il a été considéré que les lois relatives aux droits de la personne incluaient les clauses d'orientation sexuelle. Finalement, cela a mené à des décisions judiciaires qui ont reconnu les unions lesbiennes et gaies dans divers contextes.

Trois arrêts importants de la Cour suprême du Canada ont confirmé cette tendance. Dans la décision *Egan et Nesbit* c. *Canada*[15], rendue en 1995, la Cour a conclu que le caractère hétérosexuel de la définition d'un « conjoint » dans la loi sur la sécurité de la vieillesse enfreignait les garanties d'égalité accordées par le paragraphe 15(1). Bien que la Cour ait ensuite refusé de juger la disposition non valide parce que la « justification » de l'exclusion des couples homosexuels de ce régime de prestations pouvait « se démontrer » aux termes de l'article 1 de la *Charte*, la première partie de la décision a donné lieu à de nombreuses autres décisions favorables d'un bout à l'autre du pays. En 1998, la Cour a décrété dans l'affaire *Vriend* c. *Alberta*[16] que l'exclusion de l'« orientation sexuelle » des dispositions en matière de droits de la personne enfreignait l'article 15 de la *Charte* et, en 1999, elle a statué dans l'arrêt *M.* c. *H.*[17] que le caractère hétérosexuel de la définition d'un « conjoint » dans les dispositions de l'Ontario relatives au soutien des cohabitants enfreignait de manière injustifiée l'article 15.

Les réponses législatives aux décisions fondées sur la *Charte*

Entre 1985 et 1997, peu d'assemblées législatives ont traité de questions liées à la sexualité. Celles qui l'ont fait ont simplement ajouté des clauses d'« orientation sexuelle » à leurs lois sur les droits de la personne. Seules la Colombie-Britannique et l'Ontario ont fait plus que cela, en modifiant des dispositions législatives de fond. L'Ontario a discrètement étendu aux couples lesbiens et gais les dispositions législatives régissant le consentement aux traitements et le consentement substitutif[18]. La Colombie-Britannique a modifié plusieurs dispositions du droit de la famille afin qu'elles puissent s'appliquer aux couples lesbiens et gais[19].

Dans l'ensemble, ces premiers changements législatifs étaient bienveillants quant à leur intention et à leur forme. Cependant, ils s'écartaient radicalement, au point de vue de la forme et du contenu, de la façon dont les tribunaux avaient modifié les dispositions législatives discriminatoires. Ces derniers avaient supprimé les clauses de nature hétérosexuelle dans les définitions élargies d'un « conjoint » que comportaient les lois, chaque fois qu'il avait été possible de le faire, menant ainsi à l'inclusion des unions lesbiennes et gaies dans la catégorie générale des « conjoints », comme cela avait été fait plus tôt pour les cohabitants de « sexe opposé ». Par contraste, l'Ontario et la Colombie-Britannique ont toutes deux créé de nouvelles catégories législatives auxquelles elles ont assigné les couples lesbiens et gais. L'Ontario a ajouté la catégorie des « partenaires de même sexe » à sa législation en matière de consentement. La Colombie-Britannique a ajouté les couples de « même sexe » aux définitions élargies des cohabitants réputés être des conjoints, mais elle l'a fait en reconnaissant d'abord la catégorie distincte des cohabitants de « même sexe », et en ajoutant ensuite ces couples à la catégorie générale des « conjoints », au lieu de retirer complètement de ces définitions les termes propres à la sexualité.

En rétrospective, la création de nouvelles catégories pour les couples lesbiens et gais ne semble pas avoir été un accident. Il est possible de faire un survol des pressions politiques qui ont mené à l'établissement de catégories distinctes en suivant l'évolution du projet de loi n° 167 à l'Assemblée législative de l'Ontario au début des années 90. Initialement conçu pour ajouter les couples lesbiens et gais à la définition d'un « conjoint », ce projet de loi a été modifié à la dernière minute après avoir été la cible de vives attaques politiques pour que l'on relègue les couples lesbiens et gais dans une catégorie distincte de couples ne jouissant pas de tous les droits et toutes les responsabilités conférés aux personnes mariées.

À l'époque où le projet de loi n° 167 a été si radicalement modifié, le gouvernement a annoncé qu'il allait adopter le modèle européen de l'union domestique enregistrée (UDE). Il s'agissait là d'une annonce révélatrice, car il est bien connu que les UDE n'accordent pas une égalité pleine et entière aux couples lesbiens et gais. En particulier, elles leur interdisent systématiquement la formation de familles comptant des enfants en refusant les droits d'adoption, de garde ou de tutelle aux couples lesbiens et gais, et elles nient souvent d'autres droits et responsabilités.

Même modifié, le projet de loi n° 167 a quand même été rejeté. Mais il s'agissait d'un pas important dans la reconnaissance progressive des unions lesbiennes et gaies parce que cela présageait l'effet qu'aurait finalement le ressac politique croissant au sujet de la situation juridique ultime des unions lesbiennes et gaies.

Lorsque la Cour suprême du Canada, dans l'arrêt *M.* c. *H*, a ordonné à l'Ontario de modifier sa définition du mot « conjoint » dans les dispositions relatives à la cohabitation de la *Loi sur le droit de la famille* de manière à inclure les couples lesbiens et gais, l'effet de ce contrecoup sur la reconnaissance judiciaire grandissante des couples lesbiens et gais est devenu manifeste. En mars 2000, le projet de loi n° 5 de l'Ontario est entré en vigueur. Cette loi de portée générale faisait appliquer aux couples lesbiens et gais la plupart des droits et des responsabilités que la province attribuait aux couples mariés. Cependant, elle l'a fait en créant une nouvelle catégorie distincte de « partenaires de même sexe », tout à fait séparée de la définition en vigueur d'un « conjoint » pour les couples hétérosexuels mariés et cohabitants. C'est donc dire que les couples lesbiens et gais se sont vus attribuer des droits et des responsabilités équivalant à ceux des couples hétérosexuels, mariés et cohabitants, mais qu'ils y ont accès par l'entremise de la catégorie juridique distincte des « partenaires de même sexe ». Cette mesure a été prise dans le but exprès de continuer de réserver la catégorie traditionnelle des conjoints aux couples hétérosexuels, mariés ou pas.

En juin 2000, on a suivi une tendance analogue lorsque le gouvernement de la Colombie-Britannique a déposé une autre série de projets de loi de portée générale dans le but de reconnaître les unions lesbiennes et gaies dans la plupart des lois qui n'avaient pas encore été modifiées par des lois de portée générale antérieures. Dans toutes ces lois, le gouvernement de la Colombie-Britannique a utilisé des termes distincts pour les couples lesbiens et gais. Et, en juin 2000, le gouvernement fédéral adopté le projet de loi C-23, un projet de loi de portée générale qui reconnaît aux couples lesbiens et gais les droits et les responsabilités conférés aux conjoints, en les assignant à la catégorie non conjugale des « cohabitants ».

Questions à considérer et répercussions

La présente étude évalue les répercussions de la reconnaissance des unions sur les lesbiennes en tant que catégorie (ainsi que sur les gais). Deux grandes répercussions sont examinées : l'effet de la reconnaissance des unions sur le plan pratique, de même que l'effet de cette reconnaissance sur le plan de la forme.

Les revenus et les caractéristiques démographiques de chaque famille lesbienne ont une incidence sur l'effet pratique de la reconnaissance des unions. Là où les couples lesbiens sont reconnus, ils ont maintenant droit aux mêmes prestations que les couples hétérosexuels et ont les mêmes responsabilités. Dans la pratique, cependant, seuls quelques couples lesbiens sont en mesure de tirer avantage des prestations au conjoint, tandis que d'autres sont en fait l'objet de pénalités qui ne les touchaient pas auparavant. L'effet pratique est lui-même influencé par les revenus et les possibilités dont disposent les lesbiennes.

La forme que revêt la reconnaissance des unions est importante car le degré d'intégration ou de distinction par rapport à la population en général comporte des effets administratifs, sociaux et affectifs. Lorsqu'on les inclut dans la catégorie des « conjoints », les couples lesbiens ne sont pas séparés d'un point de vue administratif ou juridique. Lorsqu'on considère qu'ils appartiennent à des catégories juridiques distinctes comme celles de « partenaires de même sexe », il est possible qu'on les isole administrativement dans les documents gouvernementaux et non gouvernementaux, et que leurs droits ne soient pas protégés par la législation sur les droits de la personne dans la même mesure que les droits des couples hétérosexuels. C'est-à-dire qu'en n'étant pas des « conjoints » en vertu de certains nouveaux régimes législatifs, ils ne peuvent faire appel auprès des commissions des droits de la personne de la même façon que les couples hétérosexuels lorsqu'ils sont victimes de discrimination fondée sur l'état matrimonial ou la situation de famille.

Il est difficile, à ce stade-ci, d'évaluer avec beaucoup de précision l'un ou l'autre type d'effet. Malgré leur plus grande reconnaissance dans la loi, les lesbiennes, les gais et leurs familles ne sont toujours pas identifiés dans les sondages et les recensements de l'État. C'est donc dire que la plupart des instruments d'analyse sociale et économique que l'on emploie habituellement dans des études, comme celle-ci, ne peuvent être appliqués, sinon de manière conjecturale, aux lesbiennes. En outre, pour ce qui est des questions d'ordre juridique, il est trop tôt pour prédire de quelle façon les tribunaux réagiront à la création de catégories juridiques distinctes pour les couples lesbiens et gais.

Le plan de l'étude

Le présent rapport s'articule autour d'une série de questions. Le chapitre 1 cerne les caractéristiques démographiques des couples lesbiens qui vivent aujourd'hui au Canada. À l'aide de données provenant de sources canadiennes et américaines, ainsi que d'une base de données fondée sur une microsimulation[20], l'auteure analysera les revenus et d'autres caractéristiques des couples lesbiens et gais, comparés les uns aux autres et, dans la mesure du possible, aux couples hétérosexuels mariés et cohabitants.

Il est important de commencer par les renseignements d'ordre démographique. L'effet concret de la reconnaissance des unions homosexuelles sur les lesbiennes résulte de l'interaction complexe d'un certain nombre de facteurs :

- la répartition des revenus entre les femmes par opposition aux hommes;

- l'effet de la race sur les revenus;

- la répartition des revenus dans les couples lesbiens;

- le degré d'autonomie ou de dépendance économique associé aux couples lesbiens;

- les droits et les responsabilités particuliers qui découlent d'un modèle donné de reconnaissance des unions;

- la combinaison des dispositions relatives aux prestations ou aux pénalités que comporte le modèle;

- la mesure dans laquelle le modèle reflète les différences de niveaux de revenu dans l'application des prestations et des pénalités.

Les revenus des femmes sont nettement inférieurs à ceux des hommes. La sexualité a une incidence additionnelle sur les revenus des femmes. Les femmes identifiées selon leur race ou souffrant d'une incapacité sont encore plus défavorisées. Comme les lesbiennes n'ont pas accès à l'économie masculine dans leurs relations conjugales, elles sont défavorisées par leur sexe *et* leur sexualité pour ce qui est de la possibilité de gagner un revenu. Cette donnée démographique constitue la toile de fond sur laquelle est évalué l'effet de divers modèles de reconnaissance des unions homosexuelles sur les lesbiennes.

Le chapitre 2 porte sur les modèles de reconnaissance des unions. À l'heure actuelle, les modèles vont de l'accès complet au mariage (les Pays-Bas) au modèle de l'union civile du Vermont, en passant par des modèles quasi maritaux (Nouvelle-Galles du Sud) et des modèles distincts, tels que le projet de loi C-23, les UDE européens et, en France, les pactes civils de solidarité (PaCS). Bien que la combinaison particulière de droits et de responsabilités associés à chaque modèle soit tout à fait unique, les modèles comportent quand même des aspects communs qui font qu'il est possible d'évaluer leur effet structurel général sur les lesbiennes. Il est également possible de formuler des commentaires sur la mesure dans laquelle chaque type de modèle favorise l'égalité véritable des lesbiennes lorsqu'on l'évalue à la lumière des critères d'égalité constitutionnels ainsi que du statu quo, où les lesbiennes sont traitées comme des individus, indépendamment du degré véritable de leur « union ».

Le chapitre 3 examine de près l'effet distributif de la reconnaissance des unions. Cela comporte un examen de la façon dont les revenus et d'autres caractéristiques associés au sexe, à la sexualité, à la race, au statut de l'union et à la capacité ont une incidence sur l'admissibilité à des prestations fondées sur une union. Étant donné que la reconnaissance juridique des unions ne génère pas systématiquement des avantages, mais mène parfois à l'imposition d'obligations, voire de pénalités (comme l'impôt sur le mariage), ces effets distributifs sont pris en considération. Le chapitre 3 porte également sur les répercussions probables, sur le plan des revenus, de la reconnaissance des unions.

Les recommandations de principe que l'on trouve au chapitre 4 réunissent les deux grandes questions qui ont donné forme à l'analyse qui précède :

- l'importance de promouvoir l'égalité véritable de toutes les femmes au Canada, y compris les lesbiennes et les femmes vivant dans une union homosexuelle;

- l'importance de faire en sorte que les lois relatives à la reconnaissance des unions ne défavorisent pas ou n'avantagent pas de manière distincte une catégorie quelconque de personnes, soit en les forçant à « s'exclure », soit en établissant des pressions pour que l'on se conforme aux normes dominantes, soit en renforçant les hiérarchies de privilèges.

La principale conclusion tirée au chapitre 4 est que les formes ségréguées de reconnaissance des unions, ainsi que de prestations et de pénalités fondées sur les unions, qui défavorisent de manière distincte les groupes caractérisés en fonction de leur sexe, de leur sexualité, de leur race et de leur incapacité, violent les garanties d'égalité que prévoit la Constitution.

Les solutions sont de trois ordres : éliminer les formes ségréguées de lois régissant les unions, offrir toutes les formes de reconnaissance des unions, y compris le mariage, à tous les couples, et utiliser l'individu plutôt que les unions comme élément de base des dispositions en matière de prestations et de pénalités. Le chapitre 4 comporte enfin une série de recommandations détaillées sur la façon de mettre en oeuvre ces trois solutions structurelles.

1. LES LESBIENNES AU CANADA:
CARACTÉRISTIQUES DÉMOGRAPHIQUES ET DÉSAVANTAGES

La décision de reconnaître les unions lesbiennes et gaies dans les lois fédérales marque un tournant. Les lois fédérales modifiées par le projet de loi C-23 touchent les couples lesbiens et gais du pays tout entier, ainsi que les politiques juridiques provinciales où, par exemple, les dispositions de la *Loi de l'impôt sur le revenu* sont intégrées par voie de renvoi aux lois régissant l'impôt provincial.

Toutefois, et ceci est peut-être étonnant, l'effet de cet important changement de politique sur les lesbiennes et les gais ne peut être évalué de manière précise, parce que l'État refuse systématiquement de recueillir des données de recensement ou d'enquête sur ce segment de la population[21]. Le présent chapitre vise à dresser un profil démographique des lesbiennes, des gais et des couples lesbiens et gais, dont il est possible de se servir pour analyser l'effet d'autres formes de reconnaissance des unions sur les lesbiennes.

Comme l'illustre le présent chapitre, de nombreux facteurs ont une incidence sur la situation des lesbiennes. Contrairement aux gais, les femmes sont touchées dans une large mesure par la discrimination fondée sur le sexe. Ce fait constitue donc le point de départ de la présente analyse. Déjà défavorisées par leur sexe, les lesbiennes sont aussi défavorisées par leur sexualité, ainsi que par leur manque d'accès à l'économie dite « masculine ». Les lesbiennes peuvent également être défavorisées du fait de leur race, de leur origine ethnique, de leur identité culturelle et de leur état physique ou mental.

Le présent chapitre est fondé sur des données qui éclairent le rôle que joue chaque caractéristique pour ce qui est d'interpréter la situation défavorable dans laquelle vivent les lesbiennes en tant que catégorie. Prenant appui sur les données canadiennes concernant les revenus des hommes et des femmes, le présent chapitre s'inspire des données du recensement de l'Australie, des données de recensements et de sondages effectués aux États-Unis, des extrapolations fondées sur les données de sondage canadiennes et des études de microsimulation canadiennes afin de déterminer les principales caractéristiques des lesbiennes et des gais en tant que catégories. L'auteure présente ces renseignements au début afin de faire en sorte que la présente étude sur l'effet de la reconnaissance des unions sur les lesbiennes tienne compte de la manière la plus complète possible de la réalité de l'existence de ces femmes, et qu'elle analyse aussi les points communs et les différences qui existent entre les lesbiennes et les gais.

Revenus et genre

Certaines chercheuses et certains chercheurs considèrent que les lesbiennes et les gais sont tout à fait interchangeables au point de vue des politiques. Il y a toutefois lieu de croire que, au moins d'un point de vue économique, les lesbiennes sont peut-être définies de manière plus marquée par leur sexe que par leur sexualité, tandis que les gais sont davantage touchés par leur sexualité.

Les données concernant l'écart des revenus entre les femmes et les hommes au Canada semblent indiquer qu'il s'agit d'un problème très difficile, et les revenus des femmes demeurent nettement inférieurs à ceux des hommes. Comme l'illustre la figure 1, entre 1984 et 1995, les revenus moyens des femmes ont eu tendance à se situer dans la fourchette de 10 001 $ à 20 000 $, tandis que chez les hommes, durant la période équivalente, les revenus moyens ont oscillé entre 30 001 $ et 50 000 $.

Figure 1 : Revenu total selon l'âge, le sexe et le genre, 1984-1995

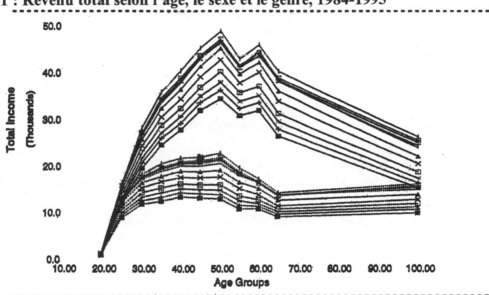

| Total income (thousands) = Revenu total (en milliers de $) |
| Age Groups = Groupes d'âge |

Source :
Base de données et modèle de simulation de politique sociale (BD/MSPS), version 5.2, données corrigées pour tenir compte des années 1984 à 1995.

Que l'on mette l'accent sur les revenus moyens ou sur les revenus selon l'âge, l'écart entre les revenus des femmes et ceux des hommes demeure à ce point marqué que les deux semblent presque vivre dans deux économies tout à fait différentes.

Cette double tendance sur le plan des revenus comporte d'importantes répercussions pour les lesbiennes. Premièrement, elle dénote que les lesbiennes et les gais auront des niveaux de revenu très différents, et que l'effet des politiques juridiques ne sera pas nécessairement ni exactement le même pour les couples lesbiens et gais. Deuxièmement, cette tendance semble indiquer qu'étant donné que les couples lesbiens bénéficieront des revenus de deux femmes et que les couples gais bénéficieront des revenus de deux hommes, il est possible aussi que ces deux types de couples présentent des tendances différentes sur le plan des revenus. Troisièmement, étant donné que les couples lesbiens sont les seuls qui n'ont pas accès à des revenus « masculins », ils sont peut-être défavorisés de façon particulière, au point de vue des revenus, par rapport à l'ensemble des autres couples.

Revenus et sexualité

La collecte de données sur les lesbiennes et les gais pose des problèmes méthodologiques spéciaux. Même dans les administrations qui interdisent toute discrimination fondée sur la sexualité, les lesbiennes et les gais hésitent à révéler leur identité sexuelle. Cette hésitation reflète les habitudes d'autoprotection que l'on associe au fait de grandir et de vivre dans des communautés homophobes.

Chez les lesbiennes et les gais, les jeunes craignent moins de divulguer leur orientation, mais ils continuent de manifester un peu de ce manque de transparence. Les projets de recherche conçus pour mesurer la taille des groupes lesbiens et gais font donc état de chiffres qui varient d'un minimum de 1 p. 100 à un maximum de 20 p. 100. Les facteurs qui ont une incidence sur le degré de divulgation aux chercheuses et aux chercheurs comprennent la définition de la sexualité que l'on utilise dans le projet de recherche, la période sur laquelle portent les questions, de même que la méthodologie de recherche[22].

En raison des difficultés que présente la mesure des groupes lesbiens ou gais, il existe peu de données valables sur les revenus et d'autres caractéristiques des lesbiennes et des gais. Vu la façon dont sont recueillies les données du recensement, il existe plus de données utiles sur les couples lesbiens et gais que sur les individus lesbiens ou gais. Cela est probablement attribuable au fait que l'on peut présumer de la sexualité à partir du sexe des cohabitants non mariés dans le cadre de certaines questions du recensement, tandis qu'aucun instrument de recensement n'a encore inclus des questions sur la sexualité des individus vivant seuls.

Comme on peut le voir ci-après, l'Australie a inclus une question sur les couples de fait dans les formulaires du recensement qu'elle a effectué en 1996. Cela a facilité l'identification des ménages à deux femmes ou à deux hommes dans lesquels les adultes vivent en union conjugale. Des données similaires ont été obtenues aux États-Unis à l'aide de données du recensement qui déclarent le sexe des cohabitants. Bien que l'on ait recueilli des données similaires dans le recensement canadien de 1996, les fonctionnaires ont refusé de diffuser ces données, ce qui a nécessité le recours à d'autres méthodes de recherche. Cependant, les tendances générales qu'il est possible d'observer dans les données de l'Australie et des États-Unis aident à formuler des hypothèses de recherche dont on peut se servir dans le contexte canadien.

Données du recensement de l'Australie
Le *Bureau of Statistics* de l'Australie a inclus des questions relatives aux couples lesbiens et gais dans la catégorie des « couples de fait » lors du recensement de 1996. Plus de 10 000 couples ont été identifiés de cette façon. Environ 11 p. 100 d'entre eux n'ont pas fourni de renseignements complets sur leurs revenus, mais les revenus déclarés par les 88 p. 100 restants confirment l'hypothèse que les couples lesbiens touchent des revenus généralement inférieurs à ceux des couples gais[23].

Quelque 42 p. 100 des couples de fait homosexuels, qui se sont identifiés dans le recensement de 1996, étaient de sexe féminin. Si la répartition des revenus entre les couples lesbiens et les couples gais n'était pas influencée par le sexe, on pourrait s'attendre à ce que 42 p. 100 des couples homosexuels, dans chaque tranche de revenu, soient lesbiens. Ce que les données ne corroborent pas.

Comme l'illustre le tableau 1, les couples lesbiens sont nettement surreprésentés aux niveaux de revenus inférieurs. Aucun des couples faisant partie de la tranche de revenu la plus basse n'était formé de gais; tous étaient des couples de lesbiennes. Dans la deuxième tranche, l'équilibre a changé : 40 p. 100 des couples étaient des gais, et 60 p. 100 des lesbiennes. Par rapport à la représentation dans le groupe général des couples recensés, cela signifie que les lesbiennes étaient surreprésentées dans les tranches de revenus inférieures par environ 18 points de pourcentage, et que les gais étaient sous-représentés.

Dans les tranches intermédiaires, les lesbiennes étaient parfois représentées de manière proportionnelle et parfois légèrement surreprésentées, mais plus des deux tiers des couples inscrits dans les catégories de revenus supérieures étaient sous-représentés aux niveaux de revenus supérieurs. Cette tendance concorde avec l'accès des femmes à des revenus allant de modérés à faibles dans les économies à revenus fractionnés, comme le Canada, et donne à penser que la plupart des couples qui se rangeaient dans ces tranches intermédiaires touchaient probablement deux revenus. Cependant, comme les femmes ne peuvent atteindre les niveaux de revenus associés aux hommes, leur représentation dans les tranches de revenus les plus élevées tombe brusquement parce que, même doublés, les revenus que touchent les femmes n'équivaudront pas, en moyenne, aux revenus les plus élevés des hommes ou aux revenus doublés des hommes. Environ 14 p. 100 des couples se rangeaient dans cette tranche de revenus la plus élevée.

Tableau 1 : Revenus familiaux des couples lesbiens et gais, Australie, 1996

Revenu (hebdomadaire) $	Nombre de couples dans la tranche de revenu	Couples lesbiens en % des couples dans la tranche de revenu	Couples gais en % des couples dans la tranche de revenu
1-119	9	100	0
120-159	15	60	40
160-299	245	43	57
300-499	745	50	50
500-799	1 409	47	53
800-1 199	2 340	42	58
1 200-1 499	1 454	42	58
1 500-1 999	1 517	43	57
2 000 et plus	1 278	31	69
Total	9 069	42	58

Source :
Australian Bureau of Statistics, (1997, tableau 1, p. 18)

Les données des États-Unis

Il ressort des recherches menées aux États-Unis que la sexualité a en général un effet négatif sur les revenus des lesbiennes et des gais, et ce, qu'ils vivent seuls ou en couple. Une première étude a montré que trois facteurs — le sexe, la sexualité et l'état matrimonial — interagissent de manière à produire des hiérarchies de revenus dans lesquelles les femmes mariées touchent les revenus les plus faibles et les hommes mariés les plus élevés. Bien que les revenus moyens des femmes soient tous nettement inférieurs aux revenus moyens des hommes, les femmes homosexuelles et hétérosexuelles cohabitantes avaient effectivement des revenus supérieurs à ceux des femmes mariées, tandis que chez les hommes, c'étaient les homosexuels qui avaient les revenus individuels les plus bas (Blumstein et Schwartz 1983: 598, tableau 9).

Des recherches plus récentes ont confirmé cette tendance. Dans une analyse de régression à plusieurs variables concernant des données de sondage, Lee Badgett a utilisé la *General Social Survey* menée par le *National Opinion Research Center* pour procéder à une analyse de régression à plusieurs variables sur l'effet de l'activité sexuelle sur les revenus[24]. Comme le résume le tableau 1, cette chercheuse a conclu que les hommes hétérosexuels touchaient les revenus les plus élevés, suivis des hommes homosexuels ou bisexuels, des femmes hétérosexuelles et des femmes homosexuelles ou bisexuelles, dans cet ordre.

Badgett a conclu que, pour les hommes gais ou bisexuels, la pénalité fondée sur le revenu pouvait atteindre 24,4 p. 100, et ce chiffre augmentait jusqu'à 26,7 p. 100 lorsqu'on incluait des variables liées à la profession. Toutefois, elle a également conclu qu'étant donné que les lesbiennes étaient à ce point défavorisées au point de vue du revenu du fait de leur sexe, la discrimination fondée sur la sexualité avait nettement moins d'effet. Quoi qu'il en soit, les gains des lesbiennes, exprimés en pourcentage des gains des hommes gais ou bisexuels (57 p. 100) étaient inférieurs, tandis que les gains des femmes hétérosexuelles étaient supérieurs lorsqu'on les exprimait en pourcentage des gains des hommes hétérosexuels (64,8 p. 100). Cela dénote que les gains des lesbiennes sont négativement touchés par le sexe et par la sexualité.

Tableau 2 : Revenus selon le comportement sexuel, États-Unis, 1989-1991

	Lesbiennes ou bisexuelles	Femmes hétérosexuelles	Gais ou bisexuels	Hommes hétérosexuels
Gains annuels	15 056 $	18 341 $	26 321 $	28 312 $
0-9 999 $	29,4 %	21,2 %	10,6 %	8,8 %
10 000-19 999 $	35,3 %	36,2 %	29,8 %	22,5 %
20 000-29 999 $	29,4 %	25,8 %	21,3 %	26,2 %
30 000-39 999 $	5,9 %	12,0 %	17,0 %	19,4 %
40 000-49 000 $	0,0 %	4,7 %	21,3 %	23,1 %

Source:
Badgett (1995: 726, 734).

Bien que le recensement des États-Unis ne recueille pas de renseignements sur la sexualité, les données obtenues sur le sexe des « partenaires non mariés » ont permis aux chercheuses et aux chercheurs d'analyser les revenus des couples lesbiens et gais ayant déclaré leur union de cette façon. Marieka M. Klawitter et Victor Flatt (1995) se sont servis des données du recensement de 1990 pour analyser les niveaux de revenus et la composition selon la race et le genre des couples homosexuels. Leurs conclusions, résumées au tableau 3, sont similaires à celles de Badgett : les couples mariés et gais touchent les revenus de ménage les plus élevés, suivis des couples hétérosexuels non mariés et, ensuite, des couples lesbiens.

Tableau 3 : Différences de gains prévues selon le genre de couple, États-Unis, 1990

	Couples lesbiens $	Couples gais $	Couples hétérosexuels cohabitants $	Couples hétérosexuels mariés $
Revenu du ménage	37 754	45 777	41 530	46 721
Revenu des hommes seuls	–	18 462	18 213	24 450
Revenu des femmes seules	15 823	–	10 611	9 866

Source :
Chiffres calculés à partir des données de Klawitter et Flatt (1995, tableaux 2 et 4, en utilisant les lignes d'« emploi privé »).

Il vaut la peine de souligner que seule l'étude de Blumstein-Schwartz a été délibérément conçue pour produire des données valides sur les revenus selon le sexe, la sexualité et le genre d'union. Les conclusions des deux autres études sont fondées sur des séries de données partielles. Bien qu'ils donnent des informations sur les effets possibles du sexe, de la sexualité et du genre d'union sur le revenu, les résultats demeurent partiels, car aucun des instruments gouvernementaux ayant servi à recueillir les données n'a été délibérément conçu de manière à produire, sur ces questions, des données valables et représentatives[25].

Ces données ne peuvent pas être comparées entre elles, ne peuvent pas toujours servir à effectuer des comparaisons avec les couples hétérosexuels et font de la détermination des revenus individuels probables un exercice quelque peu empirique. Cependant, toutes ces études étayent bel et bien l'hypothèse selon laquelle l'interaction du sexe, de la sexualité et du genre d'union produit des hiérarchies de revenus dans lesquelles les couples mariés touchent systématiquement les revenus les plus élevés, et les couples lesbiens les moins élevés. Les revenus des lesbiennes sont légèrement supérieurs à ceux des couples hétérosexuels mariés et cohabitants, mais ils demeurent nettement inférieurs à la totalité des revenus des hommes, ce qui explique pourquoi les revenus des couples lesbiens se situent dans la tranche des revenus de couple la plus basse.

Données du Canada
Il n'existe pas de données canadiennes directes sur les lesbiennes et les gais. Les données d'enquête dont on dispose sont à une seule variable, et aucun échantillon national représentatif n'a été établi. Statistique Canada a systématiquement refusé d'inclure des

questions sur la sexualité dans les formulaires de recensement antérieurs, mais a accepté de le faire pour le recensement de 2001. Contrairement à l'Australie et aux États-Unis, qui ont publié des données sur les couples lesbiens et gais s'étant identifiés dans les catégories de cohabitation, le Canada a refusé de publier ses données d'essai ou les réponses manifestement incomplètes d'un certain nombre de couples lesbiens et gais qui se sont déclarés dans la catégorie « autre » lors du recensement de 1996. Quoi qu'il en soit, ces données se rapporteraient uniquement à des couples, et non à des individus[26]. Tant que Statistique Canada ne recueillera pas de données nationales sur la sexualité, les données sur les couples lesbiens et gais ne peuvent être recueillies que de façon indirecte et très empirique. Une méthode consiste à identifier dans les données des recensements ou des enquêtes les couples hors famille de deux adultes de même sexe qui peuvent être homosexuels. L'autre méthode consiste à recourir à une microsimulation pour établir des groupes possibles de couples lesbiens et gais aux fins d'analyse. Aucune de ces deux méthodes n'a directement trait à des couples lesbiens et gais connus, parce qu'il n'y a rien, dans l'un ou l'autre type de base de données, pour indiquer que des couples hors famille de deux adultes de même sexe sont bel et bien homosexuels, ou intimement liés l'un à l'autre. Cependant, les études qui ont recours à cette méthode sont en mesure de faire des approximations et de relever des tendances et, dans le cas des études fondées sur une microsimulation, permettent d'analyser l'effet de facteurs complexes sur la répartition des prestations et des pénalités de l'État.

Trois études ont produit des données liées au revenu dans la catégorie des couples formés de personnes de même sexe. L'une a été menée par le ministère des Finances à l'intention du ministère de la Justice au moment de représenter le gouvernement dans des litiges. Les auteurs de cette étude ont utilisé des données qui concernaient des couples formés de personnes de même sexe et qui étaient tirées de l'enquête menée par Statistique Canada en 1990 sur les finances des consommateurs, afin de faire des projections sur les couples lesbiens et gais probables. Aux fins du présent projet de recherche, cette méthode a été reprise à l'université Queen's en utilisant les données de l'Enquête sur les finances des consommateurs, rectifiées en fonction de l'année 1996. La troisième étude a été fondée sur la base de données et le modèle de simulation de politique sociale de Statistique Canada, rajustée en fonction de 2000, de manière à identifier les couples hors famille formés de deux adultes. Les résultats de ces études sont résumés ci-dessous.

Étude du ministère des Finances

Dans cette étude, tous les ménages formés de deux adultes non apparentés de même sexe, dans un échantillon de 39 000 ménages, ont été identifiés. (Les étudiants à temps plein ont été exclus.) Les chiffres obtenus ont ensuite servi à projeter qu'il y avait au Canada, en 1994, environ 134 700 couples formés de personnes de même sexe (environ 1,6 p. 100 des ménages comptant plus d'une personne). Ces données ont servi à modéliser des caractéristiques détaillées de ces ménages de manière à projeter les répercussions probables, sur le plan des revenus et de la répartition, de la reconnaissance des couples lesbiens et gais aux fins de l'impôt sur le revenu[27].

Tableau 4 : Couples d'adultes de même sexe, selon le nombre de soutiens et le revenu du ménage, 1994

Revenu total du ménage $	Revenu unique	Revenus doubles	Total	% dans la tranche
Moins de 10 000	1 100	–	1 100	1
10 001-20 000	2 800	2 400	5 200	4
20 001-30 000	1 700	11 500	13 200	10
30 001-40 000	1 700	15 100	16 800	12
40 001-50 000	700	18 500	19 200	14
50 001-75 000	1 200	43 000	44 100	33
Plus de 75 000	–	35 000	34 900	26
Total des ménages	9 200	125 500	134 700	
Revenu moyen des ménages	27 850	63 070	60 670	
Pourcentage des couples	6.8	93.2	100	100

Source :
Affidavit d'Albert Wakkary, déposé dans l'affaire *Rosenberg* c. *The Queen* (Div. gén. Ont., n° du greffe 79885/94) (signé le 2 juin 1994), pièce B, tableau 2.

Ces données sont d'une utilité restreinte, et elles sont très théoriques. Les couples d'adultes de même sexe dont il est question dans cette étude ne sont pas nécessairement lesbiens ou gais. Il peut s'agir d'amis, de colocataires, de parents éloignés ou de personnes ayant décidé de vivre ensemble pour des raisons diverses. Il n'y a rien dans les données d'enquête qui permette de déterminer la sexualité des couples.

Ces données ne sont pas faciles à comparer, car l'on n'a pas établi de données comparables au sujet des gains des couples hétérosexuels. Elles ne ventilent pas non plus les couples selon le sexe. Elles séparent toutefois les couples à revenu unique des couples à double revenu et présentent les conclusions par tranches de revenus. Cependant, les données ne peuvent pas servir à projeter l'effet du sexe et de la sexualité combinés sur les répartitions de revenus.

Ces données sont utiles parce qu'elles donnent une idée du nombre relatif de couples qui touchent un revenu unique par opposition à un double revenu. Cependant, l'hypothèse selon laquelle les revenus moyens des ménages sont d'environ 60 000 $ ne reflète pas vraiment la réalité.

Analyse des données d'enquête de l'université Queen's

Pour établir certaines des comparaisons et des ventilations manquantes, on a reproduit l'étude du ministère des Finances à l'aide de données tirées de l'Enquête sur les finances des consommateurs de 1996. Les ménages choisis pour cette étude de l'université Queen's étaient formés de tous les ménages de deux adultes de même sexe non apparentés par le sang, par le mariage ou par l'adoption[28]. Les couples d'étudiants ont été retirés du dossier, tout comme les couples pour lesquels des différences d'âge extrêmes ou des codes professionnels donnaient à penser qu'il y avait fort peu de chances qu'il s'agisse de couples lesbiens ou gais.

En tout, 843 dossiers de ménage ont été choisis pour aider à établir la base de données employée dans l'analyse de l'université Queen's. Ces 843 ménages représentent 363 196 individus, ou 2,8 p. 100 de la population adulte totale. Tous les ménages choisis ont été classés en fonction du sexe : 63 p. 100 étaient des hommes, 37 p. 100 des femmes.

Ces couples ont été choisis non pas parce qu'il s'agissait de couples lesbiens ou gais, mais parce qu'il est permis de présumer que la plupart des cohabitants lesbiens et gais se situent dans ce groupe général. Il n'existe aucune façon de séparer les couples lesbiens et gais véritables des couples non homosexuels. Ils ne sont pas non plus nécessairement répartis de manière égale dans les catégories de revenus utilisées dans le cadre de la présente étude. Cependant, il s'agit là du moyen le plus réaliste de déterminer d'une certaine façon comment les revenus de cette partie de la population peuvent aussi être touchés par le sexe.

Le tableau 5 résume la répartition des revenus entre les ménages, selon la tranche de revenu et le sexe. La répartition générale des revenus au sein de ce groupe est nettement inférieure à celle qui a été déterminée dans l'étude du ministère des Finances. Dans l'analyse que l'université Queen's a effectuée au sujet des données de l'Enquête sur les finances des consommateurs de 1996, 29,4 p. 100 des revenus par ménage se situaient en deçà de 30 000 $. Dans l'étude que le ministère des Finances a menée en 1994 sur l'Enquête sur les finances des consommateurs, seuls 15 p. 100 se situaient en deçà de 30 000 $. Dans les tranches de revenus intermédiaires, la répartition était systématiquement plus élevée dans l'étude du ministère des Finances, et il y avait une autre différence de taille dans les revenus de plus de 50 000 $. L'étude de l'université Queen's n'a trouvé que 49 p. 100 de la catégorie au-delà de ce niveau, tandis que l'étude des Finances a relevé, à ce niveau-là, une représentation de 59 p. 100. Cette différence s'étale de manière égale dans toutes les tranches, au-delà de 50 000 $.

Les conclusions de l'université Queen's concordent davantage avec les données de l'Australie et des États-Unis qui ont été résumées précédemment dans la présente section.

L'étude de l'université Queen's a catégorisé ces couples du même sexe en fonction du genre ainsi que des revenus. Bien que les ménages à deux hommes et à deux femmes identifiés de cette façon présentent des profils de revenus similaires, les couples de sexe féminin sont nettement surreprésentées dans les tranches de revenus inférieures. Environ 36 p. 100 des couples féminins ont un revenu de ménage total de moins de 30 000 $, et environ 62 p. 100 gagnent moins de 50 000 $. Seuls quelque 25 p. 100 des revenus de couples masculins se situent en deçà de 30 000 $, et environ 47 p. 100 gagnent moins de 50 000 $.

Une analyse plus poussée de cette base de données a révélé que cette tendance fondée sur le sexe est corroborée, que le ménage compte des enfants ou pas. Pour ce qui est des ménages féminins, le revenu moyen du ménage est inférieur à celui des ménages masculins, avec ou sans enfants. La base de données contenant des couples d'adultes de même sexe, qui a été élaborée à l'aide de la base de données et du modèle de simulation de politique sociale

(BD/MSPS) de Statistique Canada, semble également indiquer que les revenus des couples lesbiens possibles sont inférieurs à ceux des couples gais possibles[29].

Tableau 5 : Revenu des couples formés de personnes de même sexe, selon le genre – Enquête sur les finances des consommateurs, 1996

Revenu total des ménages ($)	Ménages masculins (%)	Ménages féminins (%)	% du total
0-10 000	2,2	0,5	2,7
10 001-20 000	3,5	5,5	9,1
20 001-30 000	10,4	7,1	17,6
30 001-40 000	5,2	5,3	0,5
40 001-50 000	9,1	4,2	13,3
50 001-60 000	11,4	4,3	15,8
60 001-70 000	5,0	2,5	7,5
70 001-80 000	5,0	3,9	8,9
80 001-90 000	5,4	0,9	6,2
90 001-100 000	2,0	0,5	2,4
Plus de 100 000	4,5	1,5	6,0
Total	63,7	36,3	100

Source :
Données réunies à l'aide de la base de données combinée, formée des dossiers de particuliers, de la famille de recensement et des principaux dossiers de Statistique Canada (1997b).

Revenus et race

La race est un autre facteur qui a une influence marquée sur les niveaux de revenu, et ce, tant au niveau individuel qu'au niveau du couple. Il a été impossible de coder la race dans la série de données qui a été utilisée pour la présente étude. Cependant, selon les renseignements qui figurent dans le tableau 6, les lesbiennes ou les gais qui sont identifiés par leur race seront plus désavantagés, sur le plan du revenu, que les individus non identifiés. Les effets du racisme sur les niveaux de revenu auraient, eux aussi, une incidence sur les revenus des couples.

Il ressort d'une abondante documentation sur la relation entre les politiques en matière d'impôt sur le revenu et la race aux États-Unis qu'il existe de nombreuses dispositions relatives à l'impôt sur le revenu qui ont une incidence disparate sur les gens de couleur. Cette disparité est principalement imputable à l'effet de la race sur les revenus des individus et des couples.

Au nombre des dispositions relatives à l'impôt sur le revenu qui ont une incidence disparate figurent l'imposition de la « pénalité de mariage » qu'occasionnent les différents taux d'imposition appliqués aux célibataires et aux personnes mariées, le grand nombre d'avantages fiscaux accordés aux personnes qui possèdent diverses formes de propriété, ainsi que la déclaration conjointe, dont ne peuvent se prévaloir les couples n'ayant pas les moyens de vivre d'un seul revenu[30]. Les seuils de faible revenu, fondés sur la famille, qui s'appliquent à diverses formes d'aide sociale auront également tendance à exercer une discrimination contre les couples à deux revenus et, à la longue, inciteront les mères à faible revenu ou les parents ayant la garde d'enfants à vivre seuls afin d'avoir droit au maximum des prestations financées par l'État.

De telles dispositions auraient probablement une incidence encore plus marquée sur les personnes identifiées à la fois par leur sexe et par leur race.

Tableau 6 : Revenus moyens, selon la race et le genre, 1990-1995

Identité raciale ou ethnique	Hommes $	Femmes $
Asiatiques du Sud-Est	24 233	16 794
Philippins	24 771	20 145
Arabes / Asiatiques de l'Ouest	26 401	16 964
Latino-américains	21 254	14 461
Japonais	41 254	20 202
Coréens	24 548	16 976
Chinois	27 815	20 046
Asiatiques du Sud	29 435	18 952
Noirs	25 410	20 345
Tous ceux qui précèdent combinés	27 933	19 204
Premières Nations / dans une réserve	14 711	13 447
Premières Nations / hors réserve	22 144	15 559

Source :
Statistique Canada (1996).

Revenus et incapacité

En raison de l'omission constante de la sexualité, dans les données des recensements et des enquêtes, il n'existe pas au Canada de données qui éclaireraient l'effet conjugué de l'incapacité et de la sexualité sur les revenus. Cependant, l'effet de l'incapacité sur les revenus est bien documenté et, assurément, les femmes classées comme handicapées ont des revenus nettement inférieurs à ceux des hommes se trouvant dans la même situation. Les personnes défavorisées par leur incapacité ainsi que par leur sexualité auront vraisemblablement des revenus inférieurs à la moyenne, comparativement à d'autres personnes du même sexe. C'est donc dire que les couples lesbiens handicapés auraient probablement des revenus inférieurs aux couples lesbiens moyens.

Il y a peu de chances que les personnes ayant de faibles revenus cherchent à obtenir les avantages fiscaux les plus importants. Par exemple, les femmes souffrant d'une incapacité, dont les revenus moyens sont de 13 425 $, ne seront probablement pas en mesure de subvenir à leurs besoins personnels ainsi qu'à ceux d'une autre femme. Elles ne pourraient donc pas profiter du crédit d'impôt pour personne mariée dont peuvent se prévaloir les contribuables qui subviennent aux besoins d'un conjoint qui est à leur charge d'un point de vue économique. Pour cette raison, il est probable que les programmes d'imposition et de transfert auront un effet négatif disparate sur les personnes caractérisées par l'incapacité et la sexualité.

Tableau 7 : Revenus moyens selon l'incapacité et le genre, 1996

Situation	Hommes $	Femmes $
Physiquement aptes	30 000	18 008
Handicapés	22 129	13 425

Source :
Ministres chargés des services sociaux (1998-1999).

Conclusion

Il est généralement reconnu que les structures financières et réglementaires de l'État devraient avoir sur le comportement une incidence neutre et équitable. Lorsqu'on sait que des caractéristiques démographiques telles que le sexe, la sexualité, la race et l'incapacité ont pour effet des revenus différents, il est nécessaire, au moment d'établit des politiques rationnelles, de tenir soigneusement compte de l'effet sur ces groupes d'importants changements dans la politique sociale et économique.

Lorsque l'objectif d'une nouvelle loi consiste à atténuer les désavantages qui découlent d'une discrimination historique, il est particulièrement important de noter de quelle façon de tels changements se répercutent sur divers membres du groupe concerné. Comme l'illustre cet examen des données disponibles, les revenus des personnes caractérisées par leur sexualité sont également influencés par le sexe, le type d'union, la race perçue, la responsabilité d'enfants et les capacités physiques ou mentales de ces personnes.

Sexe, race et capacité
Les revenus des femmes sont nettement inférieurs à ceux des hommes, et ce, qu'on les examine pendant la durée du cycle de vie, selon le niveau d'instruction, selon le groupe professionnel ou selon les moyennes régionales ou nationales. Il existe une corrélation entre la race et des revenus moyens et à vie inférieurs, selon des variables liées à l'instruction ou à la profession. Une incapacité physique ou mentale est également un facteur prédicteur d'une pauvreté plus marquée.

Sexualité et type d'union
Les couples mariés sont, parmi l'ensemble des couples, ceux qui touchent les revenus de ménage les plus élevés. Les gais ont des revenus inférieurs à ceux des hétérosexuels, mais lorsqu'on double leurs revenus, les revenus du ménage qu'ils touchent se comparent à ceux des couples hétérosexuels. Les femmes cohabitantes non mariées ont des revenus supérieurs aux femmes mariées, mais les hommes cohabitants ont des revenus inférieurs à ceux des hommes mariés. Les revenus des lesbiennes ont tendance à se regrouper à un niveau à peu

près identique, sinon supérieur, à celui des femmes cohabitantes, mais les ménages lesbiens sont, parmi toutes les catégories de ménage, ceux dont les revenus sont les plus bas.

Race et type d'union

Les revenus moyens des personnes identifiées par leur race sont généralement inférieurs à ceux des personnes qui ne sont pas identifiées de cette façon (il s'agit principalement de personnes d'origine européenne). Non seulement y a-t-il de grandes différences dans les revenus moyens selon l'origine ethnique ou la race, mais il existe aussi des différences marquées selon le sexe. En général, l'écart entre les revenus moyens des hommes et des femmes est plus restreint et, pour certains groupes, les revenus que touchent les femmes sont relativement moins bas que ceux des hommes lorsqu'on les compare aux moyennes nationales. C'est donc dire que les revenus de ménage des couples mariés identifiés par leur race sont, en moyenne, nettement inférieurs à ceux des couples mariés non identifiés par leur race. Autrement dit, l'avantage d'avoir accès à des revenus « masculins » est nettement inférieur dans cette catégorie.

Incapacité et type d'union

On peut s'attendre à des tendances analogues chez les personnes souffrant d'une incapacité. Tous les adultes handicapés touchent des revenus inférieurs à ceux des personnes non handicapées. Les femmes souffrant d'une incapacité sont nettement plus défavorisées que les hommes se trouvant dans la même situation, au point de vue des revenus. Dans cette catégorie de couples, les avantages de l'accès à des revenus « masculins » sont réduits par les effets de l'incapacité.

Les réalités de l'existence des personnes homosexuelles, femmes et hommes, ne sont pas neutres, à cause des effets non neutres de la sexualité et — dans le cas des lesbiennes — du sexe sur leur revenu, leurs besoins, leurs ressources et leurs responsabilités. Ces réalités perdent encore plus de neutralité lorsque les lesbiennes ou les gais sont également identifiés par leur race ou souffrent d'une incapacité, ou ont ces deux désavantages.

Lorsqu'on évalue d'autres formes de reconnaissance des unions, il est important de ne pas oublier les effets qu'ont la sexualité, le sexe, la race et l'incapacité, au point de vue des revenus, sur les lesbiennes et les gais. Les politiques d'imposition ou de transfert n'ont pas un effet neutre sur les couples à faible revenu. On peut s'attendre à ce que la tendance à imposer aux couples lesbiens et gais le plein fardeau financier de la reconnaissance des unions, tout en continuant de préserver un grand nombre des avantages qu'offre le statut de couple, intensifie le désavantage général qu'ils subissent.

Le chapitre suivant passe en revue les avantages et les fardeaux qu'imposent les nouvelles formes de reconnaissance des unions qui sont apparues au cours des dix dernières années.

2. NOUVELLES FORMES DE RECONNAISSANCE DES UNIONS : DISTINCTES MAIS PRESQUE « ÉQUIVALENTES »

Avant que les politiques juridiques ne commencent à traiter de la situation des couples lesbiens et gais, le droit canadien ne reconnaissait que deux types d'union entre adultes : le mariage et la cohabitation. La plupart des idées, formulées à ce jour, sur la façon de reconnaître les unions lesbiennes et gaies sont axées sur deux questions : s'il convient de donner aux couples lesbiens et gais accès au statut de personne mariée ou de cohabitant, et la façon dont on reconnaît, dans les familles lesbiennes et gaies, les relations parents-enfants. La présente étude porte sur l'effet d'autres formes de reconnaissance des unions sur les lesbiennes, mais la question de la relation parent-enfant est également importante, car les couples lesbiens et gais forment souvent des familles et sont eux-mêmes membres d'une famille.

La première partie de ce chapitre décrit les différences juridiques fondamentales qui existent entre le célibat, le mariage et la cohabitation en droit canadien. Ensuite, l'auteure examine la mesure dans laquelle on peut considérer que les méthodes judiciaires et législatives de reconnaissance des unions lesbiennes et gaies sont « égales ». Les avantages méthodologiques de la reconnaissance judiciaire par opposition à la reconnaissance législative sont décrits, tout comme les diverses formes de discrimination inévitablement intégrées dans les dispositions législatives.

La troisième partie examine de plus près un nouvel instrument fédéral, le projet de loi C-23, qui, dans les lois fédérales, attribue aux couples lesbiens et gais une nouvelle catégorie, celles des « conjoints de fait ». L'effet de la combinaison des droits, des responsabilités, des avantages et des fardeaux qui découlent du projet de loi C-23, sur les lesbiennes en particulier et sur les couples homosexuels de façon plus générale, est considéré sous l'angle de la doctrine de l'égalité constitutionnelle ainsi que sous l'angle de la façon dont la législation affecte de manière différente les lesbiennes en tant que catégorie. Cette analyse inclut l'interface entre la législation fédérale et la législation provinciale, car les changements apportés à la loi fédérale se répercutent sur les lois provinciales en matière de fiscalité et de biens familiaux.

La principale conclusion qui ressort de cette analyse est que, même si l'on s'attend aujourd'hui à ce que les couples lesbiens et gais supportent les mêmes fardeaux et les mêmes responsabilités que les autres couples au Canada, ils continuent de subir, dans les lois fédérales, des formes uniques et importantes de discrimination. Cela est principalement attribuable au fait que le rôle que joue l'État, pour ce qui est de reconnaître les unions des adultes, est encore, dans une large mesure, le produit de valeurs datant des XIXe et XXe siècles qui considèrent les couples mariés hétérosexuels, à revenu unique et dirigé par un homme, comme l'unité de base de l'organisation sociale qu'il faut soutenir et promouvoir dans les lois fédérales.

Comme toutes les lois obligatoires qui étendent aux unions lesbiennes et gaies le traitement accordé aux conjoints, le projet de loi C-23 exige que les cohabitants lesbiens et gais paient, pour la reconnaissance de leur union, le même prix que tous les autres couples, mais les lois fédérales et provinciales continuent de les priver de certains des avantages que procure la reconnaissance de cette union. En fait, comme on le verra dans ce chapitre et ainsi qu'il est illustré sous forme statistique au chapitre 3, la façon dont fonctionnent les politiques fédérales en matière d'avantages ou de fardeaux fait en sorte que, en raison de revenus moyens inférieurs, le fardeau de la reconnaissance de l'union pèse plus lourdement sur les couples lesbiens et gais que sur les couples hétérosexuels cohabitants ou mariés, et plus lourdement encore sur les couples homosexuels affectés par la race, le sexe féminin, l'incapacité ou les responsabilités parentales.

Comme le projet de loi C-23 continue de nier aux couples lesbiens et gais des droits égaux, on peut dire, dans le meilleur des cas, qu'il crée une catégorie de couples qui sont distincts mais presque équivalents aux cohabitants hétérosexuels non mariés.

Individus, couples mariés et cohabitants

Bien que l'on semble tenir pour acquis dans le régime juridique nord-américain que les personnes mariées devraient avoir des responsabilités et des droits spéciaux, cela n'a pas toujours été le cas, et cela n'est pas non plus vrai partout. Dans les sociétés égalitaires, le droit de propriété avait tendance à être collectif, l'attribution des biens reflétait la primauté des intérêts collectifs, et la plus petite unité observable d'organisation sociale et économique était souvent axée sur l'unité mère-enfant. À la longue, l'organisation sociale égalitaire a été supplantée, dans une large mesure, par l'organisation patriarcale. Ainsi, à la fin de l'Empire romain, quand sont apparus les premiers éléments du droit contemporains des biens, le droit de propriété a été accordé aux hommes individuels de la catégorie des citoyens. Les prérogatives politiques et juridiques qui ont donné forme à l'État émergent ont été également concentrées exclusivement entre les mains de citoyens de sexe masculin, permettant ainsi aux classes dirigeantes d'exercer un contrôle politique et économique sur un secteur géographique grandissant et une population diversifiée.

Les individus

Dans le régime juridique européen, les individus ont émergé en contraste avec les collectivités fondées sur la famille. Comme l'illustre le droit civil romain, qui est l'un des premiers régimes juridiques à définir et à organiser les droits et les prérogatives au niveau de l'individu, les droits juridiques et le statut de l'individu ont été façonnés autour des prérogatives politiques et juridiques des citoyens masculins en droit romain.

Si le droit de posséder des biens, de conclure des contrats, d'exercer des fonctions officielles, de consentir au mariage, d'avoir la garde d'enfants, de recourir aux tribunaux, d'établir un domicile et d'être considéré comme un citoyen n'était accordé, à l'origine, qu'aux citoyens de sexe masculin, dans le régime juridique nord-américain tous les individus détiennent ces droits civils et politiques fondamentaux. En fait, le libellé du paragraphe 15(1) de la *Charte canadienne des droits et libertés* confirme clairement que c'est l'individu qui détient des droits dans la société canadienne, et que le principe de l'égalité s'étend à tous les individus, indépendamment de caractéristiques autrefois incapacitantes, telles que le sexe, la race ou une déficience[31].

Ce point est souligné pour faire ressortir que, bien que, de nos jours, toutes les personnes soient considérées comme des individus et donc des personnes juridiques au Canada, cette notion, à l'origine, n'était pas neutre, mais conçue pour créer et maintenir des hiérarchies de privilèges et de pouvoirs.

L'individu est aujourd'hui considéré comme l'unité de base de la société. Bien que le mot « individu » soit souvent opposé à des termes plus collectifs, il est utile de se rappeler que les attentes entourant la situation juridique des individus eux-mêmes ont été façonnées par la situation politique et juridique des hommes dans la société eurocanadienne en général.

Le mariage

De la même façon, les droits et les responsabilités associés au mariage peuvent être liés au droit romain hiérarchique. Le mariage n'a pas toujours eu une signification juridique. Des formes de mariage ont souvent existé à l'extérieur d'un cadre juridique quelconque. Les lois sur les successions et les lois fiscales qui étaient axées directement sur les couples mariés étaient conçues pour promouvoir le mariage hétérosexuel, par opposition aux unions homosexuelles masculines. Ainsi, sous l'Empire romain, les lois juliennes pénalisaient les hommes qui ne donnaient pas ou ne léguaient pas leurs biens à leurs enfants, et pénalisaient les femmes qui ne se mariaient pas et qui n'avaient pas au moins trois enfants[32]. Considérées parfois comme visant une fin essentiellement moraliste, ces lois préservaient la richesse et le pouvoir politique de la classe des citoyens en réglementant les transactions entre époux et celles concernant les biens.

D'un point de vue financier, ces lois ne sont pas sans ressembler à un grand nombre de celles qu'appliquent les États modernes. De telles dispositions subventionnent le mariage hétérosexuel, la reproduction féminine et les legs familiaux en pénalisant les personnes qui choisissent de se comporter en individus. En fait, en considérant les choses sous cet angle, on peut voir que les droits de propriété et les avantages fiscaux spéciaux qui concernent les couples mariés ont pour but de faire passer le pouvoir économique des mains de ceux qui agissent comme des individus aux mains de ceux qui agissent comme des couples mariés hétérosexuels.

Des objectifs semblables ont donné naissance à une structure juridique dans laquelle, au Canada, certains droits et responsabilités sont exclusivement réservés aux couples mariés. Un grand nombre de ces droits et responsabilités ont été étendus aussi aux cohabitants vivant dans une situation assimilable à une union conjugale mais, jusque dans les années 1990, tous les droits et les responsabilités afférents à une union ont continué d'être niés aux couples lesbiens et gais. Jusqu'à ce jour, ces couples n'ont eu accès à aucun des droits réservés strictement aux couples mariés. Dans le meilleur des cas, les couples lesbiens et gais n'ont accès qu'en partie aux droits dont jouissent les cohabitants[33].

Les droits spéciaux réservés presque exclusivement aux personnes mariées en droit canadien sont généralement les suivants :

- un droit présumé de 50 p. 100 au foyer conjugal;

- l'interdiction de grever d'une charge le foyer conjugal ou d'en disposer sans le consentement écrit de l'autre conjoint;

- un droit présumé de 50 p. 100 au reste de l'actif conjugal;

- des droits de possession du foyer conjugal indépendamment du conjoint qui détient le titre légal de propriété de ce foyer;

- les droits de partager les crédits de pension accumulés;

- le droit du conjoint survivant à une part forcée des éléments d'actif que possédait le conjoint décédé, indépendamment de ce qu'indique le testament de ce dernier;

- le droit du conjoint survivant de choisir la part, prévue par le droit de la famille, de l'actif familial net, des legs ou la part forcée de la succession non testamentaire au décès de l'autre conjoint;

- le droit du conjoint survivant d'agir comme représentant personnel du conjoint décédé;

- le droit du conjoint survivant de demander qu'on apporte l'aide aux personnes à charge à même la succession du conjoint décédé;

- les dispositions en matière d'impôt sur le revenu qui accordent une exonération d'impôt aux types de transactions énumérés ci-dessus;

- de nombreux autres types d'impôt qui ne créent des exemptions que pour les couples mariés (comme les exemptions relatives aux droits de cession immobilière, les déductions fiscales au titre des cotisations aux régimes enregistrés d'épargne-logement en Ontario, l'admissibilité au revenu annuel garanti en Ontario);

- les présomptions de filiation qui, dans bien des administrations, découlent du mariage, et ce, indépendamment des liens biologiques réels avec les enfants;

- les ordonnances relatives à la possession exclusive du foyer conjugal.

Ces droits et obligations particuliers sont presque toujours réservés aux couples mariés au Canada. Trois commissions de réforme du droit ont recommandé que l'on accorde certains de ces droits de propriété aux cohabitants hétérosexuels[34], mais, jusqu'à présent, seuls un tribunal et trois assemblées législatives ont emboîté le pas[35].

Au-delà de ces attributs de base du mariage, le reste des droits et obligations attribués aux personnes mariées varie nettement d'une administration à une autre. En annexe, les tableaux A-1 à A-5 illustrent le large éventail d'autres droits et obligations matrimoniaux que l'on retrouve dans les lois fédérales ainsi que dans les lois de l'Ontario, du Québec et de la Colombie-Britannique. C'est entre la législation fédérale et la législation provinciale ou territoriale qu'on note la différence la plus marquée, et cela est dû au fait que l'autorité législative fédérale est nettement distincte de l'autorité législative provinciale ou territoriale. En général, ces droits et responsabilités matrimoniaux supplémentaires sont liés à des secteurs relevant du droit public : les régimes de retraite publics, les prestations, la fiscalité, les conflits d'intérêts et l'aide sociale.

Cohabitation hétérosexuelle

En un sens, la cohabitation hétérosexuelle se situe le long d'un continuum qui s'étend du statut d'individu à celui de personne mariée. Cela est valable pour toutes les administrations du Canada, car toutes reconnaissent aujourd'hui, à certaines fins au moins, la cohabitation dite hétérosexuelle.

Les attributs juridiques qui se situent le long de ce continuum ne sont pas exclusifs à la cohabitation. Aucun droit ni responsabilité juridique n'a été conçu pour répondre aux besoins spéciaux des cohabitants. En fait, le statut de cohabitant est une combinaison des attributs juridiques liés au statut de célibataire et au statut de personne mariée. Ainsi, en Ontario, les cohabitants de sexe opposé sont traités comme s'ils étaient des individus pour ce qui est des droits de propriété et de succession, mais comme s'ils étaient mariés — et, en fait, ils sont réputés être des conjoints — pour ce qui est du soutien des enfants, des présomptions de filiation et des plaintes relatives aux droits de la personne.

Au point de vue des politiques, les centaines de droits et de responsabilités qui sont associés au mariage hétérosexuel dans chaque administration continuent de fixer la norme qui régit la reconnaissance des unions. Comme on en est venu à reconnaître les unions non conjugales, les responsables de l'élaboration des politiques ont eu tendance à décider lesquels de ces centaines d'attributs seraient étendus à d'autres types d'union. Il s'agit là d'un choix du type « tout ou rien » parce qu'il n'y a que deux choix possibles qui peuvent être faits en rapport avec chaque disposition conjugale précise : l'étendre à quelques couples non mariés ou à tous, ou ne pas l'étendre.

Pour ce qui est de la création de nouvelles politiques, cette méthode du tout ou rien résulte du fait que, dans le discours juridique, les personnes sont considérées soit comme des conjoints — réellement mariés ou réputés l'être — soit comme des célibataires dont les unions adultes n'ont aucune signification juridique. Contrairement aux politiques concernant les relations adultes-enfants (qui, dans certains contextes, tiennent compte de questions de nature factuelle, comme le fait de savoir si l'adulte vit avec l'enfant, la mesure dans laquelle l'enfant est passé, fonctionnellement, à l'âge adulte, et si l'adulte subvient en tout ou en partie aux besoins de l'enfant, seul ou en compagnie d'un autre adulte), les politiques juridiques liées aux unions adultes n'offrent que deux choix : soit que l'union est suffisamment assimilable au mariage, relativement à un élément particulier de la doctrine juridique, pour être traitée de la même façon que le mariage, soit qu'elle ne l'est pas.

Couples lesbiens et gais

Il y 12 ans a peine, les unions lesbiennes et gaies n'étaient nullement reconnues en droit canadien. Quelle que fût la durée de cette union, son exclusivité, son niveau d'engagement, son soutien ou son interdépendance, les deux partenaires étaient traités comme des individus non apparentés — des étrangers en droit.

Les partenaires gais, lesbiennes et transgendéristes ont d'abord tenté de rompre ce statut d'individu forcé en se mariant. Les couples gais qui se sont adressés aux tribunaux pour obtenir un permis de mariage ont échoué[36] et les mariages entre partenaires transgendéristes n'ayant pas changé légalement de sexe ont été, lorsqu'on les a contestés, traités comme des nullités juridiques par l'appareil judiciaire[37]. Ce dernier a donc barré la route menant à la reconnaissance d'une union par la voie du mariage officiel. De nouvelles contestations, en 2000, pourraient peut-être changer les choses, mais pour l'heure, la route reste fermée.

La reconnaissance juridique des unions lesbiennes et gaies a cependant été accomplie jusqu'à un certain point par la contestation du fait que les lesbiennes et les gais sont exclus des dispositions relatives aux cohabitants de sexe opposé. C'est donc dire que les couples lesbiens et gais se situent aujourd'hui le long du continuum qui, dans certaines administrations, s'étend du statut d'individu au statut de personne mariée. Cependant, ils bénéficient en général d'une reconnaissance juridique nettement moindre que celle dont jouissent les cohabitants de sexe opposé, et aucune administration n'a accordé aux couples lesbiens et gais la totalité des droits conférés aux couples hétérosexuels. En annexe, les tableaux A-1 à A-5 illustrent les différences qui existent encore entre les cohabitants hétérosexuels et lesbiens ou gais dans la législation fédérale et dans celle de l'Ontario, du Québec et de la Colombie-Britannique, ainsi que dans les propositions de réforme connexes. Ces administrations ont été choisies pour la présente analyse, car ce sont les seules au Canada à avoir modifié un grand nombre de leurs lois, voire la plupart d'entre elles, pour accorder une certaine forme de reconnaissance juridique aux unions lesbiennes et gaies. Dans les autres administrations du Canada, on n'a pas encore pris de mesures semblables[38].

Si l'on compare les droits et les responsabilités des cohabitants lesbiens et gais à ceux des personnes mariées, on peut constater qu'au Canada, les couples homosexuels sont encore traités dans une large mesure comme des individus.

Comme nous le verrons à la section suivante, le degré de reconnaissance juridique des unions lesbiennes et gaies varie considérablement d'une administration à l'autre. Cependant, dans aucune d'elles les caractéristiques de base du mariage n'ont été accordées aux couples lesbiens et gais. Aucune administration ne leur a accordé non plus *la totalité* des attributs juridiques de la cohabitation hétérosexuelle.

Tableau 8 : Droits et obligations juridiques particuliers des couples lesbiens et gais, 2000

Administration	Protection des droits de la personne, individu	Protection des droits de la personne, union	Droit au mariage	Partage du foyer conjugal(*)	Partage des biens familiaux(*)	Droits de succession	Redressements en faveur d'une personne à charge	Reconnaissance de la relation parent-enfant	Adoption en tant que couple	Avantages sociaux destinés au conjoint	Prestations de survivant
Administration fédérale	X							De fait, dans certains cas		X	X
Ontario	X	X							Beau-parent	Emploi provincial	Quelques-unes
Québec	X								X	X	Quelques-unes
Colombie-Britannique	X	X						Beau-parent	X	X	
Nouveau-Brunswick	X										
Nouvelle-Écosse	X										
Terre-Neuve et Labrador	X										
Manitoba	X	X								Emploi provincial	Emploi provincial
Saskatchewan	X									Quelques-uns	
Alberta	X								X		
Yukon	X										
Territoires du Nord-Ouest											
Nunavut											

Note :

Au 24 juin 2000, il est possible que des recours fondés sur l'équité soient permis.

Reconnaissance judiciaire et reconnaissance législative des unions homosexuelles

La question constitutionnelle fondamentale que suscitent les tendances actuelles en matière de reconnaissance des unions est celle de savoir si les couples lesbiens et gais ont le droit d'accéder volontairement aux deux catégories de reconnaissance existantes : le mariage et la cohabitation. Ou bien, leur attribuera-t-on une troisième et une quatrième catégorie, différentes et distinctes des deux premières? Il s'agit essentiellement d'un choix entre une égalité entière et véritable avec tous les autres couples en droit canadien, par opposition à un statut juridique de troisième ou de quatrième classe.

Pendant que les questions de reconnaissance des unions demeuraient presque l'apanage de l'appareil judiciaire, il a semblé que les couples lesbiens et gais allaient graduellement quitter la catégorie des individus en ayant davantage accès aux attributs et aux avantages de la cohabitation sans que l'on fasse de distinction fondée sur la sexualité. En Amérique du Nord, où les litiges de nature constitutionnelle concernant les couples homosexuels ont pris naissance, les redressements judiciaires pour cause de discrimination fondée sur la sexualité ont eu tendance à éliminer les classifications législatives basées sur la sexualité[39].

Par contre, les dispositions législatives reconnaissant les unions lesbiennes et gaies sont toujours fort lacunaires, et ce, de deux façons différentes. Premièrement, la législation tend à créer de nouvelles classifications législatives pour les couples homosexuels. Deuxièmement, elle tend à n'appliquer à ces derniers que des attributs particuliers de la cohabitation hétérosexuelle. Non seulement les assemblées législatives ont-elles toutes continué de refuser aux couples lesbiens et gais l'accès au mariage officiel, mais même celles qui sont censées avoir adopté des dispositions législatives de portée générale n'ont pas encore accordé aux couples homosexuels la totalité des droits et des obligations conférés aux cohabitants hétérosexuels.

Reconnaissance judiciaire

Lorsque la discrimination exercée contre les couples lesbiens et gais a été contestée avec succès en vertu de la *Charte*, les tribunaux ont ordonné des mesures de réparation conçues pour éliminer cette discrimination. La nature de ces mesures tend à refléter la façon dont les effets discriminatoires ont été créés au départ — par voie d'interprétation judiciaire ou par voie de disposition législative expresse.

Dans certains cas, les tribunaux ont conclu qu'un libellé qui ne fait aucune référence à la sexualité enfreint le paragraphe 15(1) de la *Charte* parce que l'on a présumé qu'il exclut les couples lesbiens et gais. Les ordonnances judiciaires rendues dans ces affaires de « présomption hétérosexuelle » ressemblent à celle qui a été rendue dans la célèbre décision du Conseil privé concernant l'affaire « personne » de 1929, dans laquelle le tribunal a interprété la Constitution canadienne comme si le mot « masculin » incluait les femmes. À commencer par la décision rendue par la Cour d'appel fédérale dans l'affaire *Veysey*[40], les tribunaux qui ont conclu qu'un libellé neutre d'un point de vue sexuel enfreignait la *Charte* ont systématiquement rendu des ordonnances qui interprètent ces dispositions comme si elles incluaient les couples lesbiens et gais. De telles ordonnances relèvent clairement de la compétence en *common law* des tribunaux, car ce sont les tribunaux eux-mêmes qui ont créé au départ la présomption hétérosexuelle pour exclure les couples lesbiens et gais de l'application des dispositions sexuellement neutres.

Dans les cas où des dispositions législatives ont été expressément réservées aux couples hétérosexuels, les tribunaux ont formulé des déclarations qui ont obtenu cet effet « comme si » en éliminant les mots expressément discriminatoires et en interprétant le libellé subséquent comme s'il incluait les couples lesbiens et gais. Ainsi, quand des dispositions législatives ont défini le mot « conjoint » comme s'il n'incluait que les cohabitants de sexe opposé, les tribunaux se sont servis de leur pouvoir pour éliminer des termes comme « sexe opposé » (c'est ce que l'on appelle de l'« atténuation »). Ils ont été en mesure d'interpréter le reste du libellé sexuellement neutre comme s'il englobait les couples lesbiens et gais. Lorsqu'on a « atténué » des termes liés au genre tels que « époux et épouse », des expressions neutres comme « deux personnes » ont été incluses à leur place[41].

Ce n'est que dans les cas où la structure grammaticale de la disposition en question a empêché d'éliminer les mots discriminatoires, en les atténuant, en les incluant ou en les interprétant « comme si », que les tribunaux ont intégré de nouvelles classifications propres à la sexualité dans des lois qui ont été contestées en vertu de la *Charte*. Par exemple, dans l'affaire *Rosenberg* c. *La Reine*, le tribunal a dû ajouter les mots « ou du même sexe » à la définition d'un « conjoint » afin que la disposition puisse s'appliquer aux couples lesbiens et gais. Vu la façon dont la définition élargie d'un conjoint a été formulée dans la *Loi de l'impôt sur le revenu*, le simple fait d'éliminer les mots « du sexe opposé » se serait répercuté non seulement sur la définition d'un cohabitant, mais aussi sur celle d'un mariage officiel[42]. Étant donné que la contestation fondée sur la *Charte* n'était axée que sur l'aspect « cohabitation » de la définition d'un « conjoint », le tribunal n'a pas voulu ébaucher une ordonnance qui englobait les couples lesbiens et gais dans la définition des conjoints mariés.

Dans tous les autres cas cependant, les tribunaux ont montré qu'ils privilégient clairement un libellé neutre qui élimine toute classification sexuelle, ce qui est compatible avec l'objet de l'article 15 de la *Charte*, lequel prescrit que tous ont droit à la même protection et au même bénéfice de la loi, indépendamment de toute discrimination fondée sur des caractéristiques personnelles[43].

D'un point de vue pratique, l'approche judiciaire présente plusieurs avantages. Premièrement, en refusant d'éliminer toute discrimination par la création de dispositions parallèles distinctes pour les couples lesbiens et gais, les tribunaux ont clairement indiqué que l'on ne peut satisfaire aux garanties d'égalité constitutionnelle en accordant aux couples homosexuels des droits équivalents. Deuxièmement, les dispositions sexuellement neutres contrecarrent toute tendance des institutions gouvernementales ou privées à continuer de penser que les couples lesbiens et gais sont en quelque sorte distincts des autres couples.

Troisièmement, comme les contestations fondées sur la *Charte* qui visent des dispositions législatives discriminatoires sont présentées par des personnes que ces dispositions défavorisent, et non par l'État, les parties ont été en mesure de régler certains des problèmes les plus difficiles auxquels sont confrontés les couples lesbiens et gais, tout en laissant de la place pour contester plus tard d'autres dispositions.

Ce sont des couples lesbiens et gais qui ont défini les obstacles juridiques devant faire l'objet de la plus grande contestation, et c'est pourquoi les changements apportés l'ont été en réponse directe aux besoins perçus de ces couples. D'autre part, les couples lesbiens et gais n'ont pas eu à faire face à tous les obstacles en même temps, y compris, après une vie de discrimination, aux coûts souvent considérables de la reconnaissance de leur union (sujet dont il est question au chapitre 3). Lorsqu'ils ont invalidé des dispositions qui refusaient aux couples lesbiens et gais les avantages de leur union, les tribunaux ont remis à plus tard le soin de traiter des dispositions pénalisantes[44].

Reconnaissance législative
La reconnaissance législative des couples lesbiens et gais est l'aboutissement de deux dynamiques politiques distinctes. La législation européenne, qui date de la fin des années 1980, n'est pas le fruit de contestations judiciaires, mais plutôt d'un lobbying politique de la part de couples lesbiens et gais ou pour leur compte. Par contre, la législation nord-américaine a été entièrement adoptée à la suite de litiges, et il est possible de la qualifier en entier de législation de ressac.

Les lois nord-américaines accordent toutes aux couples lesbiens et gais moins de droits qu'ils n'en demandaient dans les litiges, et ces lois offrent toutes ces droits sous une forme généralement ségréguée. Même la législation nord-américaine qui paraît la plus favorable semble avoir été conçue principalement pour accorder aux couples lesbiens et gais une reconnaissance juridique suffisante pour faire obstacle à tout litige ultérieur. Cependant, comme ces lois sont toutes ségréguées d'une façon ou d'une autre, chacune crée, pour les couples lesbiens et gais, un statut de troisième ou de quatrième classe.

Une comparaison des droits et des responsabilités que reconnaissent les lois européennes, américaines et canadiennes fait ressortir un certain nombre de différences structurelles marquantes. D'un point de vue général, les lois européennes sur les unions domestiques enregistrées (UDE) accordent aux couples lesbiens et gais un grand nombre des attributs de base du mariage, mais maintiennent de nombreuses distinctions importantes entre les couples hétérosexuels et homosexuels, principalement au chapitre des relations familiales. Les deux lois des États-Unis peuvent toutes deux être classées en gros comme des UDE, mais chacune comporte des caractéristiques particulières qui les rangent dans une catégorie qui leur est propre. La loi adoptée au Vermont crée une union civile qui correspond parfaitement au mariage, mais demeure ségréguée du mariage par son nom, son processus et sa documentation. La loi hawaïenne crée une UDE restreinte pour tous les couples qui souhaitent s'enregistrer. Les couples lesbiens et gais, les couples hétérosexuels, les amis, les parents, voire les associés en affaires, peuvent s'enregistrer en vertu de cette loi.

Aucun des modèles canadiens n'a accordé aux couples lesbiens et gais l'un quelconque des attributs de base du mariage. Tous les modèles canadiens accordent simplement à ces couples un certain nombre de droits et de responsabilités conférés aux cohabitants. À l'exception du choix relatif à l'union domestique en Nouvelle-Écosse — une nouveauté en 2001 — aucun des modèles canadiens n'est facultatif. Tous les modèles mènent à une certaine ségrégation des couples lesbiens et gais, soit en établissant des classifications juridiques distinctes, soit en les considérant comme des cohabitants bénéficiant de droits moindres. Le modèle de la Nouvelle-Galles du Sud est semblable aux modèles cohabitationnels du Canada, mais il est également unique en ce sens qu'il étend certains des attributs de base du mariage à tous les couples cohabitants, et ce, de façon non facultative[45].

Le principe apparemment universel de la discrimination législative contre les couples lesbiens et gais est visible aux Pays-Bas, dans le projet de loi sur le mariage qui est censé être adopté en 2001. Même si ce projet de loi vise à faire disparaître du mariage toute discrimination fondée sur la sexualité en offrant le mariage civil aux couples homosexuels, il ne confère pas aux couples lesbiens et gais la présomption de filiation dont bénéficient déjà les cohabitants hétérosexuels. Les couples lesbiens et gais qui ont ensemble des enfants seront encore contraints de recourir à l'adoption par le beau-parent pour légaliser leurs relations avec leurs propres enfants.

Le projet de loi n° 5 de l'Ontario

L'Ontario est l'endroit où de nombreuses contestations fondées sur la *Charte* ont été menées avec succès contre les dispositions législatives exerçant une discrimination contre les couples lesbiens et gais. Une première contestation d'un mariage a été abandonnée pendant qu'un litige sur la cohabitation se déroulait, mais elle a été relancée de nouveau par la ville de Toronto, le 14 juin 2000. Une première tentative d'adoption d'un modèle quasi conjugal intégré a échoué au début des années 1990, et même lorsqu'on a modifié cette proposition pour la rendre conforme au modèle de l'UDE européenne discriminatoire afin de la sauver, elle a été rejetée.

La décision rendue par la Cour suprême du Canada dans l'affaire *M. c. H.* a joué un rôle crucial pour ce qui est d'inciter le gouvernement conservateur de l'Ontario à mettre en oeuvre de nouvelles dispositions législatives qui sont entrées en vigueur en mars 2000[46]. Bien que la Cour ait convenu qu'elle ne rendrait aucune ordonnance de réparation afin que la province puisse formuler ses propres modifications aux règles relatives aux cohabitants dans la *Loi sur le droit de la famille*, l'Ontario a décidé de traiter de ces questions étroites (liées seulement aux accords de soutien et de cohabitation), ainsi que de quelque 400 autres dispositions précises du droit ontarien dans 60 lois qui se rapportaient aux cohabitants hétérosexuels. La province a ébauché ces dispositions législatives en secret, les a adoptées en moins de 48 heures, sans débat et presque sans commentaires de la part du gouvernement, et a tenté de convaincre les électeurs que la Cour l'avait obligée à légiférer sur la quasi-totalité des lois de la province[47].

Le projet de loi n° 5 crée de nouvelles formes de discrimination fondées sur la sexualité, et ce, de nombreuses façons complexes. Tout d'abord, même si ce projet de loi étend aux couples lesbiens et gais la plupart des droits et responsabilités concernant les cohabitants hétérosexuels de l'Ontario, il le fait en éliminant les couples homosexuels des définitions élargies du mot « conjoint » auxquelles les tribunaux leur avaient donné accès et en les rangeant dans la nouvelle catégorie des « partenaires de même sexe ». La définition d'un « partenaire de même sexe » est exactement la même que celle d'un « conjoint », à laquelle les tribunaux avaient accepté qu'ils soient intégrés[48]. Le seul changement que le projet de loi n° 5 apporte à cette définition est celui d'en retirer les couples lesbiens et gais et de les réassigner à la nouvelle catégorie des partenaires de même sexe.

Le gouvernement a clairement fait part de ses intentions discriminatoires. Même si le Procureur général n'a formulé que des commentaires fort restreints sur le projet de loi n° 5 dans la presse ainsi qu'à l'Assemblée législative, il a maintes fois cité la « protection du mariage » comme motif pour éliminer les couples lesbiens et gais de la catégorie des conjoints, où ils se trouvaient depuis près de dix ans.

> [TRADUCTION]
> Ce n'est qu'à cause de la décision de la Cour suprême du Canada que nous présentons ce projet de loi. Celui-ci respecte cette décision tout en préservant les valeurs traditionnelles de la famille en protégeant la définition d'un conjoint dans la loi ontarienne (Ontario, ministère du Procureur général, 1999).
>
> Je souligne que le projet de loi réserve la définition d'un « conjoint » et de l'« état matrimonial » à un homme et à une femme, la définition traditionnelle d'une « famille » en Ontario. Le projet de loi incorpore dans la loi la nouvelle expression « partenaires de même sexe », tout en protégeant les définitions traditionnelles d'un « conjoint » et de l'« état matrimonial »... La décision de la Cour suprême du Canada et le présent projet de loi n'ont pas pour but de redéfinir le sens traditionnel de la famille. Ce projet de loi donne suite à la décision de la Cour suprême, tout en préservant les valeurs traditionnelles de la famille en Ontario[49]...

Deuxièmement, le gouvernement a considéré que l'essentiel de la décision de la Cour suprême du Canada dans l'affaire *M.* c. *H.* était que les couples lesbiens et gais avaient accès à des droits et à des responsabilités équivalant à ceux des cohabitants hétérosexuels, mais non au statut de cohabitant ou de conjoint, même si la législation englobait les cohabitants dans une définition élargie du mot « conjoint ».

Troisièmement, le gouvernement a soutenu qu'il accordait en fait de nombreux droits nouveaux aux couples lesbiens et gais, alors qu'en réalité les droits les plus importants, dans la législation provinciale, avaient déjà été remportés par voie de litige[50]. Les droits qu'accorde le projet de loi n° 5 sont d'une importance relativement mineure et, de toute façon, seraient accordés si on les contestait en cour[51], ou comportent de nombreuses dispositions pénalisantes[52]. Le projet de loi n° 5 a donc eu pour résultat net de rééditer des droits existants des conjoints comme des droits accordés aux partenaires de même sexe, tout en ajoutant à la liste quelques droits nouveaux pour donner l'impression que le projet de loi améliorait le statut juridique des couples lesbiens et gais.

En fait, le gouvernement a continué de refuser à ces couples tout accès à une catégorie plus importante de droits et de responsabilités liés aux unions que ceux qu'il venait de leur accorder. Les couples homosexuels continuent d'être privés des attributs du mariage parce qu'ils ne peuvent pas choisir de se marier[53], et de nombreuses autres dispositions relatives aux unions continuent d'exclure aussi les couples homosexuels[54]. Il s'agit là de la quatrième façon dont le projet de loi exerce une discrimination contre les couples lesbiens et gais.

Cinquièmement, le projet de loi n° 5 interdit actuellement aux couples lesbiens et gais de continuer de déposer auprès de la Commission ontarienne des droits de la personne des plaintes pour discrimination fondée sur l'orientation sexuelle, sous la rubrique de l'« état matrimonial ». Le projet de loi n° 5 considère encore que les cohabitants de sexe opposé et les couples mariés ont un état matrimonial, mais il a reclassé les membres des couples lesbiens et gais comme n'ayant que le statut de partenaires de même sexe. Cette expression n'étant pas définie, cela permet au gouvernement d'appliquer la législation des droits de la personne comme si les partenaires de même sexe ont droit à un degré de protection fort différent.

Sixièmement, le projet de loi n° 5 fait faire un pas en arrière à d'importants droits d'adoption par un beau-parent qui avait été remportés par voie de litige[55]. Ce projet de loi n'a pas modifié la définition d'un « conjoint » qui figure à l'article 136 de la *Loi sur les services à l'enfance et à la famille*. Bien que l'application de cette définition d'un « conjoint », axée sur le sexe opposé, à l'adoption par un beau-parent ait été rectifiée par voie judiciaire, de manière à inclure les parents lesbiens et gais, les tribunaux de l'Ontario ont considéré que ces décisions ne s'appliquaient pas automatiquement dans toute la province et qu'il fallait tenter de les obtenir dans chaque nouveau tribunal. L'État et ceux qui ont droit à un avis dans les demandes d'adoption peuvent maintenant faire valoir que l'omission de l'article 136 dans le projet de loi n° 5 a infirmé ces cas de manière effective, et l'adoption par un beau-parent n'est plus une solution offerte aux parents lesbiens et gais.

Septièmement, le projet de loi n° 5 a révisé les dispositions concernant l'adoption par un étranger qui figurent dans la *Loi sur les services à l'enfance et à la famille*, et ce, d'une manière qui exclut clairement les couples lesbiens et gais de la catégorie des couples ayant le droit d'adopter conjointement un enfant. En vertu du droit antérieur et du projet de loi n° 5, les cohabitants hétérosexuels et les couples mariés peuvent adopter conjointement un étranger dans le cadre d'un processus comportant une seule étape. Dans le meilleur des cas, les couples lesbiens et gais seront en mesure d'entreprendre l'adoption d'un étranger dans le cadre d'un processus à deux étapes, et cela dépendra de la question de savoir si l'adoption par un beau-parent continue d'être une solution dont ils disposent. Dans l'affirmative, cela veut dire qu'un partenaire lesbien ou gai peut adopter un étranger en tant que personne célibataire, et que l'autre partenaire peut demander d'adopter cet étranger à titre de beau-parent. (Selon quelques praticiens, cela est autorisé à l'heure actuelle, et les tribunaux permettent que les deux demandes soient faites conjointement par souci d'efficacité.) Si l'adoption par un beau-parent n'est plus permise, cela signifie que le nouveau libellé du paragraphe 146(4) de la *Loi sur les services à l'enfance et à la famille* limitera l'adoption d'un étranger aux individus célibataires, et les individus font l'objet, pour l'intérêt de l'enfant, d'un examen plus attentif et d'une discrétion judiciaire plus grande que dans les cas des couples hétérosexuels[56].

Huitièmement, le gouvernement semble s'être engagé à donner le plus d'effet possible à cette nouvelle catégorie distincte que représentent les partenaires de même sexe. Lorsque le Comité des règles de droit familial a tenté de réviser les formulaires du Tribunal de la famille de manière à incorporer les couples lesbiens et gais dans la catégorie générale des conjoints, le Procureur général est intervenu directement. Aujourd'hui, ces formulaires comportent tous une case distincte intitulée « partenaire de même sexe » pour les couples lesbiens et gais, tandis que tous les couples hétérosexuels — mariés et cohabitants — sont autorisés à cocher la case « conjoint » (Buist 2000).

L'aspect le plus important est peut-être le fait que, avant l'adoption du projet de loi n° 5, l'appareil judiciaire de l'Ontario étendait aux couples lesbiens et gais les définitions des cohabitants chaque fois qu'il jugeait qu'une disposition était discriminatoire. De ce fait, les couples lesbiens et gais étaient de plus en plus incorporés dans la série de base, à deux catégories, des droits et responsabilités en matière d'union qui caractérisait auparavant le droit en Ontario. On continuait de nier à ces couples les attributs de base du mariage[57], mais ils étaient de plus en plus traités comme des cohabitants et, dans les cas où la loi ontarienne considérait les cohabitants comme des conjoints, ils l'étaient eux aussi.

Le projet de loi n° 5 a maintenant remplacé cette définition à deux volets d'un « conjoint » par un système à trois volets. Les cohabitants de sexe opposé sont aujourd'hui définis séparément, mais ils continuent d'être considérés comme des conjoints. Les couples mariés continuent de partager la catégorie « conjoint » avec les cohabitants dans bien des contextes. Cependant, les couples lesbiens et gais sont maintenant exclus des deux catégories et, si tant est qu'on leur confère des droits et obligations particuliers, ils n'en jouissent que dans leur nouveau statut distinct de partenaires de même sexe. C'est ainsi qu'une troisième classe d'union a été créée :

- les couples mariés;
- les cohabitants de sexe opposé, qui continuent d'être considérés comme des conjoints dans plus de 70 lois;
- les partenaires de même sexe, qui apparaissent dans 65 lois environ.

En ségréguant les couples lesbiens et gais par la voie d'un classification juridique et en leur conférant moins de droits dans l'ensemble, le projet de loi n° 5 a pour résultat net de réintroduire la discrimination fondée sur la sexualité d'une manière qui, comme le gouvernement l'espère, résistera à toute contestation en vertu de la *Charte*[58].

Colombie-Britannique

Comme en Ontario, les tribunaux de la Colombie-Britannique ont joué un rôle de chef de file sur le plan de la reconnaissance judiciaire des couples lesbiens et gais. L'une des premières décisions en ce sens est celle de *Knodel* v. *British Columbia (Medical Services Commission)*[59], où la Cour a conclu qu'il convenait de considérer le partenaire d'un homosexuel comme [TRADUCTION] « un homme ou une femme qui, sans être mariés l'un à l'autre, vivaient comme mari et femme » pour les besoins de la législation provinciale en matière de services de santé.

Au point de vue législatif, la Colombie-Britannique a été la première province à accorder des droits d'adoption aux couples lesbiens et gais et, ces dernières années, elle a systématiquement étendu les droits et les obligations juridiques des cohabitants de sexe opposé aux cohabitants de même sexe dans de nombreux autres aspects du droit[60]. Ces changements ont mené à une reconnaissance approfondie des couples lesbiens et gais dans le droit de la famille (pension alimentaire, garde d'enfant, soutien d'un enfant, accord de cohabitation, adoption et exécution réciproque d'ordonnances judiciaires), ainsi que dans le droit public (élections, pensions de la fonction publique, dispositions concernant les victimes d'actes criminels, etc.). (Pour de plus amples détails, voir le tableau A-3).

La terminologie employée pour accorder cette reconnaissance aux couples lesbiens et gais est essentiellement inclusive et non ségréguante, pour ce qui est du moins des unions entre adultes[61]. Cependant, des termes ségréguants ont été introduits dans le droit de la parentalité, qui continue de réserver la catégorie « parents » à la mère par le sang et à son époux ou à son cohabitant de sexe masculin. Plutôt que d'étendre les présomptions parentales aux cohabitants lesbiens et gais, ces derniers sont classés comme des « beaux-parents » même s'ils sont des parents depuis l'époque où la conception a été imaginée, planifiée ou réalisée[62]. Cet emploi du mot « beau-parent » — un terme autrefois réservé à un adulte qui assume le rôle d'un parent après la naissance d'un enfant — est exclusif aux parents homosexuels. Les cohabitants lesbiens et gais demeurent donc exclus de la catégorie des « parents naturels » même lorsque, par exemple, le cohabitant de sexe masculin d'une femme qui conçoit un enfant par insémination artificielle serait réputé, par le droit de parentalité, être le « père naturel » ou le « parent naturel » de l'enfant du fait de la cohabitation.

Étant donné que les parents lesbiens et gais sont encore des parents de troisième classe, s'ils ne sont pas les géniteurs biologiques, et que les couples lesbiens et gais sont encore privés d'un grand nombre des droits et responsabilités juridiques conférés aux couples hétérosexuels dans les lois de la Colombie-Britannique — y compris le droit de se marier et les attributs du mariage — ils sont des couples de troisième zone tout autant en Colombie-Britannique qu'en Ontario. S'il est vrai que les couples ontariens sont classés séparément, alors que les couples de la Colombie-Britannique sont incorporés dans la définition générale d'un « conjoint » par les règles régissant la cohabitation, ils n'ont pas un accès tout à fait égal aux attributs de la cohabitation hétérosexuelle ou du mariage.

Exclus du mariage et donc des dispositions de la législation de la Colombie-Britannique en matière de biens matrimoniaux, les couples lesbiens et gais ne peuvent demander un partage égal de l'actif matrimonial net; ils ne peuvent se prévaloir des dispositions concernant le partage des pensions en cas de divorce, et le statut de conjoint leur est refusé aux fins d'un héritage et d'une succession, y compris le droit à une part forcée de la succession, la priorité sur les créanciers et un redressement en faveur des personnes à charge. Le gouvernement a adopté des dispositions législatives qui accorderont des indemnités de personne à charge aux survivants lesbiens et gais, mais il continue d'en reporter la proclamation. Bien que le Procureur général ait promis au printemps 2000 d'envisager de délivrer un permis de mariage à un couple lesbien qui en avait fait la demande, aucune mesure en ce sens n'a encore été prise[63].

Le projet de loi n° 32 du Québec

En droit québécois, le statut des couples lesbiens et gais est régi par la situation québécoise unique de la cohabitation de personnes non mariées : conformément au droit français, le Québec traite la cohabitation de personnes non mariées comme une « union libre » en ce sens que l'union est exempte du droit ou n'a aucune signification juridique. Ce principe se reflète entièrement dans le *Code civil du Québec*, qui réglemente les questions de statut et d'union dans une large part comme le *Code civil français*. Il n'est donc pas fait mention des cohabitants non mariés dans le *Cod civil du Québec*, et la plupart des dispositions qui se rapportent aux unions entre adultes sont expressément axées sur le mariage uniquement.

Quelques dispositions du *Code civil* sont néanmoins rédigées en des termes qui permettent aux cohabitants d'être visés par ce dernier (les dispositions concernant les adoptions conjointes, les rentes réversibles et les intérêts assurables) et, comme ces dispositions sont exprimées en des termes neutres sur le plan du sexe et de la sexualité, les couples lesbiens et gais sont techniquement inclus (voir le tableau A-1).

Le *Code civil* réglemente les relations privées comme le mariage, la filiation et la succession. Les lois générales du Québec régissent tous les autres aspects de la vie au sein de la province. Dans les lois révisées du Québec, le statut des couples hétérosexuels et des couples lesbiens et gais est tout à fait différent de ce que l'on trouve dans le *Code civil*. La plupart des dispositions législatives générales qui font mention du mariage s'appliquent aussi aux cohabitants non mariés. Ce genre de lois se rapportent généralement aux mesures, aux programmes ou aux prestations de l'État, comme les services de santé, le Régime de rentes du Québec, les normes relatives aux lieux de travail ainsi que les normes en matière d'assurance-automobile.

Ce modèle bivalent — la reconnaissance des cohabitants en droit public par opposition à leur exclusion dans le *Code civil* — établit un double régime dans lequel seul le mariage hétérosexuel donne lieu à ce que l'on conçoit habituellement comme des droits ou des responsabilités matrimoniaux entre les conjoints. Par contraste, un mariage officiel ou une cohabitation de longue durée peuvent donner lieu à des droits ou des obligations entre le couple et l'État. Quoi qu'il en soit, les couples lesbiens et gais sont depuis toujours exclus des dispositions du droit public, ainsi que du *Code civil*.

La *Charte des droits et libertés* du Québec, qui a été, au Canada, le premier code des droits de la personne à interdire la discrimination fondée sur l'orientation sexuelle en 1977, a aidé à faire en sorte que les couples lesbiens et gais soient inclus dans certains aspects du droit public. Par exemple, en 1994, un tribunal des droits de la personne a décrété qu'un terrain de camping qui se décrivait comme un service « familial » ne pouvait exclure un couple lesbien[64]. Cependant, la *Charte* du Québec n'a pas eu beaucoup d'effet sur la situation générale des couples lesbiens et gais dans cette province.

Tel est le contexte dans lequel le projet de loi n° 32 a été adopté en juin 1999. Cet instrument a modifié le droit législatif général pour étendre la catégorie de la cohabitation aux couples lesbiens et gais. Cependant, il n'a pas apporté de changements au *Code civil*. C'est donc dire que les couples lesbiens et gais ont à peu près le même statut que les cohabitants de sexe opposé. Ils n'ont aucun des nombreux droits et obligations qui se rattachent au statut de personne mariée, mais un grand nombre des droits et obligations qui s'appliquent aux cohabitants. On a apporté ces changements en supprimant des expressions propres à la sexualité (comme « époux » ou « épouse ») des dispositions en matière de cohabitation et en y substituant des dispositions neutres d'un point de vue sexuel (comme « deux personnes vivant ensemble »), ou en ajoutant les mots « du même sexe » aux définitions concernant le sexe opposé.

Malgré l'effet généralisé du projet de loi n° 32, le Québec continue de reconnaître trois catégories d'unions adultes. Les cohabitants n'ont pas accès au mariage et aux attributs du mariage que prévoit le *Code civil*, et les couples lesbiens et gais n'ont pas tous les droits et toutes les responsabilités des cohabitants de sexe opposé — y compris le droit de décider s'ils veulent se marier ou non[65].

En plus des dispositions matrimoniales du *Code civil*, seuls les couples mariés peuvent obtenir l'exécution réciproque d'une ordonnance alimentaire. Seuls les couples mariés sont, d'après la *Charte des droits et libertés de la personne* du Québec, soumis au principe de l'égalité dans le mariage des droits et obligations; et seuls les couples mariés sont soumis à certaines dispositions en matière de conflits d'intérêts.

Malgré le projet de loi n° 32, de nombreuses lois québécoises continuent d'exclure expressément les couples lesbiens et gais. Outre un certain nombre de dispositions relatives aux conflits d'intérêts, les droits de chasse et de pêche dans la baie de James ne sont accordés qu'aux « conjoints légitimes ». D'autres lois générales ont recours à des termes neutres d'un point de vue sexuel qui ne garantissent pas clairement qu'ils s'appliquent aux couples lesbiens et gais. (Le plus important est l'emploi du mot « conjoint », sans le définir.) Vu l'incertitude constante qui entoure la décision *Vaillencourt*, laquelle se rapporte aux options relatives aux survivants homosexuels que prévoient les régimes de retraite, on ne sait pas clairement si ces usages s'appliqueront aux couples lesbiens et gais, ou si l'État s'opposera aux tentatives faites pour les étendre aux couples homosexuels. Ces dispositions comprennent le droit de recevoir des informations au décès d'un conjoint, l'attribution aux conjoints de droits fonciers autochtones, les définitions de « conjoint » utilisées lors des recensements électoraux, les significations indirectes dans certaines instances, et les dispositions imposant un fardeau, comme les clauses relatives aux conflits d'intérêts, les exigences en matière de divulgation de conflits et les dispositions anti-évitement.

La situation actuelle des couples lesbiens et gais au Québec, dans le cadre du projet de loi n° 32, du *Code civil* et du droit législatif général préexistant, est décrite au tableau A-2. Ce dernier doit être interprété avec prudence. Outre l'effet incertain du projet de loi n° 32 sur les nombreuses dispositions qu'il n'a pas modifiées (28 en tout à peu près), on ne sait clairement, comme c'est le cas dans d'autres administrations, quelle pourrait être l'incidence des décisions *Miron* c. *Trudel* et *M.* c. *H.* sur l'application de ces dispositions.

Les UDE européennes

Contrairement aux lois canadiennes reconnaissant les unions lesbiennes et gaies, la législation européenne a reconnu au moins certains des attributs de base du mariage aux couples homosexuels. Que la législation soit conçue pour offrir à ces couples un « substitut du mariage » ou qu'elle soit conçue pour créer, pour les couples homosexuels, un statut de cohabitant distinct, ces unions domestiques enregistrées (UDE) sont des formes d'unions facultatives, volontaires et officiellement enregistrées.

Bien que les UDE européennes reconnaissent au moins certains des attributs du mariage aux couples homosexuels, en tant que type de statut et au point de vue individuel, elles sont discriminatoires. Ce qu'il y a de plus important, c'est qu'il s'agit de structures législatives entièrement ségréguées, et les droits qu'elles créent sont exprimés, administrés et enregistrés sur une base ségréguée. En outre, qu'elles soient qualifiées de formule de « mariage » ou de « cohabitation », aucune des UDE ne reconnaît aux couples homosexuels la totalité des droits et responsabilités législatifs du mariage ou de la cohabitation. C'est donc dire que, comme dans le cas de la législation canadienne, elles situent les couples lesbiens et gais dans un statut de troisième zone, par rapport aux hétérosexuels mariés et cohabitants. Les Pays-Bas ont ébauché un projet de loi sur le mariage qui ferait disparaître toute discrimination du côté « mariage » de la reconnaissance des unions. Cet instrument législatif est censé entrer en vigueur en 2001.

Il existe en Europe quatre types distincts d'UDE. Le Danemark a créé une « solution de rechange au mariage » officielle. Le modèle suédois est conçu pour offrir aux couples homosexuels une forme de cohabitation reconnue. En France, les pactes civils de solidarité (PaCS) créent une catégorie tout à fait nouvelle de cohabitation pour les couples hétérosexuels et homosexuels, lesquels étaient tous exclus du *Code civil* en raison du statut non reconnu des « unions libres ». Enfin, la Belgique a créé une formule qualifiée de « contrat de cohabitation officielle » auquel ne se rattache aucune obligation ni droit législatif. Malgré cette diversité, le point que toutes ces formules ont en commun est qu'il s'agit de structures ségréguées, et qu'aucune ne reconnaît aux couples lesbiens et gais l'ensemble des attributs du mariage ou de la cohabitation hétérosexuelle (là où cette forme est légalement reconnue).

La législation du Danemark en matière d'UDE s'articule autour du modèle du mariage, et elle est conçue pour offrir aux partenaires lesbiens un statut semblable à celui du mariage[66]. L'enregistrement se fait civilement, après la délivrance d'un « certificat d'union » et, comme dans le cas du mariage, les partenaires n'ont pas à prouver qu'ils vivront ensemble ou qu'ils entretiennent des relations sexuelles. La plupart des attributs du mariage s'appliquent automatiquement aux conjoints enregistrés, ou ont été interprétés comme s'appliquant à eux. (Cela comprend les pensions alimentaires, les règles régissant la communauté de biens, les règles d'assurance, les séparations, les divorces, les régimes d'entretien courant et de succession, les droits sur les biens des personnes décédées, le droit au foyer conjugal, les prestations de sécurité sociale, ainsi que les pensions[67].)

Les conjoints enregistrés sont néanmoins privés d'une égalité pleine et entière. Les couples lesbiens et gais continuent d'être privés des droits qui découlent effectivement du mariage, et les UDE ne sont pas considérées comme un « mariage ». Les couples lesbiens et gais n'ont pas droit à un mariage religieux, parce que les UDE sont des unions de nature purement civile. Au Danemark, cet aspect est important, car le mariage officiel est un processus religieux. N'étant pas mariés religieusement, les couples lesbiens et gais n'ont pas accès à la médiation du clergé. Les UDE sont réservées aux citoyens danois ou aux citoyens des pays visés par un traité.

Les UDE, considère-t-on, confèrent le statut de « conjoint », mais les partenaires sont empêchés, de presque toutes les façons, de former ensemble une famille. Il est interdit aux partenaires lesbiens et gais d'adopter conjointement des enfants, ils n'ont pas accès à la procréation médicalement assistée, et ils ne sont pas considérés comme les parents des enfants de leur partenaire. Lors de la dissolution de l'union, les partenaires ne peuvent demander l'accès, la garde conjointe ou le soutien d'un enfant relativement à chacun d'eux ou à leurs enfants (Nielsen 1992-93: 314; Pedersen 1991-92: 290-291). La seule exception est l'extension récente des règles d'adoption par un beau-parent aux partenaires enregistrés. Cette mesure ouvrira la porte aux demandes de garde, d'accès et de soutien, mais elle n'a aucune incidence sur les autres obstacles à la formation d'une famille.

En Suède, la législation en matière d'UDE s'articule autour du modèle de la cohabitation. Cette législation est principalement axée sur les droits de propriété, plutôt que sur les attributs de l'union elle-même. Les « foyers conjoints » des cohabitants sont soumis à des règles semblables à celles qui, dans la législation canadienne, régissent le foyer conjugal. Les cohabitants ne peuvent grever ou aliéner leur domicile sans le consentement écrit des deux, et les partenaires survivants ont droit à une part forcée du foyer, au produit de la vente de ce dernier et à son contenu. Contrairement aux couples mariés au Canada, les partenaires peuvent toutefois s'exclure de ces dispositions en rédigeant un contrat écrit, de la même façon que les couples mariés peuvent s'exclure, par contrat, du régime de la communauté de biens. La loi suédoise nie également aux partenaires lesbiens et gais le droit d'adopter conjointement un enfant, et n'a rien prévu pour la parentalité, la garde d'un enfant, l'accès à un enfant ou le soutien d'un enfant[68].

En France, les PaCS confèrent un statut civil, en dehors du cadre du *Code civil*, aux cohabitants lesbiens ou gais et hétérosexuels. Étant donné que les unions libres ne tombent pas sous le coup du *Code civil*, les inscrits ne bénéficient d'aucun des droits matrimoniaux dont jouissent les couples mariés. Le système renforce donc la ségrégation stricte du mariage officiel et des biens matrimoniaux par opposition aux droits et aux obligations restreints qui sont attribués aux couples lesbiens et gais. Les PaCS confèrent aux couples les mêmes droits et obligations qu'aux couples mariés pour ce qui est de l'impôt sur le revenu, des héritages, du logement, de l'immigration, des prestations de santé, des transferts d'emploi, des jours de congés synchronisés, de la responsabilité des dettes et du bien-être social. Cependant, ils n'accordent pas de droits de parentalité, d'adoption ou de procréation.

L'enregistrement, l'administration et l'exécution des PaCS sont strictement ségrégués. Vu l'immense popularité des PaCS, les inscriptions n'ont pas lieu dans les bureaux où l'on célèbre les mariages. (Le mariage est purement une affaire de droit civil et non de pratique religieuse en droit français.) Quoi qu'il en soit, la pratique a énormément de succès. Quelque

14 000 couples ont enregistré leur union depuis que la loi est entrée en vigueur en octobre 1999, et la moitié d'entre eux étaient gais.

Par contraste, le contrat de cohabitation officielle qui existe en Belgique n'a aucune incidence législative et est essentiellement symbolique. Il a fort peu de succès, ce qui n'est guère étonnant, et seuls huit couples de Bruxelles en ont profité, et fort peu ailleurs. Le Parlement belge doit encore examiner des dispositions législatives qui auraient un effet juridique réel sur des questions telles que la sécurité sociale ou la fiscalité.

S'il est vrai que les assemblées législatives de l'Europe du Nord ont adopté de manière généralement favorable les UDE — et ces dernières datent en général d'avant la législation canadienne — toutes ces lois sont aussi partiales et discriminatoires, plus encore peut-être, à certains égards, que les lois canadiennes. Les mêmes questions refont surface à mesure que l'on présente des projets de loi au sein de nouvelles administrations, et il est difficile d'apporter des changements. Bien que les UDE présentent effectivement des solutions de rechange atténuées au mariage ou des moyens plus formalisés de reconnaître la cohabitation, elles sont bien loin de conférer aux couples lesbiens et gais la totalité des droits afférents au mariage ou la totalité des droits afférents à la cohabitation dans les pays qui reconnaissent la cohabitation.

Les UDE nord-américaines

Seulement deux systèmes d'enregistrement ont été adoptés en Amérique du Nord. Tous deux peuvent être raisonnablement qualifiés de législation de ressac en ce sens qu'on les a adoptés pour éviter que les tribunaux n'ordonnent aux États de délivrer des permis de mariage aux couples lesbiens et gais. Cette motivation est clairement exprimée dans le contexte législatif de chacune des deux lois en question (Hawaï et Vermont). L'Ontario et la Colombie-Britannique ont toutes deux reçu des propositions de systèmes d'enregistrement, et la proposition ontarienne était manifestement aussi le résultat d'un ressac politique. La proposition de la Colombie-Britannique est attribuable au manque de solution de rechange au mariage et au refus d'accorder le mariage aux couples homosexuels.

Après que les tribunaux d'Hawaï eurent rendu deux décisions historiques, *Baehr* v. *Lewin* et *Baehr* v. *Miike*, qui concluaient toutes deux que, d'un point de vue constitutionnel, le gouvernement hawaïen ne pouvait pas refuser d'accorder un permis de mariage aux couples lesbiens et gais, ce dernier a interjeté appel auprès de la Cour suprême de l'État et a tenté simultanément d'adopter sans délai une « solution de rechange raisonnable » au mariage, de manière à bloquer d'éventuels droits de mariage. L'adoption d'une « solution de rechange au mariage » a été conçue pour convaincre le tribunal d'appel que l'appel en question n'avait pas de raison d'être ou devrait être tranché en faveur de l'État parce que des faits nouveaux donnaient au tribunal une « justification convaincante » pour refuser aux couples lesbiens et gais des droits de mariage intégraux.

Une commission d'État sur l'orientation sexuelle a recommandé l'adoption d'une loi régissant les unions domestiques enregistrées en 1995 (Coleman 1995: 541), car cette formule était, pensait-on, la solution de rechange qui ressemblerait le plus au mariage et qui convaincrait donc le tribunal qu'il était justifié de refuser les droits au mariage.

Lorsque cette recommandation n'a pas été adoptée et que le temps a commencé à manquer, le gouvernement a lancé deux autres stratégies. En 1998, un référendum fructueux a obligé l'État à modifier la Constitution afin de conférer à l'assemblée législative le pouvoir de réserver le mariage aux couples hétérosexuels. L'État a ensuite adopté une loi concernant les bénéficiaires réciproques, qui accorde à ces derniers une cinquantaine de droits et obligations parmi les centaines conférés aux couples mariés, dont une assurance médicale conjointe pour les employés de l'État pendant une période d'essai de deux ans, des droits de visite à l'hôpital, des avis et des approbations d'engagements en matière de santé mentale, des congés pour obligations familiales et des congés pour décès, des droits de propriété conjointe, des droits d'héritage et d'autres droits relatifs aux survivants, ainsi qu'une capacité juridique dans le cas d'un décès causé par la faute d'autrui, des droits aux victimes et un statut familial dans les cas de violence domestique.

La loi relative aux bénéficiaires réciproques était, à l'origine, destinée uniquement aux couples lesbiens et gais, mais des objections d'ordre religieux et moral à l'emploi de l'expression « de même sexe » dans la législation de l'État ont entraîné son élimination. C'est ainsi que la loi a permis à n'importe quel couple d'adultes de s'inscrire comme bénéficiaires réciproques. Il n'est pas nécessaire que ces personnes vivent en union conjugale ou soient liées l'une à l'autre de quelque manière.

Le dernier fait nouveau est survenu en 1999, quand la loi sur les bénéficiaires réciproques a été remplacée par une loi sur les unions domestiques. Cette loi continue de faire une distinction stricte entre les conjoints domestiques et les couples mariés, et comporte des dispositions confirmant que seuls les couples dont les membres sont de sexe opposé peuvent se marier. À l'exemple de la loi sur les bénéficiaires réciproques, l'option de l'union domestique est offerte à n'importe quel couple d'adultes. Elle reconnaît aux conjoints domestiques tous les attributs juridiques du mariage, mais la forme et le processus d'enregistrement sont tout à fait distincts de ceux qui se rapportent au mariage[69].

Au Vermont, c'est aussi à la suite d'un ressac politique qu'ont vu le jour les dispositions relatives aux unions civiles et aux bénéficiaires réciproques. Au début de 2000, la Cour suprême de cet État a statué, dans l'affaire *Baker* v. *State*, que le déni du mariage civil aux couples lesbiens et gais enfreignait la clause des avantages communs de la constitution de l'État. Cependant, plutôt que de formuler une ordonnance remédiatrice, la Cour a soumis l'affaire à l'assemblée législative de l'État, comme l'avait fait la Cour suprême du Canada dans l'affaire *M.* c. *H.* Cette assemblée législative a conclu que le mariage civil est [TRADUCTION] « une union entre un homme et une femme » et a donc créé une nouvelle forme d'union appelée « union civile », spécifiquement destinée aux personnes de même sexe[70].

La loi sur l'union civile est unique, en ce sens qu'elle reconnaît aux parties à une union civile toutes les caractéristiques que les lois, les règlements, la common law, l'equity et les politiques confèrent au mariage civil. Pour ce faire, on s'assure que les parties à une union civile sont visées par toute définition ou tout emploi de termes tels que « conjoint », « famille » ou des expressions semblables dans toutes les lois du Vermont[71]. Avec un libellé aussi vaste, il sera difficile de refuser le statut de parent, l'accès à la reproduction médicalement assistée ou le recours à un tribunal de la famille. Le Vermont permet aux couples lesbiens et gais d'adopter des enfants depuis près de 25 ans, et la loi sur l'union civile fera en sorte que les couples qui forment une union civile seront autorisés à adopter un enfant.

La loi sur l'union civile du Vermont demeure toutefois discriminatoire. Elle est clairement fondée sur l'exclusion continue des couples lesbiens et gais du mariage officiel, et elle confirme aussi, à maintes reprises, dans son préambule et dans diverses dispositions, qu'une union civile n'est pas une forme de mariage. Cette ségrégation est incorporée dans l'administration et l'enregistrement des unions civiles. Les parties à une union civile demandent non pas un permis de mariage, mais un permis d'union civile. Des officiants religieux peuvent célébrer une union civile, mais l'ensemble du système d'enregistrement de ces unions est strictement séparé dans des registres des unions civiles et totalisé dans des déclarations de statistiques sur les unions civiles. Les villes de petite taille sont autorisées à combiner les registres de mariage avec les registres des unions civiles, mais chaque certificat doit être soigneusement rédigé de manière à en refléter le statut, et ailleurs, les unions civiles doivent être consignées dans des registres distincts[72]. En outre, la discrimination exercée contre les couples homosexuels qui forment une union civile ne sera pas considérée comme une discrimination fondée sur l'état matrimonial, mais sur l'union civile.

La *Civil Union Act* a également conféré aux bénéficiaires réciproques un statut distinct. À la façon des dispositions adoptées à Hawaï à propos des bénéficiaires réciproques, cette formule permet aux couples non conjugaux de former une union de bénéficiaires réciproques afin d'être traités comme des conjoints à des fins juridiques particulières. Contrairement à la loi d'Hawaï, celle du Vermont s'applique uniquement à deux personnes liées par le sang ou une adoption. Aussi, cette dernière met l'accent sur l'assurance-santé et les questions de santé : les visites à l'hôpital, les décisions médicales, les décisions relatives aux dons d'organes, les funérailles et la disposition des restes, les procurations pour soins de santé, les soins au malade et les foyers de soins infirmiers, de même que la prévention des abus. Un conjoint aura priorité sur un bénéficiaire réciproque, mais non les autres membres de la famille.

L'union civile du Vermont accorde aux couples lesbiens et gais des droits d'union qui sont, de loin, les plus complets de n'importe quelle loi, sans, bien sûr, le droit de se marier. Par contre, le statut de bénéficiaire réciproque est, dans cet État, assez restreint. Il ne concerne pas les biens, les obligations alimentaires ou les héritages — pas même la gestion des biens. La Commission d'examen des unions civiles a été mise sur pied pour superviser la mise en oeuvre des lois sur les unions civiles et les bénéficiaires réciproques durant un délai de deux ans, et elle a pour mission d'examiner s'il convient d'accroître dans l'avenir les attributs juridiques des unions de bénéficiaires réciproques.

Au Canada, aucune UDE n'a encore été adoptée. Lorsqu'une loi exhaustive sur la reconnaissance des unions a failli être défaite en Ontario au début des années 1990 (projet de loi n° 167), le gouvernement de la province a offert de remplacer cette proposition par une structure d'UDE. Le projet de loi n° 167 aurait reconnu aux couples homosexuels plusieurs attributs de base du mariage, ainsi que de nombreux droits et responsabilités conférés aux personnes mariées et aux cohabitants. Le gouvernement était disposé à reformuler ces droits et responsabilités dans une loi distincte sur les UDE, et, conformément à la législation européenne équivalente, il a annoncé qu'il retirait du projet de loi les droits d'adoption conjointe. Le projet de loi a quand même été défait.

Plus récemment, le B.C. Law Institute (BCLI) a proposé d'ajouter à ses régimes de mariage et de cohabitation quatre nouvelles catégories d'unions : les unions domestiques enregistrées, les unions domestiques non enregistrées, la cohabitation de longue durée et la cohabitation de courte durée. Le fait d'offrir deux catégories différentes d'union et de cohabitation a pour but manifeste d'offrir aux couples homosexuels un choix entre une reconnaissance officielle et un statut moins officiel, semblable au choix qu'ont les couples hétérosexuels entre un mariage officiel et une cohabitation reconnue moins officielle. Cependant, contrairement au mariage et à la cohabitation, les deux formes d'union domestique seraient offertes aux couples qui veulent s'inscrire. Ces derniers ne seraient pas tenus de vivre dans une union conjugale ou d'être liés par le sang ou une adoption.

Les éléments principaux des propositions du BCLI sont exposés au tableau A-5. Si elle est adoptée, la loi de la Colombie-Britannique reconnaîtrait alors quatre catégories d'union : le mariage, l'union domestique enregistrée, la cohabitation non enregistrée de longue durée (après dix ans) et la cohabitation non enregistrée de courte durée (après deux ans). Une période de cohabitation inférieure à deux ans ne serait toujours pas reconnue. Les parties à l'une quelconque des quatre formes reconnues d'union seraient incluses dans la nouvelle définition proposée d'un « conjoint[73] ».

Bien que les propositions du BCLI créent effectivement quatre voies différentes pour le statut de conjoint, les couples n'auraient pas tous accès à tous les choix. Aucun couple lesbien et gai n'aurait droit au mariage officiel, et les couples non conjugaux seraient exclus des deux catégories de cohabitation reconnue. En fin de compte, cependant, les couples lesbiens et gais auraient toujours moins de choix que les couples hétérosexuels.

Selon les propositions du BCLI, on établirait les choix suivants :

- Les couples conjugaux hétérosexuels auraient quatre choix : le mariage, l'union domestique enregistrée, et la cohabitation non enregistrée de longue durée ou de courte durée. (La cohabitation non reconnue n'est plus un choix après que les personnes ont cohabité pendant deux ans).

- Les couples conjugaux lesbiens et gais auraient trois choix sur quatre : une union enregistrée, une cohabitation de longue durée et une cohabitation de courte durée (obligatoire après deux ans).

- Les couples hétérosexuels non conjugaux auraient eux aussi trois choix : le mariage, l'union enregistrée ou la cohabitation non reconnue.

- Les couples homosexuels non conjugaux n'auraient que deux choix : l'union enregistrée et la cohabitation non reconnue.

Les choix que cette structure accorderait aux couples lesbiens et gais ne correspondent pas vraiment aux choix offerts aux couples hétérosexuels. Le fait que les couples non conjugaux, comme des amis ou des parents, seraient en mesure de nouer des unions enregistrées montre que cette structure n'est pas vraiment une véritable solution de rechange au mariage[74]. Deuxièmemement, les couples lesbiens et gais n'auraient toujours pas le droit de se marier.

Les couples lesbiens et gais pourraient acquérir de deux manières différentes un grand nombre des droits et des obligations afférents au mariage. Une manière serait d'enregistrer leur union[75]. L'autre serait de cohabiter pendant une période suffisamment longue pour passer du statut de la cohabitation non reconnue (moins de deux ans) à celui de la cohabitation de courte durée (plus de deux ans), et ensuite à la cohabitation de longue durée (plus de dix ans). Après dix ans, les deux personnes seraient considérées comme des conjoints domestiques enregistrés.

Quelle que soit la voie que choisissent les couples lesbiens et gais, ils ne seront toujours pas en mesure d'obtenir l'ensemble des droits et obligations liés au mariage proprement dit. Premièrement, ils n'auront toujours pas le droit de se marier dont jouissent tous les couples hétérosexuels. Deuxièmement, durant les dix années précédant l'obtention du statut d'enregistrement réputé du fait de la durée de leur cohabitation, les couples lesbiens et gais se verraient refuser les droits au domicile conjugal, aux biens familiaux, à la succession et au partage des pensions dont jouissent les couples mariés. Troisièmement, même après un enregistrement réel ou réputé, les couples lesbiens et gais ne seraient toujours pas considérés comme des « parents naturels » en vertu des présomptions de parentalité qui s'appliquent aux cohabitants hétérosexuels et aux couples mariés. Ils seraient plutôt considérés comme des « beaux-parents », même en ayant participé à la vie de leurs enfants dès le moment où ils ont prévu en avoir.

Dans l'ensemble, ces propositions créeraient une hiérarchie d'unions à trois paliers :

- le mariage (pour les couples hétérosexuels seulement);

- les unions domestiques enregistrées (disponibles à n'importe quel couple d'adultes, de quelque type que ce soit);

- les unions assimilables à un mariage (cohabitation reconnue) (pour les couples conjugaux homosexuels et hétérosexuels).

Seuls les couples lesbiens et gais ne pourraient se prévaloir de ces trois choix.

La législation australienne

En Australie, des modifications apportées aux dispositions relatives aux héritages et aux successions non testamentaires ont créé deux catégories : les « partenaires domestiques » et les « partenaires admissibles », pour traiter des droits des cohabitants non mariés. Le partenaire domestique est défini en termes larges : une personne autre que le conjoint en droit de la personne, qui — du même sexe ou non que le défunt — vivait avec ce dernier à une époque quelconque en tant que membre d'un couple dans un contexte véritablement domestique[76]. Comme dans d'autres pays, les couples mariés sont exclus de cette nouvelle catégorie. Cependant, dans certaines circonstances, un partenaire de même sexe peut en fait avoir priorité sur le conjoint officiellement marié de la même personne, dans les cas de successions non testamentaires[77].

La Nouvelle-Galles du Sud a elle aussi créé une nouvelle catégorie de cohabitants, distincte de celle des couples mariés. Les cohabitants homosexuels et hétérosexuels sont tous deux considérés comme vivant dans une union de fait. Les droits et les responsabilités des couples mariés et de fait se chevauchent jusqu'à un certain point, car certains des droits de propriété habituellement réservés aux couples mariés en droit canadien sont aujourd'hui offerts aux personnes vivant dans une relation de fait[78].

Hétérosexisme méthodologique

Comme on peut le voir dans ce bref survol, les nouvelles formes de reconnaissance des unions s'inscrivent dans un continuum comportant, à une extrémité, l'union civile du Vermont, laquelle équivaut presque au mariage, et, à l'autre extrémité, l'extension du statut de conjoint (au Québec) à tous les cohabitants, mais en droit public seulement. Comme les droits et les obligations qui se rattachent à ces nouvelles catégories chevauchent de plus en plus certains des droits de propriété associés au mariage [ou leur ressemblent], les lois tendent à faire appel à un mode d'enregistrement (Vermont, Hawaï, lois européennes). À l'autre extrémité du continuum, les couples doivent faire diverses déclarations pour être admissibles à des droits de nature publique et privée, comme les pensions, les avantages sociaux ou les prestations fiscales.

Vu la diversité de ces nouvelles formes d'union, il n'est pas vraiment possible de faire à leur sujet des généralisations quelconques. Il est toutefois vrai que les couples lesbiens et gais ne se trouvent nulle part sur un pied d'égalité avec les couples mariés ou les cohabitants. Il y a toujours quelques différences, surtout en rapport avec la formation de la famille, les relations parents-enfants, l'accès aux attributs de base du mariage et l'accès au mariage lui-même.

Il n'est donc possible, aux fins d'analyse, que de formuler des généralisations extrêmement larges au sujet des types de lois qui ont été conçues pour reconnaître les unions lesbiennes et gaies. D'un point de vue purement structurel, ce sont les catégories suivantes qui ressortent.

- Les **modèles quasi matrimoniaux** reconnaissent aux couples lesbiens et gais la quasi-totalité des attributs de base du mariage, ou du moins certains d'entre eux :
  - l'union civile (Vermont);
  - les unions domestiques enregistrées (Europe, BCLI);
  - les unions domestiques déclarées (Hawaï);
  - les cohabitants réputés être des conjoints (Australie).

- Les **modèles de cohabitation** ne reconnaissent aux couples lesbiens et gais aucun des attributs de base du mariage :

- les cohabitants inclus dans la notion de « conjoint » (Colombie-Britannique);
- les cohabitants distincts des conjoints (Québec, Canada);
- les couples lesbiens et gais distincts des cohabitants hétérosexuels et des couples mariés (Ontario).

- **Les modèles de droits personnels** ne sont pas subordonnés à la cohabitation, à l'enregistrement en tant que partenaires ou au mariage, mais constituent des choix communs qui ont une certaine incidence juridique :
  - les bénéficiaires réciproques (Vermont, anciennement Hawaï);
  - les accords de cohabitation officielle (Belgique).

Il existe, dans chaque catégorie, de grandes variations. Malgré quelques similitudes structurelles superficielles, les lois proprement dites qui s'inscrivent dans chaque modèle varient selon trois dimensions.

- Quels genres de couples sont admissibles à la forme d'union?

- Quels genres de droits et d'obligations découlent de la forme d'union?

- Dans quelle mesure la loi intègre-t-elle ou distingue-t-elle les couples lesbiens et gais par rapport aux couples hétérosexuels?

L'impossibilité de faire des généralisations à propos de ces lois est manifeste lorsqu'on groupe ces dernières en fonction des genres de couples qu'elles visent. Les UDE peuvent être limitées aux couples lesbiens et gais seulement (Danemark), aux cohabitants homosexuels et hétérosexuels (Suède, France), à n'importe quel couple de deux personnes, apparentées ou non (proposition d'UDE du BCLI). On peut dire la même chose des lois basées sur le modèle de la cohabitation. L'Ontario limite le projet de loi n° 5 aux couples lesbiens et gais. La France autorise les couples homosexuels ou hétérosexuels à recourir aux PaCS. Les lois relatives aux droits personnels peuvent être limitées aux parents non conjugaux (bénéficiaires réciproques du Vermont) ou à n'importe quel couple de deux personnes, indépendamment de la relation, de la cohabitation ou de l'intimité (Hawaï).

Les groupements changent beaucoup lorsqu'on met l'accent sur les genres de droits et d'obligations qui se rattachent à une forme d'union particulière. Certaines reconnaissent tous les attributs du mariage aux couples lesbiens et gais (Vermont). Les UDE ont tendance à reconnaître aux homosexuels la majeure partie des attributs liés aux biens du mariage, mais non les règles régissant la parentalité (Danemark, Suède, proposition d'UDE du BCLI, PaCS français), tandis que les lois sur la cohabitation ou les choix relatifs aux bénéficiaires réciproques peuvent conférer un certain nombre de droits liés aux biens matrimoniaux. C'est dans les lois canadiennes sur la cohabitation, qui ont tendance à reconnaître un grand nombre de droits de cohabitation, aucun droit matrimonial et quelques genres de dispositions concernant les relations parents-enfants, qu'on retrouve le plus d'uniformité.

Il est important de noter comment sont exercées dans la pratique ces diverses formes de reconnaissance des unions, car, que l'on évalue l'effet qualitatif qu'elles ont sur les lesbiennes en tant que catégorie ou leurs répercussions sur le plan de la distribution ou des revenus, chaque loi aura un effet qui lui est propre. Bien que l'on puisse faire de nombreuses généralisations et qu'il soit possible d'isoler les problèmes d'application précis qui découlent d'un modèle particulier, l'examen de modèles de rechange n'est pas en soi un travail particulièrement éclairant.

Il est toutefois possible de faire, de manière assez sûre, une généralisation en examinant ces modèles de rechange. L'appareil judiciaire canadien est parvenu assez facilement à éliminer simultanément les classifications fondées sur le sexe et la sexualité des dispositions en matière d'unions, et d'appliquer aux couples lesbiens et gais les termes neutralisés ainsi obtenus. On ne peut pas dire la même chose des structures prescrites par la loi. Bien que certaines d'entre elles fassent référence aux couples de même sexe ou de même genre juste pour confirmer qu'elles doivent être appliquées de manière inclusive, aucune n'est parvenue à dissiper la présomption de longue date selon laquelle un libellé neutre au point de vue du sexe ou de la sexualité ne se rapporte qu'aux couples hétérosexuels.

De ce fait, l'utilisation continue, dans la législation, de classifications fondées sur la sexualité avec, en toile de fond, une telle présomption hétérosexuelle, renforce la tendance à distribuer les droits et les obligations, le statut et l'admissibilité aux couples lesbiens et gais droit par droit et obligation par obligation. La législation utilise, au fond, le mariage hétérosexuel comme le critère de l'« égalité ». Néanmoins, la vitalité continue de la présomption hétérosexuelle garantit que, d'un point de vue méthodologique, la législation perpétuera inévitablement une discrimination fondée sur la sexualité.

Il ne faudrait donc pas se surprendre que cette même dynamique ait donné lieu, dans le projet de loi fédéral C-23, aux mêmes résultats discriminatoires.

Le projet de loi C-23 et les « conjoints de fait »

La compétence du gouvernement fédéral est très différente de celle des provinces. Ces dernières ont compétence sur des questions liées aux droits de propriété et aux droits de la personne, dont les pensions, par exemple, et la célébration du mariage. Le gouvernement fédéral, quant à lui, a compétence sur des aspects comme la fiscalité, l'immigration, le secteur bancaire, le pouvoir de se marier et les questions d'emploi concernant les employés du gouvernement fédéral ou de ses organismes. Le manque de clarté quant au partage des compétences entre l'administration fédérale et les provinces complique souvent l'attribution des pouvoirs.

Dans les secteurs autonomes du droit fédéral, le gouvernement fédéral rédige ses propres définitions de mots tels que « conjoint » et « enfant ». Dans les secteurs qui recoupent le droit provincial, le gouvernement fédéral a tendance à élaborer des définitions des mots « conjoint » et « enfant » qui commencent par quelques principes de base, mais qui incorporent, dans une certaine mesure, les définitions provinciales.

Un secteur de compétence qui comporte énormément de chevauchements et qui est même embrouillé est celui qui a trait au mariage. Bien que la compétence relative au pouvoir de se marier soit considérée comme une question de nature fédérale, le gouvernement fédéral n'a légiféré qu'en rapport avec les degrés de consanguinité, et il a exercé son pouvoir sur la célébration du mariage dans certains contextes. Par contraste, quelques provinces ont légiféré au sujet de certains aspects liés à la capacité de se marier, comme les mariages antérieurs, les capacités mentales et l'âge requis pour consentir. Ces dispositions législatives ont été confirmées dans la mesure où elles peuvent être reliées à la compétence de la province sur la célébration du mariage.

Depuis les 25 dernières années, le gouvernement fédéral a graduellement élargi la notion de « conjoint » en vue d'inclure, dans diverses circonstances, les cohabitants de sexe opposé. En commençant par des modifications à la *Loi sur les anciens combattants* en 1974, le gouvernement fédéral a réduit, de sept à une ou deux seulement, le nombre d'années de cohabitation requises pour établir un mariage de fait. En outre, à partir de 1974, le Parlement a systématiquement inclus la condition que les cohabitants soient « de sexe opposé ». Jusqu'à l'entrée en vigueur du projet de loi C-23, la plupart des lois fédérales utilisaient une forme élargie du mot « conjoint », qui se limitait expressément aux couples hétérosexuels.

Le gouvernement fédéral a été très lent à reconnaître les droits des homosexuels, tant sur le plan individuel que sur le plan de leurs unions. Le code fédéral des droits de la personne a été modifié judiciairement[79]. Il a fallu ordonner à Revenu Canada (qui porte aujourd'hui le nom de l'Agence des douanes et du revenu du Canada) de cesser d'appliquer la *Loi de l'impôt sur le revenu* comme si ses dispositions neutres d'un point de vue sexuel excluaient les couples lesbiens et gais[80]. Le gouvernement fédéral promet depuis des années un nouveau règlement sur l'immigration, mais n'admet encore les partenaires lesbiens et gais que pour des motifs de compassion discrétionnaires, et, là encore, uniquement sous la quasi-menace d'une action en cour fédérale. Pour le moment, même après l'adoption du projet de loi C-23, il refuse encore de confirmer dans sa nouvelle loi sur l'immigration que les couples lesbiens et gais bénéficieront du statut de conjoint, et n'a aucunement défini dans cette loi la notion de « conjoint de fait ». Il a modifié les lois concernant la détermination des peines afin de considérer la haine homophobe comme un facteur aggravant, mais s'est ensuite déclaré légalement incapable de régler le cas de propos haineux récemment importés des États-Unis.

Cette résistance gouvernementale a été étayée par la décision que la Cour suprême du Canada a rendue en 1995 dans l'affaire *Egan et Nesbit*, où, par une faible majorité, elle a conclu que le fait d'exclure les couples lesbiens et gais de la définition élargie d'un « conjoint » de sexe opposé dans la législation fédérale en matière d'assistance sociale était admissible d'un point de vue constitutionnel. Cependant, deux décisions de la Cour suprême, *Vriend*[81] et *M. c. H.* ont par la suite modifié considérablement le climat des litiges.

En particulier, l'effet conjugué des décisions *M. c. H.*, *Rosenberg*[82] et *Moore et Akerstrom* ont fait prendre conscience au gouvernement fédéral que ce n'était qu'une question de temps avant qu'on lui ordonne d'inclure les couples lesbiens et gais dans les définitions élargies d'un « conjoint » que l'on retrouve dans l'ensemble de la législation fédérale. Chaque décision faisait suite à des contestations liées au caractère hétérosexuel de la définition d'un « conjoint » qui a été incorporée dans une si large mesure dans la législation fédérale et ontarienne. L'affaire *M. c. H.* contestait la législation provinciale, et l'affaire *Moore et Akerstrom* était une plainte relative aux droits de la personne, mais toutes deux comportaient le même message : il est discriminatoire d'exclure les couples lesbiens et gais des définitions élargies et à caractère hétérosexuel du mot « conjoint », et il ne suffit pas d'accorder à ces couples des droits équivalents dans des catégories distinctes[83].

Depuis que l'affaire *Egan et Nesbit* avait été tranchée en 1995, le gouvernement fédéral avait fait montre d'une préférence marquée pour l'extension de droits aux couples homosexuels — lorsqu'il le fallait — d'une manière ségrégative. Il n'est donc pas étonnant que, lorsque le projet de loi de portée générale — depuis longtemps promis — du gouvernement en vue de reconnaître les couples homosexuels a été déposé en 2000, on a retiré les couples lesbiens et gais de la catégorie légale des « conjoints ».

Le projet de loi C-23 a fait de même en abrogeant l'équivalent de 25 années de définitions hétérosexuelles élargies des conjoints (des définitions qui traitaient les cohabitants de sexe opposé et les couples mariés comme des équivalents dans la majorité des textes fédéraux) et en créant deux nouvelles catégories : les « conjoints », maintenant réservée aux couples mariés seulement, et les « conjoints de fait », catégorie dans laquelle ont été rangés les couples hétérosexuels et homosexuels répondant aux critères prescrits par la loi. (Le critère de l'union de fait est le fait d'avoir vécu conjugalement pendant un an ou d'avoir ensemble un enfant. Le fait d'avoir ensemble un enfant englobe la parentalité de fait par l'entremise du soin et du contrôle réels d'un enfant.)

Il est manifeste, au fond, que l'abandon de la définition hétérosexuelle élargie d'un « conjoint » a principalement pour but d'éviter, dans la loi, que l'on associe les couples homosexuels aux couples mariés, et de les séparer — en compagnie des cohabitants hétérosexuels — en les inscrivant dans la nouvelle (ancienne) catégorie des « conjoints de fait ». C'est ce qui ressort des changements apportés à la *Loi de l'impôt sur le revenu* : le projet de loi C-23 a abrogé la définition existante d'un « conjoint[84] » et l'a remise en vigueur, mot pour mot, comme la définition d'un « conjoint de fait[85] ». Les critères de fond d'une union n'ont pas changé du tout. Il n'y a que le nom de la catégorie qui a changé.

Le résultat net de ces changements est de deux ordres. Premièrement, le projet de loi C-23 ne définit maintenant plus le mot « conjoint », sauf dans la mesure où il exige le mariage. Toutes les définitions hétérosexuelles d'un « conjoint » ont été abrogées, parce qu'elles n'apparaissaient que dans les cas où le « conjoint » était réputé inclure les cohabitants de sexe opposé. Deuxièmement, tous les cohabitants — de sexe opposé et lesbiens ou gais sont classés comme des « conjoints de fait ». Cela signifie donc qu'en fait, tous les cohabitants ont été séparés des couples mariés.

Ce changement vise à donner l'impression que le gouvernement fédéral considère le mariage comme une institution unique, que les cohabitants hétérosexuels et homosexuels sont différents des couples mariés et que tous les cohabitants sont traités de manière égale en les classant tous ensemble comme des conjoints de fait. Il peut sembler à première vue que le gouvernement a remplacé la série de catégories à trois paliers qui exerçaient une discrimination contre les couples lesbiens et gais par un nouveau régime « égal » à deux paliers.

En réalité, toutefois, le projet de loi C-23 a simplement remplacé un régime à trois paliers par un autre régime à trois paliers. Les trois nouvelles catégories sont les suivantes :

- le « conjoint », réservé aux couples mariés seulement;
- les « conjoints de fait » de sexe opposé;
- les « conjoints de fait » qui ne sont pas de sexe opposé.

Le tableau A-4 présente l'effet général du projet de loi C-23 sur la situation des couples lesbiens et gais. Il y a aujourd'hui davantage d'équivalence entre les trois catégories d'unions énumérées ci-dessus, mais le nouveau statut des couples lesbiens et gais continue d'être discriminatoire dans plusieurs secteurs clés.

- On continue de refuser aux couples lesbiens et gais le droit de se marier. L'impression que la cohabitation en dehors du mariage est une justification raisonnable pour établir des classifications juridiques est démentie par le fait qu'un groupe particulier de cohabitants ne peut pas se marier s'il décide de le faire. L'ajout de la clause de mariage au projet de loi C-23 rend le refus du droit de se marier encore plus offensant.

- Le gouvernement semble avoir fait marche arrière au sujet de l'égalité, prescrite par la Constitution, des cohabitants lesbiens ou gais et hétérosexuels[86] en vue de créer un nouveau statut non marital qui, espère-t-il manifestement, aidera à mettre à l'abri le statut de troisième zone des couples lesbiens et gais contre les contestations fondées sur la *Charte*.

- Le projet de loi C-23 n'a même pas éliminé les aspects de discrimination constante les plus importants qui figurent dans les lois fédérales. Deux des aspects litigieux les plus marquants depuis l'entrée en vigueur de l'article 15 sont l'inégalité des règles relatives à l'âge requis pour consentir à une activité sexuelle en droit criminel, et le refus de permettre aux Canadiens lesbiens et gais de parrainer leur partenaire aux fins de l'immigration. Aucune de ces deux formes de discrimination ne touche les cohabitants hétérosexuels. Aucune de ces deux formes de discrimination n'a été rectifiée dans le projet de loi C-23. Au moment de rendre public ce dernier, le gouvernement fédéral a déclaré qu'il traiterait de ces questions dans le cadre de réformes générales concernant le droit criminel et le droit de l'immigration. Cependant, les propositions qui concernent actuellement ces deux points dénotent clairement que l'on n'éliminera pas la discrimination existante lorsqu'on donnera le feu vert à ces deux séries de modifications. D'autres dispositions diverses concernant les couples mariés continuent aussi d'exercer une discrimination fondée sur la sexualité.

- Les unions de fait n'étant pas incluses dans la législation fédérale sur les droits de la personne, il est tout à fait loisible au gouvernement de faire valoir que les lesbiennes et les gais peuvent aujourd'hui déposer une plainte relative aux droits de la personne en se fondant uniquement sur des droits individuels, et non sur des droits liés à leur union. Dès

1993, la Cour suprême du Canada a décidé que les lesbiennes et les gais n'avaient pas d'« état matrimonial[87] ». Cette décision semble avoir cédé le pas à *Egan et Nesbit*, où la Cour a conclu que la définition élargie et à caractère hétérosexuel d'un « conjoint » enfreint les garanties d'égalité conférées par la *Charte* non pas pour cause de discrimination fondée sur l'« état matrimonial », mais de discrimination fondée sur l'orientation sexuelle. Toutefois, maintenant que toutes les définitions élargies et à caractère hétérosexuel d'un « conjoint » ont été abrogées dans les lois fédérales, des décisions jurisprudentielles marquantes, comme *Egan et Nesbit*, *Rosenberg* et *M. c. H*, ne sont plus aussi pertinentes qu'elles l'étaient d'un point de vue juridique. Cependant, les couples lesbiens et gais sont privés de tout état matrimonial, au sens de la législation relative aux droits de la personne, en raison de l'arrêt *Mossop*. Il faudra qu'il y ait d'autres litiges en vertu de la *Charte* pour mettre à l'épreuve l'application continue de cette dernière aux couples lesbiens et gais en vertu de la loi fédérale.

Plutôt que de modifier simplement la *Loi d'interprétation* en vue d'inclure les couples lesbiens et gais dans diverses formulations des mots « conjoints », « couple marié » et d'autres expressions, cette méthode de réforme fragmentée perpétue la forme même de discrimination que le projet de loi C-23 vise à corriger.

Dispositions pénalisantes

L'un des effets du projet de loi C-23 qui pose le plus de problèmes découle de l'effet massif qu'en est venu à avoir le régime fédéral d'imposition ou de transfert sur les individus, les couples et les familles. Ce régime est basé sur une série complexe d'avantages et de pénalités fondés sur les dépenses et les impôts directs et indirects. Le problème que pose l'effet du régime d'imposition ou de transfert sur les lesbiennes en particulier et sur les couples homosexuels de façon plus générale résulte du fait que ce régime tout entier a été bâti au fil des décennies autour de l'idéal de la famille à revenu unique où c'est l'homme qui est le chef du ménage.

Le problème n'est pas nouveau. Le mouvement féministe a déjà révélé un grand nombre des présomptions anachroniques sur lequel il est fondé. Les avantages fiscaux accordés aux conjoints dépendants d'un point de vue économique, les paiements de sécurité sociale réduits destinés aux conjoints à charge et l'exclusion des conjoints employés pour ce qui est des prestations d'assurance-emploi — toutes ces dispositions d'impôt ou de transfert reposent sur la présomption que l'État devrait subventionner les couples à revenu unique, que le travail des femmes n'a aucune valeur et que les déclarations que peuvent faire les femmes qui disent avoir travaillé pour leur époux sont conçues pour présenter de fausses demandes de pensions ou d'assurance-emploi.

Au lieu de s'attaquer sérieusement à la raison d'être de ces dispositions, lorsqu'on a examiné ces présomptions, au cours des 25 dernières années, des termes visant un sexe particulier ont été simplement remplacés par des termes non sexistes, et des termes se rapportant précisément au mariage ont été remplacés par des expressions comme « cohabitant de sexe opposé » de manière à inclure les couples non mariés.

Vu l'extension des concepts d'union aux couples lesbiens et gais, l'illogisme de la conception de l'ensemble du régime d'imposition et de transfert autour de l'idéal du couple à revenu unique, dirigé par l'homme, est devenu encore plus manifeste. Cela est attribuable au fait que moins un couple ressemble à l'idéal du couple à revenu unique dirigé par l'homme, moins ce couple recevra d'avantages du régime d'imposition ou de transfert, et plus ce régime tendra à défavoriser les couples non conformes. La lacune est tout simplement la suivante : le régime d'imposition ou de transfert tout entier impose des pénalités invisibles aux couples qui ne correspondent pas à cet idéal implicite autour duquel le régime a été établi.

Tel est l'effet pénalisant du projet de loi C-23. De la taxe sur le mariage aux crédits pour charges de famille et aux critères applicables aux prestations d'assurance-emploi, les couples et les familles à revenu unique retireront plus d'avantages et subiront moins des fardeaux fiscaux qu'occasionne la reconnaissance des unions que les autres types de couples. L'effet différent du régime d'imposition ou de transfert s'explique par la répartition différente des revenus selon le sexe, la race, la capacité, l'état matrimonial et la sexualité.

À l'époque où l'on formulait le projet de loi C-23 et où l'on en débattait, les tentatives faites pour soulever ce problème se sont constamment heurtées à l'opinion selon laquelle « les avantages de l'égalité s'accompagnent des fardeaux ». Mais, surtout pour les lesbiennes et pour de nombreux gais, cette prétention passe à côté de la véritable question.

Comme toutes les autres lois concernant la reconnaissance des unions, le projet de loi C-23 n'accorde pas une égalité véritable aux couples lesbiens et gais. Il ne leur accorde même pas une « équivalence » pleine et entière.

Dans la mesure où il accorde aux couples lesbiens et gais moins d'avantages et où il leur impose plus de pénalités qu'à l'époque où ils étaient traités comme des individus dans le cadre du régime d'imposition ou de transfert, le projet de loi C-23 a imposé à cette catégorie de couples le plein prix de l'égalité, mais sans la leur accorder.

Étant donné que les lesbiennes, les gais et les couples lesbiens ou gais touchent des revenus nettement inférieurs à ceux des femmes, des hommes et des couples hétérosexuels moyens, les couples lesbiens et gais tireront nettement moins d'avantages de cette équivalence partielle, tout en étant exposés à des pénalités de beaucoup supérieures.

Les couples lesbiens et gais paient donc en réalité un prix proportionnellement plus élevé pour recevoir de l'État moins d'avantages que n'importe quel couple hétérosexuel.

Depuis la conception initiale du régime d'imposition ou de transfert, les attitudes à l'égard des personnes vivant dans le cadre d'une union ont considérablement changé. Les femmes étaient naguère encouragées à consacrer la majeure partie de leur énergie productive au travail domestique non rémunéré et obtenaient souvent une pension alimentaire de longue durée en reconnaissance du fait que ce choix de carrière les empêchait habituellement de subvenir à leurs propres besoins après un divorce. La politique juridique canadienne reflète aujourd'hui l'attente contraire : il faudrait encourager tous les adultes à devenir autonomes.

La lacune structurelle que comporte en grande partie le projet de loi C-23 est donc le fait d'appliquer la structure actuelle du régime d'imposition ou de transfert à une catégorie de couples qui, plus que la plupart des autres catégories de couples, manifeste déjà un degré élevé d'autosuffisance et d'autonomie économique, et reçoit moins d'avantages et subit plus de pénalités financières que les autres catégories de couples. Cela signifie que la politique fédérale fera pression sur les couples lesbiens et gais pour qu'ils modifient leur style d'union de façon à améliorer leur situation financière générale.

Cela n'est pas une critique de la reconnaissance des unions, mais de l'effet distributif du régime actuel d'imposition ou de transfert. Cette critique peut aussi être formulée sous l'angle des femmes en tant que catégorie, des adultes souffrant d'une incapacité en tant que catégorie, et des individus et des couples identifiés par leur race. Vu l'effet de multiples couches de discrimination sur les lesbiennes et les effets profonds, sur les gais, de la discrimination fondée sur la sexualité, il s'agit là d'une question particulièrement importante pour les personnes homosexuelles.

Fait ironique, au même moment où l'on reconnaît les couples lesbiens et gais en droit canadien, il est devenu important de s'éloigner des dispositions d'imposition ou de transfert fondées sur le couple et de se servir de l'individu comme unité de base de la politique juridique. Si cette critique du projet de loi C-23 était prise au sérieux, le Canada ne serait pas le premier pays à s'orienter vers l'individu en tant qu'unité de base en même temps qu'il commence à définir de manière plus large les unions entre adultes reconnues légalement. La plupart des pays scandinaves qui ont adopté des UDE ont déjà pris leurs distances par rapport aux dispositions conjointes en matière d'imposition ou de transfert[88].

L'effet de dispositions précises en matière d'imposition et de transfert varie en fonction d'un grand nombre de variables, ainsi qu'il est illustré au chapitre 3. On peut constater que, bien qu'il y ait des gagnants et des perdants chez les couples lesbiens et gais par suite de l'adoption du projet de loi C-23, dans l'ensemble, ces couples, en tant que catégorie, perdront généralement beaucoup plus qu'ils ne gagneront.

« Distincts mais presque équivalents »

Après tous ces détails concernant les moyens législatifs et judiciaires de reconnaître les unions lesbiennes et gaies, le tableau d'ensemble qui ressort se compose des éléments suivants.

- Les couples lesbiens et gais sont encore ségrégués des couples mariés et hétérosexuels par des classifications prescrites par la loi ainsi que par des dispositions juridiques de fond. Le degré de ségrégation varie d'une loi à l'autre, mais toutes, à cet égard important, sont plus semblables que différentes.

- Les couples lesbiens et gais ont moins de droits et de responsabilités, même dans les administrations qui soutiennent leur avoir accordé une équivalence pleine et entière avec les autres couples, principalement les cohabitants hétérosexuels non mariés. L'équivalence n'est pas synonyme d'égalité, et il est juste de dire que les couples lesbiens et gais, dans le meilleur des cas, ne demeurent que partiellement équivalents dans toutes les administrations.

- Les dispositions en matière d'imposition et de transfert forment le seul domaine où les couples lesbiens et gais auraient acquis ce qui ressemble à une équivalence complète. Ils sont méticuleusement inclus dans toutes ces dispositions à l'échelon fédéral. Ici, cependant, l'effet général de ces dispositions est d'imposer dans l'ensemble aux couples homosexuels plus de pénalités en matière d'impôt ou de dépenses que de nouveaux avantages. Le quantum de cette pénalité générale est accru par les désavantages déjà existants sur le plan des revenus que subissent les lesbiennes, les gais et les couples homosexuels, et cela, plus encore lorsqu'un des conjoints ou les deux sont identifiés par leur race, souffrent d'une incapacité ou ont la charge d'enfants.

Pour ce qui est de la situation juridique générale, il est donc juste de dire que loin d'être devenus « égaux » en droit canadien, les couples lesbiens et gais n'ont atteint que le premier échelon de l'échelle à laquelle ils doivent monter pour accéder à une égalité véritable. Ils demeurent ségrégués en droit et, dans le meilleur des cas, ont obtenu des droits juridiques qui ne sont qu'à peu près équivalents à ceux des couples cohabitants, dans certaines administrations au Canada.

3. EFFET DISTRIBUTIF DE L'ÉQUIVALENCE : AVANTAGES ET FARDEAUX

D'un point de vue démographique, les couples lesbiens et gais sont défavorisés sur le plan du revenu. Trois provinces et le gouvernement fédéral ont maintenant adopté des dispositions législatives qui traitent les couples lesbiens et gais comme s'ils étaient presque assimilables à des couples mariés, pour ce qui est des dispositions relatives aux avantages et aux pénalités. Aucune de ces administrations n'a reconnu aux couples lesbiens et gais la totalité des dispositions relatives aux conjoints. Dans la plupart d'entre elles, cependant, presque toutes les dispositions de type « pénalité » qui s'appliquent aux couples hétérosexuels ont été entièrement étendues aux couples lesbiens et gais.

Le présent chapitre analyse la répartition des avantages et des pénalités qui découlent de ce mode de réforme législative. Cette analyse a été menée par microsimulation pour l'année d'imposition 2000, et complétée par des analyses textuelles et d'autres sources de données, là où elles étaient utiles.

La première partie rend compte des coûts généraux, pour les couples lesbiens et gais, de la reconnaissance des unions. La principale conclusion est que les avantages perdus à cause de la reconnaissance des unions l'emportent considérablement sur les avantages gagnés. Les grands perdants sont les lesbiennes. Là où il y a des gains, ils semblent se répartir également entre les couples lesbiens et gais.

Les parties suivantes analysent la répartition des avantages gagnés et se concentrent sur la raison pour laquelle les coûts liés à la reconnaissance des unions dépassent largement les avantages. La quatrième section examine la façon dont la perte des avantages de transfert ou d'imposition à l'échelon fédéral se fait sentir jusqu'au niveau de l'impôt sur le revenu provincial de manière à produire une couche supplémentaire de pénalités financières qui résultent de la reconnaissance des unions.

La conclusion générale qui ressort de cette analyse est que le fait d'appliquer les dispositions en matière d'union à de nouvelles catégories de couples dont les revenus sont essentiellement faibles mènera à la perte d'avantages considérables. Cette situation, par ricochet, engendre d'importantes économies de recettes pour le gouvernement fédéral ainsi que pour les gouvernements des provinces. Cette conclusion est pertinente pour ce qui est de la question de savoir de quelle façon la reconnaissance des unions, telle que structurée à l'heure actuelle, se répercute sur les lesbiennes en tant que catégorie, ainsi que pour deux questions supplémentaires : si c'est l'individu ou le couple qui devrait constituer l'unité de base au chapitre de l'impôt ou des prestations, et si les dispositions fondées sur les unions devraient être étendues aux adultes vivant dans une union non conjugale. Il est question de ces deux points dans les dernières sections du chapitre.

Effet global de la reconnaissance des unions

Tant que Statistique Canada n'aura pas produit de données valables sur les couples lesbiens et gais, il sera impossible de mesurer l'effet, sur ces derniers, des dispositions d'imposition ou de transfert. Cependant, on peut dire sans se tromper que les couples lesbiens et gais sont parmi ceux que l'on déclare à l'heure actuelle comme des adultes « non apparentés » dans les documents de sondage et de recensement. La méthode employée pour la présente étude de microsimulation a identifié tous les couples d'adultes « non apparentés » de même sexe qui vivent ensemble au sein d'un ménage, avec ou sans enfants. Il est peu probable que la totalité de ces couples, voire la majeure partie d'entre eux, soient en réalité des couples lesbiens ou gais. Ces groupes de deux personnes comprennent des colocataires, des amis et d'autres personnes qui, pour une raison quelconque, vivent ensemble. Cependant, en éliminant les personnes liées par le sang ou par mariage, on élimine les couples non lesbiens ou non gais les plus évidents. Deux séries de données ont été produites pour cette étude. Dans l'une, une grille serrée a été utilisée pour sélectionner les couples homosexuels possibles. Cette grille a permis d'éliminer tous les étudiants et les groupes de deux personnes dont la différence d'âge était à ce point importante qu'il se pouvait que l'union soit attribuable au fait que l'une des personnes prenait soin de l'autre. Dans l'autre série, une grille lâche a été utilisée pour recueillir des données sur tous les couples dont les membres étaient de même sexe, en supposant que certains étudiants sont lesbiens ou gais, et que, chez certains couples, les deux membres sont d'un âge très différent[89].

Il n'existe aucune façon de savoir quelle proportion de l'une ou l'autre série peut être considérée comme des couples lesbiens ou gais. Il n'y a pas non plus de façon de savoir si les couples lesbiens ou gais, parmi ces groupes de deux personnes, se répartissent de manière égale dans les catégories de sexe et de revenu entre lesquelles ils ont été divisés. Ils pourraient être groupés, ou alors répartis également.

Bien qu'il soit impossible de répondre à ces questions avant que l'on dispose de données de recensement et d'enquête, les résultats de cette étude de microsimulation sont néanmoins utiles. Comme ils reposent sur des fiches de ménage réelles, tous les détails sur les finances des ménages, y compris des détails sur les revenus, l'assujettissement à l'impôt et les revenus de transfert des membres de ces ménages, sont intégrés au modèle. Les résultats représentent l'interaction dynamique de l'ensemble du régime fédéral-provincial d'imposition et de transfert sur les revenus réels associés à chaque fiche, et représentent des résultats plus réalistes que ceux que pourrait produire une analyse statique à une seule variable. Il serait toutefois important de comparer les résultats de cette étude aux données réelles recueillies sur les couples homosexuels lors du recensement de 2001.

Données globales
Le tableau B-1 rend compte de l'impact global du fait de traiter les couples de même sexe identifiés comme des « conjoints » pour tous les éléments de transfert et d'impôt, rajustés en fonction de l'année 2000. Selon la grille lâche, les gains totaux découlant du traitement seraient de 14,8 millions de dollars (14,0 millions de dollars pour la grille serrée). Par contraste, les pertes totales découlant du fait d'être traités comme des conjoints seraient de 124,2 millions de dollars (102,6 millions de dollars pour la grille serrée).

Les couples qui ont obtenu des avantages présentaient un gain moyen de 768 $ (ou 772 $), tandis que ceux qui avaient perdu du terrain étaient, en moyenne, en baisse de 967 $ (ou 954 $). Cela se traduisait par une perte de revenu consommable de 570 $ (550 $) au sein de l'échantillon tout entier. Le revenu consommable moyen pour les couples de ce groupe, lorsqu'on les traitait comme des conjoints, tombait de 37 498 $ à 36 948 $ pour les deux adultes combinés[90].

Dans l'ensemble, on obtient ces résultats lorsque les pénalités d'impôt ou de transfert qui découlent de l'application des règles relatives au conjoint l'emportent sur les avantages financiers. Ils représentent l'effet combiné d'une foule d'éléments ayant de l'importance sur le plan de l'impôt ou des transferts et recalculés en prenant pour base que les couples sont traités comme des conjoints à toutes fins que de droit.

Données globales par tranches de revenu

Comme l'illustre le tableau B-11, la répartition des gagnants et des perdants au niveau global est compatible avec la répartition des ménages entre les diverses tranches de revenu. Cela semble indiquer que, en moyenne, la répartition totale des gains et des pertes attribuables au fait d'être traités comme des conjoints n'est pas touchée dans une large mesure par le montant du revenu que le couple reçoit.

Il y a toutefois quelques résultats exceptionnels. Près de 36 p. 100 des gagnants se situent dans la tranche de revenu de 20 001 $ à 30 000 $. Cela laisse supposer qu'il y a des avantages fiscaux ou des éléments de transfert qui sont payables à ces couples et qu'ils ne pouvaient pas recevoir auparavant. Étant donné que 15 p. 100 seulement des ménages se situent dans cette tranche de revenu, cela représente une concentration importante d'avantages dans cette catégorie. Au point de vue des politiques fiscales, le fait d'augmenter les gains dans cette tranche de revenu serait considéré comme une mesure progressive, car la répartition globale des revenus après impôt au Canada est sérieusement régressive aux niveaux de revenus inférieurs, et ce changement aiderait à contrer cette tendance.

Le même effet est visible dans la tranche de revenu de 40 001 $ à 50 000 $. Ce groupe, où l'on retrouve environ 12 p. 100 des ménages, réalise environ 23 p. 100 des gains. Ce niveau de revenu, qui représente les revenus de deux adultes, n'est pas particulièrement élevé. On pourrait donc considérer que cet effet est lui aussi progressif.

Les pertes sont moins groupées, mais s'étalent plutôt de manière plus égale entre les tranches de revenu de 30 0001 $ à 60 000 $. Comme il s'agit des revenus de deux personnes, ce résultat est régressif. Il est également régressif qu'un nombre moins élevé des pertes se concentre dans les tranches de revenu supérieures. Cependant, on pourrait considérer comme un fait progressif que les deux tranches de revenu les plus basses comportent moins que leur part proportionnelle des pertes attribuables à la reconnaissance des unions.

Lorsqu'on examine la taille moyenne des gains et des pertes, l'effet de la reconnaissance des unions semble un peu moins bénin. Selon la grille lâche, l'effet négatif moyen, chez les perdants qui se situent dans les trois tranches de revenu inférieures, est d'environ 1 100 $

pour chaque tranche et, en fait, cet effet diminue à mesure qu'augmente le revenu. Le gain moyen des personnes ayant profité de la situation est plus restreint, variant de 952 $ à 557 $. Ce n'est qu'au-delà de la tranche de revenu de 100 000 $ que l'on réalise un gain supérieur (1 438 $).

Données globales par sexe

Le tableau B-3 révèle que, dans ces moyennes et ces catégories de revenu, le sexe est un facteur important. La répartition des gagnants et des perdants entre les groupes masculins et féminins n'est pas très décalée, mais les gains et les pertes moyens le sont. La perte moyenne chez les couples masculins n'est que de 689 $, mais chez les couples féminins, elle est de 1 301 $. Si l'on considère que les revenus moyens des couples féminins sont de près de 2 000 $ de moins que ceux des couples masculins, la différence est de taille.

Les gains moyens se répartissent de manière encore plus égale entre les couples masculins et féminins : 717 $ chez les couples masculins et 845 $ chez les couples féminins.

Vu la taille de l'échantillon établi pour cette étude, il n'a pas été possible d'examiner les tranches de revenu selon le sexe du couple. Cependant, les données sur les éléments d'impôt ou de transfert choisis qui sont analysées ci-après jettent un peu de lumière sur la source des pertes plus importantes que subissent les couples féminins.

Distribution des gains

Le système fédéral des paiements de transfert confère un nombre considérable d'avantages personnels aux adultes. Le Supplément de revenu garanti, le Régime de pensions du Canada et la *Loi sur la sécurité de la vieillesse* sont des programmes sociaux qui versent aux adultes des paiements d'aide sociale et des revenus de retraite. Le régime de l'impôt sur le revenu procure des avantages personnels supplémentaires sous la forme de réductions fiscales de divers types, dont des crédits d'impôt sur le revenu pour les personnes à charge adultes, les parents uniques, les couples à faible revenu ayant des enfants, le crédit pour taxe sur les produits et services (TPS) destiné aux personnes à faible revenu, les exemptions d'impôt sur le revenu concernant divers avantages sociaux découlant d'un emploi et les cotisations aux régimes de retraite, ainsi que les déductions d'impôt sur le revenu pour les frais de garde d'enfants.

Suivant la façon dont l'admissibilité à ces prestations est structurée, ces dernières se rangent dans quatre catégories de base :

- les prestations visant à subvenir aux besoins d'un conjoint à charge d'un point de vue économique;

- les types de prestations qui sont offertes à toutes les personnes ayant un conjoint ou un ou plusieurs enfants, indépendamment du degré de dépendance ou de revenu;

- les prestations qui reconnaissent ou favorisent le partage du revenu ou des biens avec un conjoint ou des enfants;

- les avantages principalement limités aux contribuables à faible revenu.

Les prestations pour personnes à charge comprennent des éléments tels que le crédit d'impôt sur le revenu destiné aux personnes qui subviennent aux besoins d'un conjoint à charge d'un point de vue économique, l'allocation au conjoint en vertu de la *Loi sur la sécurité de la vieillesse* et les crédits d'impôt sur le revenu transférables de divers types (invalidité, âge, instruction, soins médicaux, etc.)[91]. Les avantages sociaux destinés aux familles comprennent les exemptions d'impôt sur le revenu concernant les éléments de rémunération qui se présentent sous la forme d'avantages sociaux accordés à un conjoint ou à un enfant (assurance, prêt sans intérêt au titre du logement pour le conjoint ou l'enfant). Les prestations qui reconnaissent ou favorisent le partage du revenu ou de biens avec un conjoint ou un enfant sont nombreuses et vont des options ou des prestations de survivant que prévoient divers régimes de pension (régimes de pension enregistrés ou régimes d'épargne-retraite) qui permettent de transférer les biens du défunt à un autre membre de la famille, aux transferts avec report d'impôt de biens à un conjoint ou un enfant.

Avant l'adoption du projet de loi C-23, les couples lesbiens et gais étaient traités comme s'ils étaient des individus aux fins des quatre catégories de la législation fédérale. Des décisions judiciaires leur avaient donné accès à quelques-uns de ces avantages[92]. Quelques autres étaient accessibles en raison du caractère général du libellé employé dans la législation[93], et les contestations judiciaires concernant la plupart des autres auraient probablement été fructueuses. Cependant, il en est résulté que les prestations destinées aux personnes à charge, de nombreux avantages sociaux familiaux et le partage des revenus et des biens n'étaient pas accessibles aux couples lesbiens ou gais.

Toutes ces prestations sont fondées sur un système d'imposition et de transfert dans lequel l'unité d'admissibilité de base est l'individu. Cependant, l'admissibilité individuelle est modifiée dans le cas des trois premières catégories susmentionnées, car seuls les individus ayant un partenaire conjugal légalement reconnu peuvent obtenir ces prestations. La quatrième catégorie est un peu différente, car elle renferme un groupe de prestations qui sont en fait réduites pour les couples vivant dans une relation reconnue, mais majorées pour les personnes qui peuvent vivre dans une relation non reconnue.

Ainsi, les avantages qui se limitent principalement aux contribuables à faible revenu ne sont pas toujours aussi avantageux pour les couples que les avantages non ciblés. En effet, les avantages ciblés sur les individus et les couples à faible revenu imposent des pénalités aux couples qui en font la demande. Il s'agit là de la règle infâme de l'épouse à la maison. Étant donné que les concepts liés au revenu familial que l'on emploie pour déterminer l'admissibilité à de nombreuses prestations se servent de seuils d'exclusion du revenu uniformes, il est plus facile de les excéder lorsque le ménage compte deux personnes gagnant un revenu au lieu d'une seule. Les éléments qui tombent dans cette catégorie sont, par exemple, le crédit pour TPS ou le Supplément de revenu garanti. Ces deux avantages sont conçus pour verser aux individus des paiements supérieurs à ceux que reçoivent les couples. Les éléments d'impôt et de transfert, qu'ils soient structurés sous la forme d'une taxe au mariage ou fondés sur des économies d'échelle présumées, des présomptions de relations avec lien de dépendance ou des seuils de faible revenu axés sur les personnes à faible revenu, imposent en fait des pénalités ou des pertes aux adultes dont les unions sont légalement reconnues.

Les dispositions en matière d'avantages qui ont cet effet pénalisant sont analysées ci-après. Si l'on en parle ici c'est que, comme les couples lesbiens et gais se rangent en général dans des catégories à faible revenu, la reconnaissance de leur union aura sur eux une incidence asymétrique. De façon générale, leurs revenus ne sont pas suffisamment élevés pour qu'ils profitent beaucoup des éléments d'impôt et de transfert qui concernent les trois premières catégories, mais ils sont suffisamment élevés pour les empêcher de bénéficier des avantages d'impôt ou de transfert qui emploient le même seuil uniforme d'exclusion du revenu pour les individus ou pour les couples. Bien que les autres couples ayant un faible revenu puissent subir le même effet, celui-ci est particulièrement lourd chez les couples lesbiens et gais, car ces derniers n'ont pas encore atteint l'égalité civile complète avec les couples hétérosexuels, et n'ont pas le droit de se marier, par exemple, ce qui leur donnerait accès à d'autres droits et responsabilités juridiques qui compenseraient le fardeau fiscal accru. En outre, il est probable, d'après les projections mentionnées au chapitre 1, que les couples lesbiens, en particulier, soient surreprésentés dans la catégorie des couples qui n'ont presque aucun accès à ces genres d'avantages, mais qui perdront, de façon disproportionnée, de précieuses prestations fiscales et directes. Tout comme les couples touchés par le racisme, le manque d'accès à des revenus intermédiaires et élevés entrave sérieusement l'accès à de nombreux types de prestations fiscales, tandis que les couples à faible revenu sont exposés à la plupart des éléments de pénalité fiscale.

Crédits pour personne à charge
Les prestations nouvelles qui sont attribuables à la reconnaissance des unions devraient être de l'ordre de 14 millions de dollars à 15 millions de dollars pour 2000. Le gros de ces nouvelles prestations doit être attribuable à la nouvelle admissibilité au crédit d'impôt pour personne mariée. Selon le tableau B-13, le fait de traiter les couples de même sexe comme s'ils avaient droit à ce crédit donnera lieu à de nouvelles prestations fiscales d'un montant de 9,4 millions de dollars à 14,1 millions de dollars pour 2000.

Étant donné qu'une foule d'éléments d'impôt et de transfert composent la répartition finale des revenus après impôt, la répartition des gains nets aux personnes qui profitent de cette simulation ne sera pas identique à la répartition des nouvelles demandes concernant le crédit d'impôt pour personne mariée.

Il est difficile d'analyser l'effet d'une nouvelle admissibilité au montant pour conjoint à charge, car il se passe deux choses dans ce calcul. D'une part, l'extension du traitement conjugal aux couples de même sexe prive immédiatement les parents uniques faisant partie de ces couples de l'équivalent du montant pour conjoint, très semblable au montant pour personnes à charge, mais qui ne peut être demandé que par un adulte tenant un établissement domestique autonome dans lequel il subvient aux besoins d'une personne à charge apparentée qui est âgée de moins de 18 ans, est le parent ou le grand-parent du contribuable, ou est infirme[94]. En revanche, les couples dans lesquels une personne touche un revenu de moins de 572 $ sera admissible à la totalité du crédit pour conjoint à charge.

Selon les revenus respectifs que chaque membre du groupe de deux personnes a reçus, il est possible que le crédit pour conjoint à charge remplace entièrement l'équivalent du montant pour conjoint qui est perdu; mais il est possible aussi qu'il ne le remplace pas du tout (par exemple si les deux personnes ont des revenus qui dépassent le plafond), ou ne le remplace qu'en partie. L'interaction entre ces deux crédits est analysée en détail ci-après. Pour examiner la répartition des nouvelles demandes de crédit pour conjoint à charge, le gain net par rapport aux demandes antérieures sera traité comme le nouveau montant exigible, parce qu'aucune personne seule ne peut demander ce crédit à moins qu'il s'agisse d'un parent unique qui présente une demande en rapport avec un enfant, et aucun couple ne peut demander autre chose que la version « au conjoint » du crédit.

La répartition des nouvelles demandes de crédit pour conjoint à charge est compatible avec les revenus modiques que touchent les couples. Les couples dont les revenus sont inférieurs à 20 000 $ demandent de 25 p. 100 à 39 p. 100 des nouveaux crédits pour conjoint à charge. Ces pourcentages augmentent de 28 p. 100 à 32 p. 100 pour tous les couples dont les revenus sont inférieurs à 30 000 $. Cela laisse supposer qu'il existe un nombre considérable de couples de même sexe qui touchent ces revenus assez faibles, et que la répartition du revenu entre les membres du couple est suffisamment déséquilibrée pour qu'ils aient le droit de demander le crédit.

Lorsque le revenu du couple atteint 50 000 $, les nouvelles demandes de crédit sont quasi inexistantes. Cela laisse supposer que la répartition du revenu au sein du couple est moins déséquilibrée et qu'il existe un faible niveau de dépendance économique chez les couples qui, en fait, pourraient vivre d'un seul revenu. Si l'on examine la situation du point de vue de l'effet sur les couples de même sexe selon la tranche de revenu, cette répartition des nouveaux crédits pour conjoints à charge semble nettement progressive.

Si l'on considère la situation sous l'angle de son effet sur les couples féminins par opposition aux couples masculins, la répartition du crédit pour personnes à charge semble assez équitable. Les nouvelles demandes de crédit pour conjoint à charge reflètent presque exactement le ratio des couples féminins et des couples masculins de l'échantillon, et de 59 p. 100 à 60 p. 100 des crédits vont aux couples masculins et le reste aux couples féminins.

Comme nous le verrons plus loin, lorsqu'on examine la répartition des nouvelles demandes de crédit pour conjoint à charge dans le contexte de la répartition des demandes perdues de l'équivalent du montant pour conjoint que les parents seuls pouvaient autrefois demander, on relève une forte répartition asymétrique, selon le sexe, dans la répartition qui en découle. Les couples féminins ne compensent pas les équivalents perdus en étant capables de présenter de nouvelles demandes de crédit au conjoint, tandis que les couples masculins sont presque toujours gagnants à ce chapitre[95].

En outre, le bien-fondé du fait d'étendre des crédits d'impôt aux contribuables qui subviennent aux besoins d'un conjoint adulte dépendant d'un point de vue économique doit être sérieusement mis en doute en raison de son effet à long terme sur l'autosuffisance économique des adultes. La documentation en matière de politiques fiscales indique que des instruments d'imposition conjoints créent des barrières fiscales dissimulées ou des pénalités fiscales implicites à l'égard du taux de participation à la main-d'oeuvre des conjoints à faible revenu. Bien que ces derniers soient en grande majorité de sexe féminin, la répartition des revenus entre les couples lesbiens et gais donne à penser que les couples gais sont peut-être aussi particulièrement sensibles à cet effet[96].

N'importe quel groupe qui se situe à des niveaux modiques de revenus par rapport aux membres d'autres groupes est donc moins solidement rattaché à la main-d'oeuvre rémunérée structurée et bien payée. Ces travailleurs marginalisés accepteront probablement davantage de remplacer un travail rémunéré par des tâches domestiques non rémunérées. L'octroi d'importants crédits d'impôt, comme le crédit pour conjoint à charge, aux contribuables qui subviennent aux besoins de personnes est capable de faire pencher la balance en faveur du travail non rémunéré et devient donc une subvention destinée à soutenir un contribuable à revenu moyen ou élevé, ainsi qu'une barrière fiscale dissimulée à une participation égale au marché du travail rémunéré[97].

Les lesbiennes et les gais sont plus sensibles à ces effets. Les gais ont accès à l'économie dite masculine. C'est donc dire que les caractéristiques de revenu élevé-bas et de revenu unique[98] qui donnent lieu au maximum du crédit pour conjoint à charge sont à la portée des couples gais, et les couples à revenu modique ou nul sont, de ce fait, sensibles à l'effet de subvention décrit plus tôt. L'extension de ce crédit d'impôt aux couples gais aurait tendance, à la longue, à créer davantage de divergences, peut-être selon l'âge, l'incapacité, l'instruction ou le revenu, dans la richesse générale.

Les lesbiennes n'ont pas accès à l'économie dite masculine, mais à la limite, on s'attendrait au même effet. Comme il est analysé plus loin, les lesbiennes seraient encore plus sensibles à cette pression, surtout lorsqu'elles reçoivent, à titre de parent unique, des prestations de transfert précieuses. Comme les lesbiennes perdent des avantages directs en étant des conjoints réputés, elles sont littéralement forcées de devenir les personnes à charge que l'on présume légalement qu'elles sont. Cela, par ricochet, intensifie la dépendance proprement dite ainsi que l'admissibilité de leur conjointe à demander le crédit pour conjoint à charge.

Bien qu'il existe de nombreuses situations dans lesquelles la dépendance réelle n'est pas une option mais une réalité (dans le cas, par exemple, d'une incapacité physique), l'extension du crédit pour conjoint à charge à tous les couples, handicapés et non handicapés, crée une subvention, pas nécessairement justifiable, au travail non rémunéré des conjoints non handicapés.

Autres avantages fiscaux
Comme la BD/MSPS ne modélise pas les éléments fiscaux qui sont trop petits pour être mesurés au niveau global, il a été impossible de déterminer l'effet des éléments de transfert les plus restreints qui doivent être intervenus dans la production des gains modestes d'impôt ou de transfert qui ont été projetés pour les couples de même sexe nouvellement reconnus et qui, dans cette analyse, sont des gagnants.

Cependant, des changements dans la moyenne de tous les éléments de transfert et les impôts totaux jettent un peu de lumière sur l'ampleur de ces gains probables. Le tableau B-12 montre que lorsque le revenu de travail total d'un couple est constant, la différence qu'il y a entre le fait d'être traité comme un individu et comme un conjoint aux fins fiscales donne lieu à d'autres avantages fiscaux de l'ordre de 200 $ par couple. Le montant des avantages accrus varie selon le revenu. Les couples qui gagnent les revenus les plus bas (moins de 20 000 $) ont reçu un montant supplémentaire de 154 $ en avantages fiscaux; ce montant passe à un niveau de 300 $ à 464 $ pour les couples qui se situent dans la tranche de 20 001 $ à 50 000 $. Les augmentations disparaissent presque ou deviennent négatives dans les tranches de revenu supérieures.

Là encore, cette répartition des avantages fiscaux généraux est progressive et améliore l'équité du régime fiscal lorsqu'on la considère isolément. L'exception à cet énoncé est l'augmentation relativement faible des avantages fiscaux que reçoivent les couples les plus démunis. La légère augmentation que l'on relève dans cette tranche de revenu est compatible avec l'incidence régressive de l'ensemble du régime fiscal aux niveaux de revenu les plus bas.

Ces changements dans les impôts moyens totaux résultent de l'interaction générale des centaines de dispositions précises que comporte le régime fiscal, ainsi que de l'application de la structure de taux graduée au revenu imposable. La plupart de ces dispositions fiscales seront, pour les couples à revenu moyen ou élevé, d'une plus grande valeur que pour ceux dont le revenu est faible. Certains des crédits qui peuvent être transférés d'un conjoint à un autre auront le plus de valeur pour les couples à revenu modique. Par exemple, la seule limite imposée à la demande par un conjoint du montant pour personnes handicapées et du montant en raison de l'âge dont l'autre conjoint ne peut se prévaloir est que l'impôt sur le revenu que doit payer le conjoint qui demande ces montants doit être suffisamment important pour qu'il soit possible d'en profiter. Cependant, d'autres crédits transférables ne peuvent être demandés que dans la mesure où le couple a suffisamment d'argent pour payer les éléments qui donneront ensuite lieu à des crédits d'impôt. Par exemple, si un couple n'a pas les moyens de payer des médicaments ou des traitements médicaux non visés par les régimes provinciaux d'assurance-santé ou d'une assurance privée, il n'aura pas droit aux crédits pour soins médicaux transférables. La même limite s'appliquera aux dépenses d'études, par exemple.

Au-delà des crédits transférables, les avantages fiscaux que procurent les cotisations au titre d'un régime enregistré d'épargne-retraite (REER) qui sont versées dans un régime de conjoint, le transfert de REER avec report d'impôt à un conjoint survivant, un transfert avec report d'impôt de biens producteurs de revenus à un conjoint ou d'autres avantages fiscaux accessibles aux personnes ayant un revenu de placement ou des gains provenant de biens tendront à ne pas être accessibles aux couples à faible revenu, précisément parce que ces derniers ont tendance à ne pas avoir suffisamment de revenus disponibles pour effectuer les genres de transactions qui leur donneraient droit à de tels avantages fiscaux.

Comme l'illustre le tableau B-12, les couples de même sexe ayant des revenus de moins de 20 000 $ ont un revenu provenant du marché du travail en tant que couple de 7 171 $ seulement, et reçoivent plus que cela en revenus de transfert moyens — 7 820 $. Si l'on considère que leur assujettissement total à l'impôt est de 2 498 $ lorsqu'ils sont considérés comme des conjoints, leur revenu disponible moyen en tant que couple n'est que de 14 083 $. À ce niveau de revenu après impôt, il n'y a presque pas de jeu pour effectuer des dépenses discrétionnaires, des investissements procurant un avantage fiscal ou un fractionnement du revenu qui permettraient d'obtenir d'autres réductions fiscales. Et, à ce niveau de revenu, même si l'un des membres du couple était en mesure de verser des cotisations procurant un avantage fiscal dans, par exemple, un REER de conjoint, le revenu imposable est déjà si bas qu'il n'y aurait aucun avantage fiscal réel à le faire. Un tel placement n'est donc pas encouragé par le régime fiscal pour ce qui est des couples à faible revenu.

Dans les tranches de revenu supérieures, les dépenses relatives à des éléments qui peuvent être considérés comme des crédits transférables, des investissements avec report d'impôt, un fractionnement du revenu et d'autres types de comportement deviennent à la fois logiques et possibles. Cela se reflète dans le fait que les avantages fiscaux moyens augmentent considérablement dans la fourchette de revenu de 20 001 $ à 50 000 $, car il est possible d'effectuer un partage avec le conjoint et de prendre des mesures qui donneront lieu à des avantages fiscaux. Dans les tranches de revenu les plus élevées, cette capacité de partage devient illogique, car les deux conjoints deviennent davantage en mesure de planifier leurs revenus, leurs dépenses et leurs activités fiscales à titre d'individus ne dépendant pas d'avantages fiscaux pour optimiser leur revenu disponible après impôt.

La planification fiscale qu'effectuent les couples à revenu moyen et à revenu élevé subira aussi l'effet de leur union. Ceux qui ont l'intention de demeurer longtemps ensemble ont tendance à s'intéresser à des avantages comme les avantages liés à l'emploi, le crédit pour conjoint à charge dont il est question dans la *Loi de l'impôt sur le revenu*, le traitement de reports concernant les transferts de biens entre conjoints, les options de survivant que prévoient les régimes de pension ainsi que les avantages liés aux REER. Ceux qui ne le font pas ont tendance à planifier comme si, en fait, ils n'étaient pas membres d'un couple.

Avantages non quantifiables des unions

Indépendamment des répercussions fiscales de la reconnaissance des unions, les couples, dans toutes les tranches de revenu, profitent peut-être d'autres avantages. Le fait de disposer d'un cadre juridique au sein duquel identifier et définir les responsabilités et les droits relatifs à une union, le fait d'être capable de recevoir des avantages liés à un emploi, le fait de savoir que son conjoint sera traité comme un proche parent pour ce qui est d'un consentement médical en cas d'urgence — tous ces droits conférés par la loi sont d'une valeur plus ou moins égale, indépendamment du pouvoir économique. En fait, certaines de ces caractéristiques prennent plus de valeur à mesure que diminuent les revenus et qu'un conflit ou une crise quelconque impose des demandes proportionnellement supérieures à une énergie et à des ressources peu abondantes.

Différents types d'avantages seront plus ou moins attrayants à des niveaux de revenu différents et pour chaque membre d'une union. Une personne qui s'attend à pouvoir présenter une demande en vue de subvenir à ses besoins personnels ou à ceux d'un enfant au moment de la rupture de son union appréciera le fait de vivre dans une union reconnue. Une personne qui s'attend à devoir effectuer de tels paiements considérera qu'il s'agit là d'une bonne raison d'éviter la reconnaissance de son union. Les personnes à faible revenu qui vivent dans une union stable peuvent peut-être faire bon accueil à la possibilité de demander une aide si l'union devait prendre fin, afin de recevoir des paiements d'assurance-vie, la garde d'enfants ou des soins médicaux, contrairement peut-être aux personnes qui touchent un revenu moyen ou élevé.

L'autonomie financière est une autre caractéristique de la reconnaissance des unions que l'on comprend peu à ce stade-ci. Il semble, selon les chercheuses et les chercheurs, que les couples lesbiens et gais aient tendance à partager les tâches inhérentes à la vie d'une manière plus égalitaire que les couples hétérosexuels, et les différences de revenu entre les conjoints n'ont pas de liens aussi marqués avec le pouvoir détenu dans l'union ou l'attribution de tâches non rémunérées ou désagréables.

Ceux qui n'accordent aucune valeur aux unions de longue durée peuvent craindre que le fait de nouer une union légalement reconnue ne soit préjudiciable à leur autonomie financière en les forçant à partager leurs biens, leur domicile ou leur revenu. Ou, si les membres d'un couple ont structuré leurs affaires financières en tant qu'individus distincts, la reconnaissance de leur union pourrait leur coûter la possibilité de demander une double exemption pour leur résidence principale, tandis que les personnes à faible revenu s'inquiètent davantage du simple fait de pouvoir posséder un domicile conjoint.

Répartition des pertes découlant de la reconnaissance des unions

La perte nette que subissent les couples lesbiens et gais possibles du fait de la reconnaissance de leur union est importante. Ainsi qu'il a été déterminé pour l'année 2000, cette reconnaissance réduirait les revenus consommables des couples lesbiens et gais de 100 millions de dollars, les faisant ainsi passer à 124 millions de dollars.

L'effet net sur le revenu consommable ne reflète pas le plein effet de la reconnaissance des unions, car ces chiffres nets sont en soi modérés par les gains dont nous avons parlé plus tôt. Pour 2000, les six éléments d'impôt et de transfert les plus importants qui sont influencés par la situation sur le plan de l'union produiront, pour les couples lesbiens et gais possibles de cet échantillon, des pertes projetées de l'ordre de 131 à 155 millions de dollars. Comme dans le cas des avantages, d'autres éléments plus restreints s'ajouteront à ce chiffre, mais ne peuvent être mesurés par ce modèle.

La reconnaissance de l'union est coûteuse pour tous les couples à cause des mécanismes qui ont été conçus pour imposer des limites aux adultes qui reçoivent des paiements d'impôt sur le revenu et de transfert. Comme les individus et les couples qui reçoivent divers types d'avantages fiscaux et de transfert sont soumis à un grand nombre des mêmes seuils de faible revenu ou à d'autres formules de limitation des avantages, les adultes qui touchent des revenus faibles ou moyens sont en fait mieux placés d'un point de vue financier, s'ils sont considérés comme des individus.

Les pertes sont le résultat de l'application des types de pénalités suivants aux couples lesbiens et gais possibles de cet échantillon :

- la taxe sur le mariage, qui élimine une partie ou la totalité du soutien financier dont bénéficiaient les adultes à faible revenu, lorsqu'ils forment une union;

- les seuils de faible revenu qui entraînent l'application des formules de réduction des avantages;

- les formules d'économie d'échelle, qui réduisent les avantages accordés aux couples selon des hypothèses au sujet des habitudes de consommation des ménages;

- les dispositions concernant les rapports avec liens de dépendance présumés qui empêchent certaines catégories d'adultes de bénéficier de certains types d'avantages;

- les dispositions en matière de conflit d'intérêts qui empêchent certaines personnes de bénéficier de certaines formes d'avantages.

Lorsque les couples sont défavorisés d'un point de vue économique à cause des effets à long terme, sur le revenu, d'une discrimination ou d'une exclusion antérieure des systèmes d'avantages, comme le sont les couples lesbiens et gais, ces effets seront particulièrement marqués. Les lesbiennes sont surtout défavorisées parce qu'elles n'ont pas accès à l'économie « masculine », et pourtant elles assument d'importantes responsabilités sur le plan de l'éducation des enfants. Les gais sont particulièrement défavorisés par la discrimination fondée sur l'emploi et sont fréquemment responsables d'enfants eux aussi, souvent sans le genre de services de garde d'enfants qui leur donneraient le droit de recevoir des paiements d'aide sociale pour ces enfants. En outre, ils ont souvent des obligations à respecter en matière de pension alimentaire.

Pertes globales
Le tableau B-12 montre qu'à un niveau global, comparativement à la taille des gains réalisés grâce à un nouvel accès aux avantages liés à l'impôt sur le revenu, les couples lesbiens et gais possibles, dans toutes les tranches de revenu, subissent des pertes substantielles sur le plan des revenus de transfert. La perte moyenne est de 755 $ par couple. Lorsque cette perte moyenne est compensée par les gains moyens réalisés sur le plan des avantages nets liés à l'impôt sur le revenu, la perte globale se situe en moyenne à 550 $ par couple.

Ces pertes de revenus de transfert sont régressives. Les couples dont les revenus totaux sont inférieurs à 20 000 $ disposent de revenus totaux moyens d'environ 14 500 $. Plus de la moitié de ce montant se compose, en moyenne, de revenus de transfert; moins de la moitié se compose d'un revenu de travail. Pour cette catégorie de couples extrêmement défavorisée, la perte d'une moyenne de 563 $ de revenus de transfert pour 2000 est considérable. Compensé par la simple somme de 154 $ en avantages fiscaux additionnels par couple, cela signifie que le coût net, pour ces couples potentiels, de la reconnaissance de leur union est de 409 $.

Les coûts les plus élevés de la reconnaissance des unions sont groupés dans les tranches de revenu inférieures. Les couples touchant des revenus de l'ordre de 20 001 $ à 30 000 $ — c'est-à-dire des revenus individuels équivalents en moyenne à un montant de 10 001 $ à 15 000 $ — perdent en moyenne 1 089 $ en revenus de transfert. Les couples touchant des revenus de 20 001 $ à 30 000 $ perdent 1 062 $. Bien que les gains réalisés sur le plan des avantages fiscaux compensent quelque peu ces montants, la combinaison des deux effets donne lieu à une échelle d'effets régressive.

Lorsqu'on exprime les pertes nettes que subissent les couples possibles en pourcentage du revenu disponible moyen avant la reconnaissance de leur union, le prix net à payer pour être traités comme des conjoints va de 2,3 p. 100, dans le cas où les revenus du couple sont inférieurs à 20 000 $, à 0,1 p. 100, dans le cas où ces revenus sont supérieurs à 100 000 $. La tendance est considérée comme régressive, car elle impose les coûts les plus lourds de la reconnaissance de l'union aux couples dont les revenus sont les plus faibles.

Ces pertes globales sont réparties régressivement selon le sexe ainsi que selon les revenus. Comme l'indique le tableau B-3, la perte nette moyenne chez les couples féminins de l'échantillon est de 1 301 $, ce qui représente 188 p. 100 de la perte nette moyenne des couples masculins, soit 689 $.

Taxe au mariage

La caractéristique de ce que l'on appelle la taxe au mariage est le simple fait que la reconnaissance des unions déclenche la perte d'un avantage ou une augmentation de l'assujettissement à l'impôt sur le revenu qui en découle. De nombreux éléments d'impôt et de transfert agissent comme une taxe au mariage et, dans certains cas, en combinaison avec des formules d'économie d'échelle qui réduisent les avantages dont bénéficient les couples, selon des hypothèses au sujet des habitudes de consommation des ménages.

L'équivalent du montant pour conjoint, lequel est accordé aux parents uniques qui subviennent aux besoins d'un enfant à charge dans un établissement domestique distinct est un exemple de taxe au mariage qui agit seul. Il n'est pas lié à des tranches de revenu, à des hypothèses au sujet des économies d'échelle ou à tout autre dispositif de ciblage. Un parent unique qui se situe à n'importe quel niveau de revenu recevra le crédit, contrairement au parent qui est traité comme un conjoint.

Le crédit de TPS remboursable est d'une conception plus complexe. Bien qu'il s'agisse d'un crédit remboursable, ce qui signifie que les personnes à revenu faible ou nul peuvent le recevoir même sans avoir d'impôt sur le revenu à payer, il est calculé en deux parties : toutes les personnes admissibles reçoivent le montant individuel de base, et les personnes seules reçoivent un supplément. Ce crédit combine donc un seuil de faible revenu (SFR) et une formule d'économie d'échelle avec le mécanisme de base de la taxe au mariage.

D'autres exemples de la taxe au mariage figurent dans le système de transfert direct. L'allocation au conjoint de la Sécurité de la vieillesse ainsi que le supplément de revenu garanti comportent tous un effet de taxe au mariage dans la mesure où l'importance des prestations est directement liée à l'état matrimonial. Étant donné que le barème des prestations est fondé sur les économies de consommation que sont présumés faire les couples conjugaux, il en est question séparément plus loin.

L'équivalent du montant pour conjoint

L'interaction entre le conjoint à charge et les crédits d'impôt sur le revenu qui sont l'équivalent du montant pour conjoint illustre de quelle façon la reconnaissance d'une union intensifie à la fois la régressivité du revenu et la discrimination fondée sur le sexe dans le fonctionnement général des systèmes d'imposition et de transfert.

Comme nous l'avons vu précédemment, de nouveaux avantages fiscaux seront accordés aux couples nouvellement reconnus qui peuvent se prévaloir du crédit pour conjoint à charge. Ce crédit a une valeur financière de 972 $ en 2000, pour les couples qui peuvent le demander. Sa répartition est assez équitable selon le sexe et selon le revenu.

Cependant, le prix que doit payer n'importe quel contribuable ayant des enfants à charge pour demander le crédit pour conjoint à charge est la perte de l'équivalent du montant pour conjoint. Ce crédit a une valeur financière de 972 $ en 2000 pour tous les contribuables qui peuvent en faire la demande. Essentiellement, toute personne gagnant un revenu de plus de 7 000 $ peut tirer en partie avantage de ce crédit, et il peut être pleinement utilisé par les personnes dont les revenus imposables sont d'environ 13 000 $ ou plus[99]. Cependant, seuls les individus vivant seuls peuvent demander le crédit équivalent. Les contribuables dont l'union est légalement reconnue ne peuvent en faire la demande.

Fait non étonnant, vu les caractéristiques sexuelles que présente la société canadienne, le gros des avantages fiscaux qui découlent de l'équivalent du montant pour conjoint sont accordés aux femmes. Une part grandissante, mais encore faible, est accordée aux hommes. Comme on peut le voir au tableau B-4, l'un des effets les plus nets qui découlent du fait de considérer les couples lesbiens et gais comme des conjoints est la perte complète de ce crédit. Ce dernier opère comme une taxe au mariage dans la mesure où seuls les individus non mariés peuvent en demander une partie quelconque. En conférant un traitement conjugal aux couples lesbiens et gais ayant des enfants, on leur refuse le crédit. La perte qui en découle, pour les gais, est de 1,4 million de dollars pour 2000; chez les lesbiennes, le montant est des 8,4 millions de dollars.

L'admissibilité à l'équivalent du montant pour conjoint ne se limite pas aux personnes à faible revenu. Tous les contribuables vivant seuls peuvent en faire la demande. Aux niveaux de revenu les plus bas, la perte de ce crédit peut être difficile à compenser, surtout si le couple a un revenu combiné suffisant pour ne plus être admissible à d'autres crédits, comme la prestation fiscale pour enfant. Aux niveaux de revenus moyens ou élevés, la perte de ce crédit est compensée par un pouvoir économique accru.

Si l'on a affaire à des couples lesbiens et gais possibles, la perte de l'équivalent du montant pour conjoint n'est pas nécessairement compensée par d'autres éléments d'impôt ou de transfert. Lorsqu'on examine la relation qui existe entre le crédit pour conjoint à charge, auquel sont admissibles les couples mariés, et l'équivalent du montant pour conjoint, qui disparaît lorsque les individus passent dans la catégorie des couples reconnus, on peut voir que si les gais à revenus supérieurs peuvent s'attendre à plus que compenser la perte de l'équivalent du montant pour conjoint en ayant accès au montant pour conjoint, l'inverse est vrai chez les lesbiennes.

Par conséquent, les couples masculins du tableau B-4 perdent des équivalents du montant pour conjoint d'un montant de 1,4 million de dollars, car on les traite comme s'ils étaient mariés, mais ils acquièrent de nouveaux crédits pour conjoint à charge d'un montant de 11,3 millions de dollars, ce qui représente un gain net de 9,9 millions de dollars, car ils sont considérés comme des conjoints. Par contre, les couples féminins du tableau B-4 perdent des équivalents du montant pour conjoint d'un montant de 8,4 millions de dollars — les femmes ont habituellement plus de responsabilités à l'égard des enfants que les hommes — mais ne gagnent que 7,9 millions de dollars en nouveaux crédits pour conjoint à charge.

Chez les couples féminins, la perte qui en résulte est de 0,5 million de dollars, ce qui n'est pas un résultat étonnant. Il est compatible avec les revenus inférieurs que gagnent les femmes, qui font que ces dernières ont moins de possibilités de subvenir aux besoins d'un couple féminin. Il est également compatible avec les responsabilités accrues qu'assument les femmes à l'égard des enfants.

Si l'on considère l'attribution de crédits équivalents entre les couples féminins et masculins du tableau B-4 comme une indication de la répartition des enfants entre les ménages formés d'un couple féminin et les ménages formés d'un couple masculin, on peut voir que, même si les couples féminins ont nettement plus d'enfants et des revenus moyens nettement inférieurs, ils subissent une perte nette de crédits d'impôt par suite de la reconnaissance de leur union. Toujours dans le tableau B-4, les couples masculins ont toutefois nettement moins d'enfants et des revenus moyens nettement supérieurs, mais réalisent toutefois, sur le plan des crédits d'impôt, un gain net supérieur au montant net que recevaient les couples féminins sous la forme de l'équivalent du montant pour conjoint avant la reconnaissance de leur union.

Cela est symptomatique de la caractéristique « revenu faible plus enfant » des couples lesbiens, par opposition à la caractéristique « revenu supérieur sans enfant » des couples gais. Résultat, il est possible de prévoir que les couples gais auront davantage accès à une vie à revenu unique, subventionnée par le montant pour conjoint, tandis que la perte de l'équivalent du montant pour conjoint et la non-admissibilité au montant pour conjoint renforcent la tendance des couples lesbiens à devoir dépendre de deux revenus plutôt que d'un seul.

Le résultat de cette tendance est que les couples lesbiens — même ceux qui ont des enfants — auront moins accès aux avantages fiscaux résultant du travail domestique non rémunéré qu'effectue un conjoint à charge à la maison. Les gais, par contre, bénéficieront non seulement des avantages fiscaux du montant pour conjoint, qui subventionne les couples à revenu unique, mais auront également accès aux avantages fiscaux et financiers considérables du travail domestique non rémunéré et exonéré d'impôt que fournit le conjoint qui ne gagne pas de revenu.

Le tableau B-13 montre la relation qui existe entre les niveaux de revenu et les demandes de l'équivalent du montant pour conjoint par opposition au montant pour conjoint à charge. Tous les crédits de la colonne intitulée « Crédits d'impôt pour personne mariée demandés — Statu quo » sont perdus à cause du traitement conjugal, et les crédits figurant sous la rubrique « Crédits d'impôt pour personne mariée demandés — Couples de même sexe » sont nouveaux. Le chiffre net, « Changement dans le crédit d'impôt pour personne mariée demandé » représente la différence entre les nouveaux crédits pour personnes mariées et les crédits « équivalents du montant pour conjoint » perdus. La totalité des pertes, sauf 1,4 million de dollars, ont été subies par les couples féminins, tandis que les couples masculins ont bénéficié de la majorité des gains. Si ces derniers, gagnant un revenu combiné de moins de 20 000 $, recevaient près du quart des nouveaux crédits pour personne mariée, les couples féminins ne compensaient pas la perte à l'aide de ces nouveaux crédits. Cela est attribuable aux revenus généralement inférieurs que touchent les femmes par rapport aux hommes.

Crédit de TPS

L'équivalent du montant pour conjoint est l'un des crédits d'impôt les plus élevés que l'on accorde par l'entremise de la *Loi de l'impôt sur le revenu*. Mais il ne s'agit nullement du plus important. Le crédit de TPS comporte une perte nettement supérieure de crédit d'impôt pour les personnes traitées comme des conjoints.

La TPS a remplacé la taxe de vente fédérale des fabricants au début des années 1990. Lorsque la TPS a été adoptée, le crédit de la taxe de vente a été remplacé par le crédit de TPS en raison de l'incidence prévue de cette taxe. Le résultat est le système de crédit d'impôt remboursable dont il est question à l'article 122.5 de la *Loi de l'impôt sur le revenu*. Le crédit de la taxe de vente est le crédit de TPS qui l'a remplacé visaient tous deux à améliorer l'incidence reconnue comme régressive des taxes à la consommation à taux fixe, comme la taxe de vente ou la TPS.

Le crédit de TPS est soumis à deux restrictions. Les couples mariés perdent automatiquement le supplément pour personne seule qui est intégré dans ce crédit d'impôt, même si leurs revenus combinés sont extrêmement bas. Un individu ou un couple adulte perdra le droit de demander ce crédit après que le revenu total excédera un seuil de faible revenu. La première restriction — la perte du supplément pour personne seule lorsque les couples sont traités comme des conjoints — agit comme une taxe au mariage qui fait en sorte que, même si les revenus du couple demeurent en deçà du seuil de faible revenu, celui-ci recevra un crédit total plus faible que s'il en avait fait la demande en tant que deux individus distincts.

La taxe au mariage que représente la TPS reflète l'hypothèse que même si deux adultes touchent de faibles revenus, deux adultes vivant dans une union conjugale peuvent vivre plus économiquement qu'un seul. La plupart des formules d'impôt et de transfert qui se fondent sur des économies de consommation ou des économies d'échelle présumées supposent que deux personnes peuvent maintenir leur niveau de vie individuel même si leurs revenus individuels sont réduits de 30 pour cent.

Le crédit d'impôt au mariage que représente la TPS est plus marqué, réduisant le taux applicable à chaque membre d'un couple à 65 p. 100 du taux individuel. On a effectué cette réduction en retirant le supplément pour personne seule à deux individus qui forment un couple légalement reconnu. Pour 1993, le plein montant du crédit de TPS pour adultes était de 199 $. Les adultes vivant seuls recevaient un supplément pour adulte seul de 105 $.

La taxe au mariage que représente la TPS touche le crédit relatif aux adultes ainsi que le crédit accordé relativement aux enfants à charge. À cet égard, le crédit de TPS fonctionne comme l'équivalent du montant pour conjoint. Un parent unique peut demander, en plus du crédit pour adulte de 199 $ et du supplément de 105 $, le crédit pour adulte de 199 $ pour un enfant à charge plus un supplément de 105 $ pour chaque enfant additionnel. Par contre, les couples ne peuvent demander que 199 $ par adulte, ce qui donne 398 $ par couple, mais ne reçoivent ni le supplément pour adulte seul de 105 $ pour l'un ou l'autre des deux, ni le crédit pour adulte de 199 $ pour n'importe quel enfant à charge.

À cause des éléments « adulte » et « enfant » des caractéristiques de réduction fiscale de la TPS, le montant de la taxe au mariage, pour n'importe quelle famille particulière, dépendra de la composition précise de celle-ci. Lorsque deux adultes sont réputés être des conjoints aux fins du crédit de TPS, ils perdent entre eux 210 $ chaque année. Lorsqu'il y a un enfant, le montant de la réduction est de 304 $ par année. S'il y a deux enfants, la famille perd un montant total de 397 $ en crédits par année.

Les tableaux B-6 et B-15 illustrent l'effet de cette taxe au mariage selon le sexe et selon les tranches de revenu. L'effet général est la perte d'un montant variant entre 37,3 millions de dollars et 42,7 millions de dollars pour 2000, et ce, pour tous les couples lesbiens et gais possibles dont il est question dans la présente étude. Il s'agit là de la plus importante perte d'avantages à l'échelon fédéral, laquelle ne le cède en importance qu'aux pertes totales d'avantages survenant à l'échelon provincial dans tout le pays (voir ci-après).

Des pertes considérables de la part des couples féminins dénotent la concentration de femmes dans les catégories à faible revenu. Représentant 40,5 p. 100 des couples recevant le crédit pour TPS, les couples féminins ont reçu 45 p. 100 du crédit d'impôt lorsqu'ils ont été traités comme des individus. Traités comme des conjoints, ce qui entraînait la perte des suppléments pour personne seule et des suppléments pour parent seul, les couples féminins ont subi 46 p. 100 des pertes. Cette perte représente un montant de 17,3 millions de dollars (19,4 millions de dollars selon la grille lâche).

Les couples masculins du tableau B-6 ont également perdus des montants de crédit pour TPS considérables. Leurs pertes n'étaient pas proportionnelles à leur représentation dans cet échantillon. Bien que 60 p. 100 des bénéficiaires du crédit de TPS soient des couples masculins, ces derniers n'ont perdu que 54 p. 100 du crédit total perdu.

Étant donné que le crédit pour TPS est fondé sur un examen des ressources (voir ci-dessous), il n'est pas étonnant que la majorité des crédits perdus se concentre dans les tranches de revenus inférieurs. Au tableau B-15, les crédits pour TPS que perdent les couples gagnant des revenus de moins des 20 000 $ et entre 20 001 $ et 30 000 $ sont assez faibles (0,3 et 8,9 p. 100 seulement du montant total perdu, respectivement), comparativement à leur représentation au sein de l'échantillon (12,5 p. 100 et 15,3 p. 100). Cependant, dans les tranches de revenu de 30 001 $ à 40 000 $ et de 40 001 $ à 50 000 $, ce qui suppose des revenus individuels d'environ 15 000 $ à 25 000 $ pour chacun, la part de la perte du crédit pour TPS est de beaucoup supérieure à la représentation proportionnelle dans ces catégories, ce qui semble indiquer que la taxe au mariage a une incidence très marquée sur les tranches de revenu élevé-faible et faible-intermédiaire.

En revanche, les données sur les crédits pour TPS individuels qui s'appliquent aux tranches de revenu élevé semblent indiquer que des demandes de TPS importantes chez les couples à revenu élevé-faible sont tout à fait perdues.

Au niveau global, n'importe quelle taxe au mariage — qu'il s'agisse du retrait de la possibilité de demander l'équivalent du montant pour conjoint pour les parents uniques ou des suppléments pour personne seule de TPS — aura tendance à promouvoir la dépendance économique des adultes à faible revenu. Cela aura une incidence disparate sur les femmes dans la mesure où ces dernières touchent des revenus sensiblement inférieurs à ceux des hommes. Mais cela aura aussi une incidence sur les hommes qui gagnent un revenu peu élevé. Cette catégorie d'hommes comprendra des gais, des hommes handicapés et des hommes identifiés selon la race. Le fait que les femmes soient pénalisées de façon disparate par des dispositions comme celles-là ne signifie pas que ces dernières ne peuvent pas non plus pénaliser des groupes d'hommes particuliers. L'effet de la TPS sur le mariage est un bon exemple d'une disposition qui atteint justement ce résultat.

L'effet d'une telle taxe au mariage est semblable à l'extension des crédits pour personne à charge aux conjoints ne gagnant pas de revenu. La perte des avantages fiscaux accordés aux adultes à faible revenu et marginalement employés les amène à opter pour la dépendance économique comme un moyen de survie de rechange. Les montants perdus à cause de la taxe au mariage que représente la TPS sont, dans l'ensemble, assez élevés. Ils représentent un élément important du système d'imposition ou de transfert total qui vise à soutenir le revenu des individus et des couples à faible revenu. Le retrait de ce soutien, dans le cadre du processus de reconnaissance d'un secteur déjà défavorisé de la population adulte, n'est pas conçu pour favoriser la révélation du statut de son union à l'échelon administratif, ni donner confiance que le système d'imposition ou de transfert total est juste ou équitable.

Seuils de faible revenu
Les clauses relatives aux seuils de faible revenu (SFR) sont conçues pour restreindre l'admissibilité à certaines prestations au conjoint aux personnes qui en ont le plus besoin. Dans ce cas-ci, le besoin est mesuré non seulement par le fait de savoir si un bénéficiaire vit dans une union reconnue, mais par le montant global du revenu que touche le couple.

On trouve des SFR dans des mécanismes de dépenses gouvernementales directes ainsi que dans des programmes de dépenses indirectes exécutés par l'entremise de la loi de l'impôt sur le revenu. Ces seuils servent à cibler la distribution de l'aide sociale directe, des allocations de pension au conjoint, des prestations pour enfant, de l'équivalent du montant pour conjoint, de certains crédits d'impôt transférables, des déductions pour frais de garde d'enfants, de l'assurance-emploi, de l'indemnisation des accidentés du travail et de dispositions concernant l'assurance-santé.

Lorsqu'on établit et qu'on applique les SFR en se fondant sur le revenu individuel et sur les revenus d'autres membres de la famille, selon des concepts relatifs au revenu familial, de nombreuses personnes qui auraient droit aux avantages en tant qu'individu en sont privées (ou voient leurs prestations « diminuer » jusqu'à un certain point) quand le revenu de leur conjoint ou de leur cohabitant est suffisant pour faire passer le couple ou la famille au-delà du SFR collectif.

Déduction pour frais de garde d'enfants

Certaines formules de SFR agissent indirectement. Par exemple, dans les dispositions relatives à la déduction pour frais de garde d'enfants, le SFR n'impose pas un plafond de revenu absolu à l'admissibilité, pas plus qu'il ne réduit le montant de l'avantage à mesure qu'augmente le revenu. Le SFR attribue plutôt la déduction au conjoint ayant le revenu le plus bas, traitant ce conjoint comme ayant le revenu marginal auquel s'applique la déduction. Les personnes seules peuvent demander leur propre déduction pour frais de garde d'enfants, indépendamment de leur propre niveau de revenu, quoique les plafonds imposés au montant déductible fixent des limites absolues à la valeur maximale de la déduction.

En un sens, la déduction pour frais de garde d'enfants comporte un seuil de faible revenu flottant pour les couples. Grâce à cela, le montant de la déduction qui peut être demandé se situe en deçà du montant du revenu gagné, mais au-delà d'un niveau de subsistance mesuré par les autres crédits nets qui peuvent être demandés. La déduction peut être transférée d'un conjoint à l'autre, ce qui signifie qu'elle sera aussi proportionnée au taux marginal d'impôt sur le revenu que le conjoint au revenu inférieur doit payer.

Comme la déduction peut être transférée d'un conjoint à l'autre, les parents lesbiens ou gais qui sont considérés comme des conjoints de fait à la suite du projet de loi C-23 ne pourront plus déduire leurs propres frais de garde d'enfants à moins de remplir deux conditions : le revenu du parent est suffisant pour tirer avantage du plein montant de la déduction, et son revenu individuel est inférieur au revenu du conjoint. Lorsque le revenu du conjoint est inférieur, le conjoint est tenu de se prévaloir de la déduction. Si le conjoint n'a pas de revenu, alors, même s'il n'y a aucune relation économique entre eux ou que le conjoint ne s'occupe aucunement du soin de l'enfant, aucune déduction ne peut être demandée[100].

Contrairement aux crédits d'impôt, la déduction pour frais de garde d'enfants n'est rien de plus que cela — une déduction que l'on peut demander au moment du calcul du revenu imposable. Il ne s'agit pas d'un crédit d'impôt. Il manifeste donc l'« envers » des avantages fiscaux qui procurent des avantages supérieurs aux contribuables ayant des revenus supérieurs, et des avantages plus faibles à ceux qui touchent un revenu inférieur.

Prestation fiscale pour enfants

La prestation fiscale pour enfants est un élément de transfert fédéral qui est accordé par l'entremise de la *Loi de l'impôt sur le revenu*. Le montant de la prestation intégrale est de 601 $ (1993), et celle-ci est structurée comme un crédit d'impôt remboursable. Les bénéficiaires sont réputés avoir payé, en plus de l'impôt fédéral sur le revenu, le montant du crédit auquel ils ont droit. Ce trop-payé réputé leur est fourni directement par l'État, non pas dans le cadre du processus de production des déclarations de revenus, mais dans des opérations distinctes tout à fait étrangères à la déclaration d'impôt annuelle.

La prestation pour enfants est soumise à un seuil de faible revenu annuel, qui est de 25 921 $ (1999) pour les individus ou les couples. Un parent individuel peut gagner un montant pouvant atteindre le SFR sans perdre une part quelconque de l'avantage intégral. Si le parent est traité comme un conjoint, les revenus des deux adultes sont alors combinés, et le même SFR est appliqué en vue de déterminer l'admissibilité. Le seuil d'exclusion n'est pas assujetti à un barème en fonction des économies de consommation ni rajusté d'une autre façon pour refléter les coûts élevés qu'entraîne le fait de subvenir aux besoins de deux adultes à partir du même revenu.

Il ne faut pas s'étonner que la grande majorité des personnes qui reçoivent la prestation fédérale pour enfants soient des femmes. Le tableau B-7 indique que, pour 2000, plus de 90 p. 100 des bénéficiaires étaient de sexe féminin. À un niveau individuel, toutes les demandes sont groupées dans les deux tranches de revenu inférieur — moins de 20 000 $ et entre 20 001 $ et 30 000 $. Il s'agit là d'un avantage hautement ciblé. Comme le SFR est de 25 921 $ et qu'il existe relativement peu de parents uniques du sexe masculin, seule une faible proportion de l'avantage est demandée par les hommes.

Le tableau B-7 laisse supposer que le fait de reconnaître les couples lesbiens et gais mènera à la perte de plus de la moitié des avantages payés actuellement à cette catégorie. Si on les considère comme des individus, les couples de même sexe de l'échantillon ont reçu 23,6 millions de dollars en prestations pour enfants. Si on les considère comme des conjoints, ces couples n'ont reçu que 11,6 millions de dollars en prestations. Il s'agit d'une part importante du coût global de la reconnaissance des unions de couples lesbiens et gais.

Étant donné que plus de 90 p. 100 des bénéficiaires de cette prestation sont, comme l'indique le tableau B-7, des femmes, on peut conclure sans se tromper que les lesbiennes, plutôt que les gais, renonceront à ces avantages perdus. Les femmes auraient reçu quelque 88 p. 100 des avantages perdus. Comme les lesbiennes ont des revenus moyens nettement inférieurs à ceux de n'importe quelle catégorie d'hommes — à l'exception de ceux qui sont identifiés par leur race ou qui ont une incapacité — il y a peu de chances que ces femmes auront des conjoints dont les revenus sont nettement supérieurs aux leurs.

L'objectif de principe qui sous-tend l'utilisation de SFR fondés sur la famille — ou le couple — dans ce contexte est de faire en sorte que les membres de la famille se tournent d'abord les uns vers les autres pour obtenir un soutien économique, et ensuite vers l'État mais seulement s'ils ne parviennent pas à répondre à leurs propres besoins minimaux. Le droit de la famille et le droit criminel veillent à ce que le respect de cette obligation de soutien puisse être assuré[101]. Malheureusement, cela met les lesbiennes dans une situation particulièrement difficile. La plupart des administrations ne reconnaissent toujours pas les couples lesbiens et gais, et encore moins les relations qu'ils entretiennent avec les enfants de chacun. En l'absence d'une obligation de subvenir aux besoins des enfants de chacun, la perte des prestations fédérales pour enfants résultant de la présomption absolue que ce soutien existe pénalise plus les lesbiennes que les femmes hétérosexuelles et les parents ayant accès à une forme quelconque de l'économie masculine. À cet égard, les litiges intentés en vertu de la *Charte* ont donné des résultats variables, mais il s'agit peut-être bien d'un secteur sur lesquels les tribunaux devront se pencher[102].

Formule de « réduction » du crédit pour taxe sur les produits et services
Le crédit pour taxe sur les produits et services comporte à la fois un seuil de faible revenu, qui sert à limiter les demandes aux individus dont le revenu familial n'excède pas 25 291 $, ainsi qu'une formule de réduction du revenu. Le crédit de TPS est réduit de 5 p. 100 de la mesure dans laquelle le revenu familial excède le SFR applicable. Cela signifie que l'agrégation des revenus familiaux peut réduire plus rapidement le crédit pour TPS déjà réduit pour les couples qu'elle ne le ferait au niveau individuel. Bien sûr, cela dépendra de la composition particulière des revenus familiaux.

Ce mécanisme, comme les autres de son genre, tend à promouvoir la dépendance économique, le retrait de la participation au marché du travail afin d'obtenir les avantages financiers du travail domestique non rémunéré lorsqu'il y a une autre personne qui subvient aux besoins du ménage, ainsi qu'une dépendance accrue à l'égard des subventions de l'État.

Formules fondées sur les économies d'échelle
De nombreux éléments du système d'imposition et de transfert sont fondés sur l'hypothèse que deux personnes peuvent vivre plus économiquement qu'une seule à cause d'économies sur le plan de la consommation. Le supplément pour personne seule de la TPS est conçu pour supprimer le soutien supplémentaire dont les personnes seules ont besoin lorsque des personnes qui sont mariées ou traitées comme telles en font la demande. D'autres exemples d'avantages réduits pour les couples mariés sont l'allocation au conjoint de la Sécurité de la vieillesse et le Supplément de revenu garanti.

Le fait de traiter les couples lesbiens et gais comme des conjoints réduira sensiblement les niveaux d'avantages dont ils bénéficient en vertu du SRG. Ce sont les couples lesbiens et les couples aux revenus les plus bas qui en ressentiront le plus sévèrement l'effet.

Le tableau B-5 montre que 91 p. 100 des pertes de prestations de SRG qui découlent de la reconnaissance des unions seront supportées par les couples féminins (grille lâche). Les couples masculins sont à peine touchés. Cela est attribuable au degré de pauvreté supérieur des femmes en général. Le SRG est un programme de soutien du revenu qui est destiné aux personnes les plus démunies au Canada. Les SFR utilisés dans le cadre de ce programme sont nettement inférieurs à ceux de n'importe quel autre programme d'impôt ou de transfert, et ils sont nettement assujettis à un barème, de manière à refléter les économies de consommation présumées. Les individus peuvent gagner jusqu'à 11 735 $ et toucher quand même le SRG. Les couples ne peuvent gagner que 15 312 $, ce qui ne représente que 65 p. 100 du SFR combiné pour deux personnes.

Les prestations versées en vertu du SRG sont assujetties à un barème dans la même proportion. Les bénéficiaires vivant seuls et les bénéficiaires mariés à un non-pensionné peuvent toucher des prestations d'un montant maximal de 6 048,50 $ par année (au 1er mars 2000), tandis que les bénéficiaires mariés à un pensionné ne touchent que 3 939,73 $ par année. L'économie d'échelle intégrée dans ces chiffres présume que deux personnes vivant ensemble peuvent maintenir leur niveau de vie en n'utilisant que 65 p. 100 de ce qu'il faut pour deux personnes vivant séparément (c'est-à-dire qu'ils peuvent « économiser » 35 p. 100 en tout en vivant ensemble dans une relation conjugale).

L'effet combiné des pénalités imposées aux personnes mariées sur le plan de l'admissibilité et des pénalités imposées aux personnes mariées qui sont intégrées dans la structure de prestations signifie que lorsque des couples adultes qui étaient traités comme des individus bénéficient du même traitement que les conjoints, ils perdent d'importants avantages, comme en font foi les données présentées au tableau B-5. Les couples d'adultes de même sexe perdraient 34 p. 100 de leurs prestations de SRG si on les considérait comme des conjoints.

Le tableau B-14 montre de quelle façon le fait de traiter les bénéficiaires comme des conjoints les touche, selon la tranche de revenu. Les revenus des couples, lorsqu'ils sont traités comme des individus, peuvent couvrir toutes les possibilités, du montant le plus bas jusqu'au niveau de plus de 100 000 $. Cela est attribuable au fait qu'une personne dont le revenu tombe en deçà du SFR de 11 735 $ peut vivre avec quelqu'un dont le revenu est de 90 000 $ ou plus sans perdre le SRG. Le seul fait de vivre au même endroit qu'une autre personne n'empêche pas des individus de toucher le SRG, dans la mesure où la relation entre les parties n'est pas considérée comme une relation conjugale.

Cependant, le nombre de cas qui présentent cette caractéristique de revenu élevé-faible est manifestementment très restreint. Comme l'indiquent les résultats de la grille lâche au tableau B-14, moins de 0,5 million de dollars en prestations du SRG pour personne seule vont à des gens qui se trouvent dans ce genre de situation. Le gros des paiements, dans la catégorie du statu quo, se concentre dans les deux tranches de revenu du bas — de 0 $ à 20 000 $, et de 20 001 $ à 30 000 $. La tranche de revenu la plus basse est à peine touchée par le fait de considérer les personnes comme des conjoints. En fait, ces demandes augmentent dans une proportion minime. Cependant, les demandes des couples dont les revenus combinés se situent dans la tranche de revenu de 20 001 $ à 30 000 $ tombent de 28 p. 100, et les demandes de ceux dont les revenus combinés sont de l'ordre de 30 001 $ à 50 000 $ tombent de 82 p. 100.

Il ressort de ces chiffres qu'environ 76 p. 100 des bénéficiaires actuels du SRG vivent avec un autre adulte dont le revenu excède 3 577 $. La répartition des avantages perdus, au tableau B-14, indique que ces revenus « excédentaires » se concentrent dans la tranche de 5 001 $ à 15 000 $.

Le principe de l'égalité est considéré comme symétrique : de nouveaux droits devraient être assortis de nouvelles obligations. Mais le principe de la justice distributive, ou l'équité, concerne non seulement la symétrie stricte qui est associée à l'égalité officielle, mais aussi le fond de ce que l'on obtient au nom de l'égalité. Lorsqu'on examine la répartition des avantages perdus qui découlent du fait de considérer les personnes comme des conjoints dans le cadre du SRG, ce qui devient clair c'est que de nombreux couples de même sexe vivent ensemble parce qu'ils sont extrêmement démunis. Si un traitement égal donne lieu à un traitement inéquitable, cela signifie qu'il faut mettre en doute la structure du système d'imposition ou de transfert.

Dispositions réputées faites avec lien de dépendance

Les dispositions relatives aux conflits d'intérêts peuvent se présenter sous différentes formes. La loi contient des dispositions selon lesquelles des liens de dépendance (LD) sont réputés exister, pour empêcher les situations de conflit d'intérêts. Lorsque des individus tombent dans une catégorie de personnes réputées liées, cela signifie que même si la preuve démontre qu'ils sont en fait entièrement autonomes, comme s'ils étaient de parfaits étrangers ayant des intérêts économiques opposés, ils ne sont pas autorisés à effectuer certaines transactions légalement reconnues.

Le principe du lien de dépendance a été conçu au départ pour permettre au ministre du Revenu national de faire abstraction des transactions et des ententes mettant en cause des membres d'une même famille. La présomption sur laquelle sont fondées ces dispositions est que les membres d'une famille seront toujours motivés par l'évitement fiscal ou la fraude fiscale, et ils ne peuvent être autorisés à faire affaire ensemble.

La définition du « lien de dépendance » que l'on retrouve dans la *Loi de l'impôt sur le revenu* est demeurée inchangée et n'a pas été contestée depuis des décennies. L'article 251 stipule que les couples mariés ou les autres personnes traitées comme des conjoints aux fins de l'impôt sur le revenu sont réputés être liés. Le Ministre a le pouvoir discrétionnaire de conclure que d'autres personnes non liées entretiennent, dans les faits, un lien de dépendance. L'important ici, c'est que les conjoints et d'autres membres de la famille sont réputés absolument entretenir un lien de dépendance l'un envers l'autre.

L'application aux conjoints des règles régissant le lien de dépendance (LD) est marquée par une histoire longue et difficile qui se poursuit encore. Avant 1980, une épouse qui travaillait dans une entreprise familiale soit comme employée soit comme associée n'était pas considérée comme gagnant un revenu à elle, même si elle recevait effectivement un salaire ou une part des bénéfices. Cela était attribuable au fait qu'aux fins de l'impôt, un salaire versé à une épouse était réputé constituer le revenu de l'époux, si l'épouse était l'employée de ce dernier[103]. Il était possible d'utiliser les sociétés familiales pour contourner ces règles, mais les règles relatives au LD habilitaient le ministre du Revenu national à faire abstraction de ces salaires s'ils lui semblaient non « raisonnables dans les circonstances[104] ».

Le critère dominant que l'on applique pour évaluer le caractère raisonnable des salaires de conjoint en vertu de l'article 67 demeure celui qui a été établi dans l'arrêt *Murdoch* c. *Murdoch*[105], où la Cour suprême du Canada a conclu qu'une épouse d'agriculteur n'avait pas droit à une part des biens agricoles détenus au nom de son époux du fait de ses contributions au travail parce qu'elle faisait simplement ce que toute bonne épouse d'agriculteur était censée faire[106].

Cet effacement législatif des salaires des épouses n'était pas avantageux. Même si cette mesure avait l'apparence de dégager les épouses de tout assujettissement à l'impôt sur le revenu, elle était conçue en fait pour empêcher les conjoints d'acquérir des avantages fiscaux qui, pensait-on, ne convenaient pas à la relation conjugale. Ces avantages étaient la réduction d'impôt générale découlant du partage entre conjoints des bénéfices d'entreprises familiales et la capacité de l'épouse de considérer son salaire comme un gain assurable aux fins de l'assurance-chômage, ou comme un gain ouvrant droit à pension aux fins du Régime de pension du Canada. Par conséquent, la non-déductibilité des salaires des épouses était l'un des moyens d'empêcher les femmes d'acquérir leurs propres droits de sécurité sociale et de les forcer à dépendre de leur époux pour leur soutien permanent au cours du mariage et au moment de la retraite.

Les pressions exercées par le mouvement féministe ont finalement mené à l'abrogation de la disposition de non-déductibilité, mais les règles concernant le LD réputé que comportait la *Loi de l'impôt sur le revenu* n'ont pas été abrogées[107]. Après l'abrogation des dispositions de non-déductibilité, les règles relatives à l'assurance-chômage et au RPC ont été modifiées de manière à incorporer les dispositions relatives au LD réputé de la *Loi de l'impôt sur le revenu* qui se rapportaient aux conjoints dans la *Loi sur l'assurance-chômage* ainsi que dans le *Régime de pensions du Canada*, permettant ainsi d'exclure les femmes de ces deux régimes de prestations, même lorsqu'elles possédaient leur propre revenu indépendant. En fait, les règles allaient même plus loin que les règles de non-déductibilité, car ces dispositions pouvaient servir à faire abstraction de l'interposition d'une personne morale.

Par la suite, les règles relatives au LD que contenait le RPC ont été abandonnées, ce qui a permis aux épouses — et à cette époque-là, aux cohabitants de sexe opposé — d'établir leur propre admissibilité au RPC en se fondant sur les gains tirés d'une entreprise familiale. Cependant, la quasi-totalité des règles relatives au LD sont demeurées en vigueur dans la législation relative à l'assurance-chômage et à l'assurance-emploi, ce qui fait que les conjoints ont beaucoup de difficultés à établir qu'ils exercent un emploi assurable lorsqu'ils sont au service l'un de l'autre. Les prestations d'AE ne peuvent être demandées que si l'employé peut convaincre le Ministre qu'il aurait pu conclure un contrat essentiellement semblable s'il faisait affaire avec une partie non liée[108]. Dans la pratique, cela signifie que si l'arrangement de travail est fondé sur les activités de garde d'enfants de l'épouse, par exemple, ou reflète d'autres éléments de souplesse que les conjoints s'accorderaient pas souci de commodité familiale, le Ministre sera moins enclin à considérer la relation de travail comme authentique aux fins de l'AE.

Compte tenu de l'extension des règles relatives au LD que comporte la *Loi de l'impôt sur le revenu* aux couples lesbiens et gais par suite de l'adoption du projet de loi C-23, les conjoints lesbiens et gais sont réputés, par la nouvelle *Loi sur l'assurance-emploi*, avoir des gains d'emploi non assurables lorsqu'ils travaillent pour leur conjoint, pour une société de personnes dont celui-ci est membre, ou pour une société contrôlée en totalité par leur conjoint ou contrôlée par celui-ci avec d'autres personnes non liées[109].

Il s'ensuit donc qu'une certaine partie des prestations d'AE qui pouvaient être demandées avant l'adoption du projet de loi C-23 ne le pourront plus par suite des règles régissant le LD réputé dans cette loi. Bien qu'il existe une exception portant inversion de la charge de la preuve à cette règle, qui permet aux employés de tenter d'établir que les conditions de leur emploi étaient semblables à une relation sans lien de dépendance, les tribunaux imposent un fardeau fort lourd aux personnes qui demandent une exception à la règle[110].

Le même régime de règles s'appliquera maintenant aux conjoints lesbiens et gais qui tentent d'établir qu'ils ont des gains ouvrant droit à pension afin de maintenir ou d'établir leur propre admissibilité au RPC[111]. Les conjoints se verront dans l'obligation expresse de convaincre les agents du Revenu que les paiements de salaire sont raisonnables dans les circonstances, afin d'établir que ces derniers peuvent continuer d'être traités comme des gains ouvrant droit à pension aux fins de cotisations au RPC.

Par conséquent, si les couples et les conjoints lesbiens qui travaillent dans une entreprise familiale ne peuvent pas établir, à la satisfaction des agents du Revenu, qu'ils ont des contrats sans lien de dépendance, ils ne seront pas en mesure de satisfaire au critère inverse ou exprès qui figure dans cette loi. Ils cesseront d'avoir leur propre compte d'AE et du RPC. Ces deux effets font en sorte que les couples lesbiens et gais sont davantage conformes au modèle de dépendance présumée du conjoint, qui est à l'origine de ces règles.

Une admissibilité nouvelle aux prestations de survivant du RPC, ainsi qu'une confirmation des options relatives aux survivants que prévoient les régimes de pension enregistrés destinés aux employés ainsi que les reports de cotisations à un REER non distribuées amélioreront la sécurité de la retraite des couples lesbiens et gais. Cependant, la perte compensatrice relative aux personnes qui ne sont plus en mesure de maintenir une admissibilité indépendante à l'AE et au RPC portera grandement atteinte à ces nouveaux avantages.

Dispositions relatives aux conflits d'intérêts

Certaines dispositions législatives fondées sur les conjoints sont conçues pour empêcher ces derniers de collaborer en vue d'optimiser des avantages divers. Cela inclut les dispositions concernant les conflits d'intérêts, les dispositions législatives concernant la divulgation des intérêts familiaux ainsi que de nombreuses dispositions fiscales qui visent à obliger les membres d'une famille à faire affaire sans lien de dépendance les uns avec les autres, ou qui bloquent par ailleurs les mécanismes de planification fiscale dans lesquels il est possible de présumer que des membres d'une famille ont collaboré pour réduire leur assujettissement général à l'impôt.

Les dispositions concernant les conflits d'intérêts ne fonctionnent pas toutes de la même façon. En plus des règles relatives au lien de dépendance réputé dont il est question ci-dessus, d'autres mécanismes sont employés. Par exemple, les dispositions concernant la résidence principale que comporte la *Loi de l'impôt sur le revenu* interdit carrément aux conjoints (y compris, depuis 1993, les cohabitants de sexe opposé) de désigner plus d'un bâtiment par année comme étant la résidence principale de l'un d'eux[112]. D'autres règles concernant les conflits d'intérêts ou d'autres règles anti-évitement portent non seulement sur la relation légale entre les membres des couples, mais sont aussi étayées par des critères factuels d'« apparentement » ou de « lien ». Par conséquent, un grand nombre de ces dispositions représentant un « fardeau » s'appliquaient aux couples lesbiens et gais longtemps avant qu'entrent en application les nouvelles dispositions en matière de conflit d'intérêts les concernant dans le projet de loi C-23.

Problèmes fédéraux-provinciaux

Les lois fédérales de fond sont plus ou moins indépendantes des lois provinciales ou territoriales. Cependant, il existe deux secteurs où les deux niveaux de pouvoir et de législation se chevauchent de façon à créer des problèmes persistants pour les couples lesbiens et gais, en dépit des dispositions du projet de loi C-23 :

- l'obstacle fédéral au mariage lesbien et gai;
- le transfert des pénalités fédérales occasionnées par la reconnaissance des unions au calcul de l'assujettissement à l'impôt sur le revenu provincial.

Ces effets ne peuvent pas tous être quantifiés. L'effet du refus constant des droits de mariage aux couples lesbiens et gais est non quantifiable en soi et comporte des répercussions financières concrètes non mesurables. Indépendamment de la question de savoir si le gouvernement fédéral continue de refuser aux couples lesbiens et gais le droit de se marier, l'incorporation de la loi fédérale de l'impôt sur le revenu dans la loi provinciale de l'impôt sur le revenu, dans des circonstances où le droit provincial ne reconnaît pas les couples lesbiens et gais, amplifie les coûts de la reconnaissance des unions sans accorder d'avantages compensateurs à l'échelon provincial.

Obstacle fédéral au mariage

Au Canada, la compétence exercée sur le mariage est partagée entre le gouvernement fédéral et les gouvernements provinciaux et territoriaux. Le gouvernement fédéral a compétence sur la capacité de se marier, et les gouvernements provinciaux et territoriaux ont compétence sur la célébration du mariage.

Bien que la distinction qui existe entre la capacité et la célébration soit vague et que la jurisprudence soit lacunaire et fasse peu autorité, on semble tenir plus ou moins pour acquis que les couples lesbiens et gais n'ont pas le droit de se marier. Les opposants au mariage lesbien et gai espèrent que la résolution sur le mariage adoptée en 1998 ou la clause de mariage qui figure dans le projet de loi C-23 bloqueront les efforts faits par les tribunaux pour reconnaître aux couples lesbiens et gais le droit de se marier. Les tenants des droits de mariage égaux pour tous les couples font remarquer que tout obstacle au mariage enfreint les garanties d'égalité que comporte la *Charte canadienne des droits et libertés*. À ce jour, deux gouvernements ont considéré que le seul obstacle juridique à des droits égaux au mariage est la *common law* fédérale, et ils ont entrepris des procédures judiciaires pour faire déclarer qu'ils peuvent légitimement délivrer des permis de mariage aux couples lesbiens et gais.

L'importance de l'obstacle au mariage pour la présente étude est la suivante : le droit de se marier est l'un des nombreux « avantages » non conférés aux couples lesbiens et gais dans le projet de loi C-23. Si la justification pour étendre l'ensemble des fardeaux et des pénalités les plus coûteux qui figurent dans les programmes d'imposition et de transfert aux couples lesbiens et gais est que l'« égalité » est assortie de droits et d'obligations, le refus constant des droits au mariage donne l'impression qu'il est extrêmement injuste d'imposer tous ces fardeaux et toutes ces pénalités aux couples homosexuels pendant qu'ils continuent d'attendre une égalité pleine et entière.

D'un point de vue pratique, l'effet continu du refus, par le gouvernement fédéral, des droits au mariage a un effet en cascade. Il empêche les gouvernements provinciaux et territoriaux d'accorder l'égalité dans ce domaine même lorsqu'ils croient être mandatés pour le faire, d'un point de vue constitutionnel. Les couples lesbiens et gais ne peuvent tirer pleinement avantage du fait qu'on les traite comme des conjoints dans la *Loi de l'impôt sur le revenu*, car même s'ils devaient s'engager dans des transactions relatives à des biens ou d'autre nature, auxquelles les dispositions en matière de transfert libre d'impôt s'appliquent pour les couples mariés, ils ne peuvent avoir accès au statut de « marié » qui permet de bénéficier d'une exonération d'impôt ou d'un report d'impôt. Enfin, un grand nombre des avantages fiscaux que perdent aujourd'hui les couples lesbiens et gais comportent une augmentation provinciale selon laquelle, comme dans la plupart des provinces, l'assujettissement à l'impôt sur le revenu provincial est calculé en tant que fraction de l'assujettissement à l'impôt sur le revenu fédéral. Cela a pour résultat d'accroître davantage les coûts de l'égalité tout en continuant de refuser d'accorder les avantages intégraux de celle-ci.

Aggravation des pénalités d'impôt ou de transfert

Le projet de loi C-23 a, sur la loi de l'impôt sur le revenu des provinces, un effet d'entraînement qui fait augmenter les coûts et les pénalités de la reconnaissance des unions que doivent supporter les personnes homosexuelles. Il s'agit là d'un effet très important. Les coûts provinciaux qu'occasionne la reconnaissance des unions aux couples lesbiens et gais sont presque aussi importants que les coûts et les fardeaux majorés qu'il est possible de prévoir à l'échelon fédéral.

Par exemple, la loi de la province du Nouveau-Brunswick ne reconnaît pas les couples lesbiens et gais. Qu'il s'agisse de la continuation des droits de location à usage d'habitation après une rupture de l'union ou du droit de présenter une demande de pension alimentaire, de l'exemption des taxes de transfert de véhicule, ou du droit de combiner ou de prendre les noms de famille des deux membres du couple, les couples lesbiens et gais sont traités comme s'ils étaient de parfaits étrangers l'un envers l'autre aux fins juridiques.

Cependant, les membres d'un couple lesbien ou gai vivant au Nouveau-Brunswick seront traités comme s'ils étaient des conjoints pour les besoins du calcul de l'assujettissement à l'impôt sur le revenu fédéral. Leur assujettissement à l'impôt sur le revenu provincial serait fondé sur le montant fédéral à payer. Si l'un des conjoints était un parent unique réputé être un conjoint de fait en raison d'une période de cohabitation de 12 mois aux termes du projet de loi C-23, cela veut dire que ce conjoint perdrait l'équivalent du montant pour conjoint, qui est de 972 $. Le conjoint subirait une autre pénalité fiscale sous la forme d'un montant d'impôt provincial supplémentaire à payer. On calculerait la pénalité provinciale en examinant combien d'impôt provincial de plus il faudrait payer en raison de la perte de l'avantage lié à l'impôt fédéral sur le revenu.

Au Nouveau-Brunswick, les taxes et impôts provinciaux sont calculés au taux de 58,5 p. 100 des taxes et impôts fédéraux à payer pour 2000. Si l'assujettissement fiscal fédéral augmente de 972 $ en raison de la perte d'un avantage fiscal fédéral, cela signifie que la taxe provinciale sur cet avantage perdu serait de 972 $ X 0,585 = 569 $. Le coût total de la reconnaissance des unions pour un tel individu serait de 1 541 $ aux échelons fédéral et provincial combinés.

Il est notoire que la nature cumulée de l'assujettissement à l'impôt sur le revenu provincial accroît la valeur des avantages fiscaux fédéraux. Ce qui est moins évident, c'est que chaque fois qu'un avantage lié à l'impôt sur le revenu est perdu à l'échelon fédéral, l'impôt sur le revenu provincial accroît le montant perdu.

Les dispositions relatives à l'impôt sur le revenu provincial ne fonctionnent pas toutes de cette façon. Comme l'indique le tableau B-9, quelques couples lesbiens et gais recevront en fait des crédits d'impôt provinciaux non remboursables et légèrement plus importants, par suite de la reconnaissance des unions. Ces augmentations sont de l'ordre de 0,5 million de dollars pour tous les couples, dans toutes les provinces.

Cependant, ces légères augmentations sont très largement compensées par des réductions de crédits d'impôt provinciaux remboursables. Selon le tableau B-8, ces pertes sont de l'ordre de 56 à 72 millions de dollars pour 2000. Ainsi qu'il est calculé au tableau B-10, on peut s'attendre aussi à des pertes additionnelles attribuables aux réductions d'impôt provinciales perdues, de l'ordre de 0,4 à 0,5 million de dollars. Ces pertes toucheront les couples masculins et les couples féminins de manière à peu près égale. Cependant, comme l'indique le tableau B-16, ces crédits d'impôts perdus toucheront le plus durement les couples à faible revenu, et auront un effet négligeable — si effet il y a — sur les couples à revenu élevé.

En résumé, le fait de continuer d'incorporer la législation fédérale de l'impôt sur le revenu dans la législation provinciale de l'impôt sur le revenu lorsque la loi générale provinciale ne reconnaît aucunement les couples lesbiens et gais comporte deux effets accablants : cela accroît les coûts de la reconnaissance des unions aux échelons fédéral et provincial, et les couples lesbiens et gais continuent de se voir refuser des droits égaux, même partiellement.

Le fait d'étendre l'ensemble des fardeaux et des responsabilités de la reconnaissance des unions à une catégorie de couples méprisée depuis longtemps, sans, en même temps, étendre à ces derniers l'ensemble des avantages qui accompagnent la reconnaissance des unions ne semble pas être une option « dont la justification puisse se démontrer », pour reprendre le libellé de la *Charte des droits*. Il est possible qu'étant donné que l'on restructure l'accord de perception fiscale entre le gouvernement fédéral et les provinces et territoires afin de donner aux provinces plus de contrôle sur la définition de l'assiette fiscale et sur les critères entourant les avantages fiscaux et les taux d'imposition, les provinces cessent d'accueillir de cette manière tous les crédits et toutes les pénalités provenant du niveau fédéral. Cependant, la seule province qui est demeurée indépendante du processus fédéral de perception fiscale — le Québec — n'a jamais éliminé entièrement les types de crédits et de pénalités similaires, et il serait étonnant que d'autres provinces le fassent aussi. Il est plus probable que les provinces qui ne veulent pas reconnaître les unions lesbiennes et gaies plus qu'il ne le faudrait définiraient les dispositions en matière de crédit de manière indépendante de façon à pouvoir refuser les crédits aux contribuables lesbiens et gais.

Conclusions

Le projet de loi C-23 reconnaît les unions lesbiennes et gaies en les incluant dans une nouvelle catégorie de « conjoints de fait », avec les cohabitants conjugaux hétérosexuels. Il étend ensuite un traitement conjugal aux couples faisant partie de cette nouvelle catégorie, ce qui mène à la création d'un certain nombre de nouveaux droits et avantages qui comportent une valeur quantifiable, ainsi que d'autres qui présentent une valeur intangible ou non quantifiable.

Cependant, le projet de loi C-23 n'étend pas le traitement conjugal intégral à ces conjoints de fait, non plus qu'il n'égalise entièrement le statut des conjoints de fait hétérosexuels, lesbiens ou gais. Plus important encore, les cohabitants hétérosexuels peuvent se marier s'ils le décident, ce qui leur donne accès à tous les droits et obligations restants dont bénéficient les couples mariés. Les couples lesbiens et gais ne le peuvent pas.

Bien que l'on refuse aux couples lesbiens et gais l'égalité complète avec les cohabitants hétérosexuels ou les couples mariés, ils supportent la totalité des mêmes responsabilités et coûts qui sont attribués à ces couples par l'entremise de la loi fédérale. Ces coûts et ces pénalités sont d'une valeur nettement supérieure à celle des faibles avantages qui découlent de la reconnaissance, par le gouvernement fédéral, de ces unions. Dans l'ensemble, ils sont de l'ordre d'environ 89 à 140 millions de dollars pour 2000, selon les hypothèses formulées.

La répartition des coûts et des pénalités qui découlent de la reconnaissance des unions n'est pas neutre. Les lesbiennes, les couples ayant des enfants (des couples majoritairement lesbiens, plutôt que gais) et les couples à faible revenu sont ceux qui supportent les pénalités les plus lourdes et qui engagent les coûts les plus élevés découlant de la reconnaissance des unions. Il s'agit là de l'aboutissement direct de la pratique de longue date à laquelle on recourt dans la politique fiscale fédérale, qui consiste à restreindre considérablement le coût des prestations de soutien du revenu et de celles axées sur les enfants en appliquant des seuils de faible revenu, des règles concernant les parents uniques et d'autres mécanismes du genre.

Il a été démontré que ces pénalités et ces coûts ont un effet négatif disparate sur les femmes en tant que catégorie, indépendamment des questions relatives à la sexualité. Ce que le projet de loi C-23 a réalisé, c'est d'étendre cet effet négatif disparate aux couples lesbiens et gais, qui, par suite de discrimination fondée sur la sexualité ou de discrimination fondée sur le genre ainsi que sur la sexualité, se concentraient dans les catégories à faible revenu. On peut prévoir que cet effet disparate négatif s'étendra à tous les couples touchés par la discrimination fondée sur la race, sur l'âge, sur les déficiences et sur le genre et la sexualité.

Ces effets globaux mettent en doute la façon dont on reconnaît les unions à l'échelon fédéral de même que les motivations de ceux qui ont pris part à ce processus. Par contraste avec le processus de longue durée au cours duquel les cohabitants hétérosexuels ont fini par être reconnus dans la loi fédérale, dans laquelle certains des avantages découlant de la reconnaissance des unions ont été accordés longtemps avant que l'on étende la majeure partie des coûts et des pénalités découlant de cette reconnaissance, les couples lesbiens et gais sont confrontés à une situation différente. Ils doivent continuer de lutter d'un point de vue politique, ainsi que dans leur vie personnelle, pour obtenir une existence juridique minimale à l'échelon fédéral — le droit de parrainer leur partenaire à des fins d'immigration, le droit à des règles similaires sur le plan de l'âge du consentement — ainsi que pour toutes les formes de reconnaissance d'unions dans la majorité des provinces ou territoires. Pourtant, ils doivent commencer à payer, dans un avenir très rapproché, pour bénéficier du privilège de la reconnaissance de leur union sur un pied d'égalité présomptive absolue.

Cette caractéristique asymétrique de la reconnaissance des unions est en soi discriminatoire.

4. RECOMMANDATIONS DE PRINCIPE

La présente étude porte sur l'effet de la reconnaissance des unions sur les lesbiennes. À la suite d'importantes décisions judiciaires, des propositions fédérales et provinciales, ainsi que de nouvelles dispositions législatives ont toutes été présentées en succession rapide pendant que l'auteure menait cette étude. Ces mesures ainsi que des innovations semblables dans d'autres pays constituent le point central de l'analyse. Plus particulièrement, l'adoption rapide du projet de loi C-23 en 2000 fait qu'il est urgent d'évaluer cet effet — ainsi que ceux de décisions judiciaires et d'autres lois nouvelles — sur les lesbiennes et les gais.

Les questions qui sous-tendent la présente étude sont étroitement liées à ce qui se fait actuellement. En raison, principalement, de la décision marquante sur la discrimination fondée sur la sexualité qui a été rendue dans l'arrêt *M. c. H.* de la Cour suprême du Canada, il devient plus acceptable et plus urgent de parler de la façon dont les droits et les responsabilités juridiques existants devraient être étendus aux couples lesbiens et gais. Bien qu'un grand nombre de lesbiennes, de gais, de bisexuels, de transgendéristes, de transsexuels et de personnes à double personnalité continuent d'être fermement d'avis qu'il n'est pas nécessaire qu'une relation ait un statut juridique ou comporte des droits ou des responsabilités juridiques pour avoir une certaine valeur ou pour fonctionner efficacement, l'option de la non-reconnaissance n'a pas été prise en considération dans cette étude. Il n'a pas été question non plus des questions de principe que posent les relations adultes mettant en cause trois personnes ou plus. Il s'agit l à d'un autre point qu'il conviendra d'examiner soigneusement.

L'étude a plutôt pris pour paramètres les options relatives à la reconnaissance des unions dont il a été question, d'une façon ou d'une autre, soit dans des litiges soit dans des recommandations de principe. L'étude s'est efforcée d'identifier les caractéristiques qui sont avantageuses pour les lesbiennes ou qui les préoccupent. Bien que ces options couvrent une gamme assez vaste d'approches, diverses options théoriques, comme le communalisme adulte, l'abolition du mariage ou le retrait de l'État de la réglementation des relations adultes, n'ont pas été prises en considération pour la simple raison qu'étant donné que les initiatives politiques existantes comportent tant de discrimination, il semble peu probable que d'autres façons visionnaires d'aborder le lien entre la loi et les unions lesbiennes donnent lieu à des résultats plus équitables que ne le font les initiatives actuelles.

La présente étude ne tient pas compte de l'effet de nouvelles formes de reconnaissance des unions sur les lesbiennes seulement. Les lesbiennes et les gais subissent de nombreuses expériences communes de discrimination, d'effacement et de marginalisation. Comme l'ont montré les données produites pour la présente étude, les lesbiennes et les gais subissent en commun un désavantage économique, et subissent maintenant l'assaut soudain des coûts financiers considérables de la reconnaissance des unions. Là où il existe des différences dans l'effet des dispositions relatives aux unions sur les lesbiennes par rapport aux gais, ces différences sont analysées, mais leurs aspects communs sont également relevés.

Quatre grandes conclusions ont été tirées dans cette étude, et elles façonnent les recommandations qui sont formulées dans le présent chapitre.

- Il y a de sérieuses difficultés à obtenir des données concernant la vie des lesbiennes et des gais, tant comme individus que comme membres de couples et de familles.

- Les lesbiennes, les gais et les couples lesbiens et gais sont disproportionnellement défavorisés par des revenus relativement faibles. Ce désavantage est exacerbé particulièrement chez les couples lesbiens et, chez tous les couples qui subissent en plus les effets dus à leur race, leur âge, leurs déficiences et leurs obligations familiales.

- Les lois relatives à la reconnaissance des unions évitent invariablement d'appliquer certaines dispositions aux couples lesbiens et gais ou de leur accorder certains avantages. Ce fait est discriminatoire.

- Les lois concernant la reconnaissance des unions ont tendance à étendre aux couples lesbiens et gais la majorité des fardeaux et des responsabilités les plus coûteux. Cela aussi est discriminatoire.

En plus des recommandations de principe précises qui découlent de ces constatations, quatre conclusions de principe générales aident à formuler des politiques moins discriminatoires dans le domaine de la reconnaissance des unions.

- Il est possible d'atténuer les coûts élevés qu'occasionne la reconnaissance des unions aux couples à faible revenu en cessant de considérer le couple comme l'unité de base des politiques en matière de fiscalité et de dépenses et en s'orientant plutôt vers l'individu.

- Comme les relations adultes se diversifient, les subventions qu'accorde l'État au titre de la dépendance économique des adultes devraient être remplacées par des avantages fiscaux ou directs qui favorisent l'accès égal à de justes salaires.

- La meilleure façon d'éliminer l'inégalité actuelle qu'occasionnent certains types de dispositions fondés sur les unions est d'accorder l'admissibilité aux prestations aux personnes qui vivent dans une relation de type non conjugale.

- Selon le type de question de politique en jeu, il n'est pas nécessaire que toutes les dispositions fondées sur les unions s'appliquent à toutes les catégories d'unions.

Les options de principe qui concernent ces constatations générales et ces conclusions de principe sont analysées d'une façon plus détaillée ci-après. L'auteure examine aussi des propositions concrètes visant à procéder à une réforme approfondie.

Obtention de données statistiques

Une étude de ce genre ou la formulation de politiques raisonnables et appropriées au sujet des lesbiennes et des gais pose un problème de base : ces groupes ayant été invisibles dans les lois et dans les politiques jusqu'à ces dernières années, il n'existe aucune donnée sur ce segment de la population. Si l'inclusion des couples lesbiens et gais dans le recensement de 2001 constituera un pas dans la bonne direction, cela ne réglera qu'une partie du problème.

Le fait de continuer d'exclure des questions liées à la sexualité ou à l'identité sexuelle des instruments statistiques empêchera d'évaluer l'éventail complet des répercussions qu'a la reconnaissance des unions sur les minorités sexuelles.

Les lesbiennes et les gais qui cohabitent ne sont pas les seules personnes homosexuelles dont les besoins et le rôle au sein de la société canadienne sont importants. Tant que l'on ne disposera pas des données habituellement recueillies en rapport avec le sexe, l'âge, le revenu, la race, l'origine ethnique, les déficiences, la composition des familles et des ménages, l'instruction et d'autres indicateurs démographiques qui sont disponibles pour éclairer les décisions de principe concernant les personnes qui se qualifient de lesbiennes, de gais, de bisexuels, de transsexuels, de transgendéristes ou de personnes à double personnalité, le gouvernement ne pourra pas exercer un pouvoir responsable dans ce secteur de la vie.

Recommandation n° 1

Tous les instruments fédéraux de recensement et d'enquête statistique ainsi que tous les autres organismes de collecte de données, devraient recueillir des données démographiques complètes sur les unions lesbiennes, gais, bisexuelles, transsexuelles, transgendéristes, les couples, les ménages et leurs familles.

Recommandation n° 2

À mesure que les données fédérales sur les lesbiennes, les gais, les bisexuels, les transsexuels, les transgendéristes et les personnes à double personnalité, ainsi que sur les relations familiales sont vérifiées et obtenues, des résultats provisoires devraient être mis à la disposition des chercheuses et des chercheurs non gouvernementaux par l'intermédiaire de l'Initiative de démocratisation des données du gouvernement fédéral, et il faudrait les rendre accessibles sans frais par l'entremise de bibliothèques de dépôt.

Élimination de la présomption hétérosexuelle

L'histoire canadienne du droit révèle que la seule façon d'éliminer les présomptions profondément ancrées qui constituent le fondement des politiques juridiques consiste à faire en sorte que les tribunaux éliminent ces présomptions par voie de déclaration. La législation demeure un moyen pauvre et partial de résoudre des problèmes de droit fondamentaux.

Cela est illustré par la façon dont la présomption en *common law* selon laquelle les femmes mariées n'avaient pas la capacité juridique adulte complète a finalement été abolie au Canada. Le Conseil privé a déclaré dans l'affaire « personne » que le mot non sexiste « personne » devait être considéré comme s'il englobait les femmes. Cela a éliminé la présomption masculiniste de longue date selon laquelle des mots non sexistes comme « personne » excluaient les femmes, et l'a remplacé par une présomption non sexiste dans laquelle le point de départ, pour ce qui est d'interpréter la législation, est que celle-ci inclut par présomption les femmes.

Toutes les lois existantes qui concernent les couples lesbiens et gais reflètent une présomption hétérosexuelle semblable. Les classifications législatives et les décisions judiciaires sont fondées depuis si longtemps sur la présomption que les références faites au couple dans la loi ou en *common law* n'incluent que les couples hétérosexuels, que la loi canadienne manifeste une présomption hétérosexuelle fondamentale.

Seuls les tribunaux peuvent éliminer la présomption hétérosexuelle. Cela a été réalisé, au fond, dans l'arrêt *M.* c. *H.*, lorsque la Cour suprême du Canada a conclu que la définition élargie, fondée sur le « sexe opposé » d'un conjoint, enfreint le paragraphe 15 de la *Charte*. Cependant, lorsque la Cour suprême a été convaincue que le gouvernement ontarien devrait avoir le loisir de structurer ses propres dispositions non discriminatoires en matière de soutien, elle a permis à ce gouvernement ainsi qu'à tous les autres de continuer de légiférer dans le contexte de la présomption hétérosexuelle.

D'un point de vue méthodologique, le projet de loi C-23 — ainsi que toutes les autres dispositions législatives régissant la reconnaissance des unions — continue de soutenir la présomption hétérosexuelle en créant des classifications législatives nouvelles et additionnelles qui sont attribuées aux couples lesbiens et gais et qui ne les rendent admissibles qu'aux avantages et aux droits que choisit le gouvernement du jour. En outre, l'histoire montre aujourd'hui que, face aux pressions qu'exercent les préjugés et l'intolérance, on ne peut compter sur les assemblées législatives pour adopter des mesures réparatrices non discriminatoires contre la discrimination qu'elles ont créée au départ.

La seule façon d'éliminer entièrement la présomption hétérosexuelle est de faire en sorte que les tribunaux l'abolissent par l'entremise de leurs pouvoirs déclaratoires.

Même si l'on devait adopter une loi d'interprétation pour obtenir le même résultat, cela n'aurait pas d'effet sur la *common law* ni sur l'interprétation des dispositions constitutionnelles fondamentales. Cela ne mettrait pas non plus l'abrogation d'une telle législation hors de la portée du gouvernement du jour.

Recommandation n° 3
Le gouvernement fédéral devrait demander à la Cour suprême du Canada qu'elle déclare que, aux fins de toutes les lois et de toutes les politiques relevant de la compétence du gouvernement fédéral, les lesbiennes, les gais, les bisexuels, les transgendéristes, les transsexuels et les personnes à double personnalité, ainsi que leurs unions et leurs enfants, soient inclus dans toutes les références faites aux particuliers ou aux individus, aux relations ou aux unions, aux enfants et à d'autres termes pertinents. Le gouvernement fédéral devrait s'efforcer d'associer à ce renvoi toutes les provinces qui sont disposées à le faire.

Recommandation n° 4
Ce principe devrait se refléter dans des modifications à la *Loi d'interprétation* qui déclarent que toutes les références à des expressions désignant des individus ou des particuliers, des relations ou des unions, ou des enfants devraient être interprétées comme incluant les lesbiennes, les gais, les bisexuels, les transgendéristes, les transsexuels et les personnes à double personnalité ainsi que leurs unions et leurs enfants, sauf indication contraire expresse.

Recommandation n° 5
Le gouvernement fédéral devrait immédiatement abroger la clause de mariage que comporte le projet de loi C-23 et annuler la motion de mariage de 1998.

Dispositions législatives non discriminatoires en matière de reconnaissance des unions

Le simple fait d'inclure les couples dont les deux membres sont du même sexe dans certaines lois fédérales n'a pas fait disparaître la discrimination dans les dispositions législatives fédérales concernant les relations et les unions. Les couples hétérosexuels non mariés continuent d'être privés de certains des droits et avantages attribués en vertu du mariage aux couples mariés. Les couples lesbiens et gais continuent d'être privés du droit de se marier et de certains des droits et des avantages attribués aux couples mariés et d'autres droits et avantages que possèdent les cohabitants hétérosexuels.

Les dispositions législatives non discriminatoires en matière de relations devraient comporter deux éléments : elles accorderaient à tous les couples le droit intégral de se marier, indépendamment de l'identité sexuelle, du genre ou du sexe officiel, et elles étendraient simultanément tous les avantages associés à une cohabitation de longue durée à tous les couples, sans aucune forme de discrimination.

En particulier, toutes les classifications législatives qui font une distinction pour un motif quelconque, autres que les indices de cohabitation ou le mariage, devraient être abrogées afin d'éliminer la tendance que l'on relève dans ce secteur à créer dans la loi fédérale des classifications distinctes et presque équivalentes.

Recommandation n° 6
Tous les couples devraient avoir accès au mariage dans les lois fédérales concernant le mariage.

Recommandation n° 7
Tous les couples devraient pouvoir choisir entre un mariage officiel ou une cohabitation reconnue légalement.

Recommandation n° 8
Tous les droits et attributs qui s'appliquent aux couples mariés devraient être étendus à tous les couples qui se marient sans distinction aucune quant à la classification, la forme d'union, l'enregistrement, la déclaration ou les effets juridiques.

Recommandation n° 9
Tous les droits et attributs qui s'appliquent aux cohabitants reconnus légalement devraient être étendus à tous les couples qui satisfont aux critères, sans distinction aucune quant à la sexualité ou à l'identité sexuelle.

Suppression des pénalités dues à la forme d'union

Le gouvernement fédéral a élaboré presque machinalement ses politiques relatives aux unions, plutôt que de prendre soigneusement en considération les besoins des couples mariés et non mariés. Les quelques recommandations formulées dans le *Rapport de la Commission royale d'enquête sur la situation de la femme au Canada* (1970), au sujet de l'exclusion des épouses de fait de quelques programmes de prestations fédéraux, ont mené au passage graduel et sans heurts du statut de conjoint à celui des cohabitants non mariés.

Dans la première phase, on a considéré les cohabitants de sexe opposé comme des « conjoints », aux fins de la loi fédérale, en augmentant le nombre des lois, des règlements et des politiques. À la fin de cette période, qui a pris fin en 1993, lorsque les avantages et les pénalités liées à l'impôt sur le revenu ont été pleinement étendus aux cohabitants hétérosexuels, un grand nombre de mères célibataires et de couples à faible revenu ont perdu, de façon inattendue, tout accès aux avantages fédéraux importants destinés aux personnes à faible revenu et liés aux enfants.

Dans la seconde phase, les couples lesbiens et gais ont été considérés, dans le projet de loi C-23, comme des « conjoints de fait » et ils ont obtenu le même traitement que les conjoints pour une partie des dispositions relatives aux avantages, mais pour la totalité des dispositions relatives aux pénalités. Un nombre considérable de couples lesbiens et gais sont maintenant confrontés à la perte imprévue de leur accès à d'importantes prestations fédérales destinées aux personnes à faible revenu et liées aux enfants, en plus des prestations provinciales qui sont calculées à partir de l'impôt fédéral sur le revenu.

L'extension asymétrique des pénalités attribuables aux unions aux couples lesbiens et gais est une forme de discrimination structurelle dans la loi fédérale. Les pénalités pour union qui, au départ, étaient fondées sur l'idéal du couple à revenu unique et dirigé par l'homme ont maintenant été étendues à tous les couples du Canada. Cette attribution de pénalités liées aux unions a une incidence disparate sur les femmes (qui, en tant que catégorie, touchent des revenus nettement inférieurs à ceux des hommes), sur les couples lesbiens et gais (qui sont défavorisés sur le plan du revenu) et sur les couples où l'un des conjoints ou les deux sont défavorisés du fait de leur race, de leur origine ethnique, de leur déficience et de leur sexe.

Les mécanismes de réforme du droit qui, dans d'autres pays, ont reconnu des unions et des familles de plus en plus diversifiées montrent que l'imposition continue de critères de revenus fondés sur le couple, la taxe au mariage, les dispositions en matière de lien de dépendance réputé ainsi que d'autres mécanismes axés sur le revenu sont incompatibles avec l'élimination de la pauvreté et la détermination de l'assujettissement à l'impôt sur le revenu et des avantages gouvernementaux sur une base progressive, voire neutre.

La solution adoptée dans les politiques d'imposition et de prestations a consisté à s'éloigner d'instruments d'imposition fondés sur les deux conjoints et à adopter l'individu comme unité d'imposition et d'attribution d'avantages. Cette solution a pour effet combiné de minimiser l'effet régressif de l'imposition conjointe aux niveaux de revenu les plus bas et d'éliminer les non-neutralités entre les couples reconnus et ceux non reconnus. Cette solution est également compatible avec la reconnaissance des femmes en tant que personnes adultes pleinement autosuffisantes et autonomes.

Recommandation n° 10
Les dispositions en matière d'imposition et d'avantages conjoints devraient être remplacées par des dispositions qui considèrent l'individu comme l'unité de base des politiques juridiques. Les dispositions ou les pénalités qui ont une incidence disparate sur les individus, les couples ou les parents à faible revenu devraient être soigneusement restructurées de de manière à éliminer ces effets.

Recommandation n° 11
Les avantages gouvernementaux qui ne sont accessibles qu'aux personnes qui soutiennent des adultes à charge et physiquement aptes devraient être éliminés.

Recommandation n° 12
Tous les critères relatifs aux conflits d'intérêts devraient être révisés de manière à ce que le lien de dépendance devienne une question de fait plutôt qu'une question de présomption juridique, même si de telles présomptions sont réfutables.

Reconnaissance des relations non conjugales

Les relations non conjugales sont de plus en plus reconnues dans les politiques juridiques. En fait, au Canada, des douzaines de dispositions relatives à l'impôt sur le revenu reconnaissent une vaste gamme de relations familiales non conjugales dans diverses dispositions liées aux prestations, comme le font un nombre grandissant de régimes de prestations d'emploi privés.

Comme l'auteure l'a expliqué dans la présente étude, le fait d'étendre la reconnaissance juridique à de nouvelles catégories d'unions machinalement et sans adapter soigneusement l'étendue de l'application d'une disposition à la catégorie visée peut avoir deux effets indésirables. Premièrement, cela peut augmenter le nombre de dispositions qui tendent à créer des subventions gouvernementales à la dépendance économique adulte. Cela va à l'encontre des politiques juridiques globales qui sont appliquées pour le moment au Canada. Deuxièmement, cela peut augmenter le nombre et les genres d'unions qui tombent actuellement sous le coup de l'application de pénalités et de fardeaux.

L'expansion de la catégorie d'unions auxquelles s'applique la législation fédérale doit se faire très soigneusement. Par exemple, l'extension de l'équivalent du montant pour conjoint aux parents d'un contribuable, en mettant celui-ci à la disposition des enfants, des femmes et des hommes à faible revenu, a déjà accru le risque que ces derniers courent de devenir dépendants d'un point de vue économique et fonctionnel. La structuration de cette prestation comme une subvention directe à des parents qui se situent en marge de l'économie plutôt que comme un type de crédit pour fournisseurs de soins, des femmes surtout, réduirait les pressions exercées pour remplacer le travail domestique non rémunéré qu'effectue le parent en échange du soutien que lui apporte un enfant.

L'extension automatique du traitement conjugal, dans les dispositions relatives aux prestations aux frères et sœurs, aux couples parents-enfants, aux compagnons ou à d'autres types de couples soumettrait également ces couples aux pénalités d'impôt ou de transfert qu'occasionnent les seuils de faible revenu, les exclusions relatives aux prestations, les avantages fondés sur les couples et la taxe au mariage. Comme l'indiquent les données relatives aux couples adultes non apparentés de même sexe que l'on retrouve dans les microsimulations utilisées dans cette étude, ce secteur de la population adulte est caractérisé par des revenus peu élevés et une forte dépendance à l'égard du système d'imposition et de transfert, pour ce qui est de l'obtention des revenus de transfert et de prestations assurant la simple subsistance.

L'extension automatique du traitement conjugal aux relations non conjugales pourrait aussi ouvrir la porte à un évitement fiscal imprévu. Par exemple, si les transferts avec report d'impôt sont mis à la disposition d'une catégorie plus vaste de relations non familiales, de telles transactions pourraient servir à éviter de reconnaître les gains en capital ou le revenu dans des transactions qui, sans cela, seraient considérées comme des transactions ordinaires.

En revanche, les prestations d'emploi (comme les prestations de santé, de survivant et d'autre nature), surtout celles qui sont améliorées par l'exonération de ces prestations de l'impôt sur le revenu, sont subventionnées par les travailleuses et les travailleurs et les contribuables vivant seuls. L'extension de ces prestations et de ces exemptions fiscales aux unions non conjugales représenterait une solution de second choix à l'actuelle disparité que l'on note dans ce secteur. Une solution de rechange consisterait à accorder un faible crédit d'impôt sur le revenu remboursable aux contribuables vivant seuls afin de compenser cette disparité.

Recommandation n° 13
Les subventions fiscales et directes destinées au soutien des adultes physiquement aptes et dépendants d'un point de vue économique ne devraient pas être étendues aux unions non conjugales.

Recommandation n° 14
Les subventions fiscales directes concernant le partage ou la redistribution du revenu dans les groupements familiaux ne devraient pas être étendues aux unions non familiales et non conjugales.

Recommandation n° 15
Les dispositions d'imposition et de prestation qui ont pour effet d'imposer des pénalités aux couples à faible revenu ne devraient pas être étendues aux unions non conjugales ou non familiales.

Recommandation n° 16
L'extension des avantages sociaux et des exemptions d'impôt sur le revenu connexes aux unions non conjugales et non familiales neutraliserait la discrimination fondée sur le statut de personne seule dans les normes d'emploi et l'impôt sur le revenu.

Asymétrie dans les dispositions relatives aux unions

Les politiques relatives à la reconnaissance des unions qui sont actuellement appliquées à l'échelon fédéral ne sont pas, en réalité, tout à fait symétriques. Les députés fédéraux peuvent être accompagnés d'un compagnon de voyage lorsqu'ils exercent leurs fonctions, tandis que les employés fédéraux ne peuvent faire des choix de survivant dans le cadre de leur régime de pension qu'en rapport avec leur épouse ou époux. Cette asymétrie est essentielle pour préserver le lien et l'équilibre fondamentaux qui existent entre les demandes d'égalité formelle et la réalisation d'une égalité véritable.

De telles absences de neutralité ne devraient être créées qu'en accord avec les principes de l'équité, de l'égalité véritable, de la globalité et de l'incidence progressive des impôts et des pénalités, tels que mesurés par la capacité économique véritable de supporter des coûts ou de perdre des avantages.

Recommandation n° 17
Les différences dans le traitement réel de différents types d'unions sont appropriées lorsque l'exige l'objet ou l'effet de l'avantage ou de la pénalité en question.

Recommandation n° 18
De telles différences devraient être conçues de manière à correspondre aux exigences de l'équité horizontale, de l'égalité véritable et de la progressivité dans l'effet du régime d'imposition ou de transfert total sur les groupes de personnes à faible revenu et défavorisées.

Surveillance constante de la part d'une commission

Dans les administrations qui ont commencé à agir dans le secteur nouveau et stimulant de la reconnaissance juridique des unions lesbiennes, gaies et autres en se fondant sur une base conjugale ou quasi-conjugale, les gouvernements ont accepté la responsabilité de superviser la transition effectuée dans ce secteur de réglementation gouvernementale en établissant une commission ou un ministère chargé de recueillir des données sur les initiatives de réforme du droit, de rendre compte de ces dernières et d'en recommander d'autres.

En outre, la création de nouvelles catégories d'unions reconnues légalement sans accorder de compétences expresses sur la discrimination liée à ces unions à la commission fédérale des droits de la personne crée le risque que les effets permanents des préjugés et de l'homophobie ne puissent être éliminés après que le projet de loi C-23 sera pleinement en vigueur.

Recommandation n° 19
Le gouvernement fédéral devrait créer une commission sur la reconnaissance des unions, dont le mandat d'au moins cinq ans serait de recueillir des données sur d'autres réformes du droit, de rendre compte de ces dernières et de formuler des recommandations applicables au Parlement, relativement au projet de loi C-23 et à la législation, aux litiges et aux politiques connexes.

Recommandation n° 20

La *Loi sur les droits de la personne* qu'a adoptée l'administration fédérale devrait être modifiée de manière à confirmer qu'il lui est possible d'accepter, sous la rubrique de l'« état matrimonial », des plaintes déposées pour cause de discrimination contre les couples où l'un des membres ou les deux sont lesbiens, gais, bisexuels, transgendéristes, transsexuels, à double personnalité ou du même sexe officiel.

ANNEXE A : UNIONS – DROITS ET OBLIGATIONS DES CONJOINTS DANS CERTAINES ADMINISTRATIONS

Tableau A-1 : Droits et obligations des personnes mariées, des cohabitants de sexe opposé et des couples lesbiens et gais, Ontario, avant et après le projet de loi n° 5

	Couples mariés	Cohabitants de sexe opposé	Cohabitants lesbiens / gais	Projet de loi n° 167 (conjoint)	Projet de loi n° 5 (conjoints de même sexe)
Droit de la famille					
Capacité de se marier	X	X			
Consentement en cas d'urgence	X	soins méd.	soins méd.		
Foyer conjugal	X				
Partage des biens familiaux	X				
Accords de mar./ cohab.	X	X		X	X
Pension alimentaire	X	X	*M. c. H.*	X	X
Recours équitables pour répartition des biens	non nécess.	équité	équité		
Soutien d'un enfant	X	X	X	X	X
Filiation	X	X	parent	pas parent naturel	
Garde/accès	X	X	X		X
Adoption conjointe	X	X	X		
Obligations alimentaires	X	X			X
Rentes réversibles	X	X			
Intérêt assurable	X	X	jurisprudence		X
Protection du débiteur	X	X			X
Droits de la personne					
Orientation sexuelle – droits individuels			X		
Inclus dans la protection pour l'état matrimonial	X	X	limité		
Statut de l'union protégé d'une autre façon				X	statut de conjoint même sexe
Droits de pension protégés	X	X	*Dwyer*		X
Prestations sociales protégées	X				

Table A-1 (suite)

	Couples mariés	Cohabitants de sexe opposé	Cohabitants lesbiens / gais	Projet de loi n° 167 (conjoint)	Projet de loi n° 5 (conjoints de même sexe)
Droit public					
Services de santé	X	X	X	X	X
Accès à insém. artific.	X	X	X		
Protection des travailleurs	X	?			X
Aide juridique/tribunaux	X	X			
Fiscalité	X	X		prov. seul.	
Exemption taxe trans. véh.	X	X	X		
Banque, placements	X				X
Assurance auto	X	X	X		X
Avantages des employés de l'État	X	X	en partie		X
Pension des employés de l'État	X	X	en partie		X
Pensions financées par l'État	X	X	X		X
Soutien du revenu	X	X			X
Prestations familiales	X	X			X
Aide aux étudiants	X	X			X
Divers					
Exécution ordon. Alim.	X				X
Info sur décès du conjoint	X	X			X
Recensement électoral	X	X			X
Conflit d'intérêts	X	X			X
Divulgation de conflit	X	X			X
Règles anti-évitement	X	X			X

Tableau A-2 : Droits et obligations des personnes mariées, des cohabitants de sexe opposé et des couples lesbiens et gais, Québec, *Code civil* et projet de loi n° 32

	Couples mariés	Cohabitants de sexe opposé	Cohabitants lesbiens et gais
Code civil			
Capacité de se marier	X	X	
Obligations maritales	X		
Consentement en cas d'urgence	X	soins méd.	soins méd.
Foyer conjugal	X		
Partage des biens familiaux	X		
Choix du régime mat.	X		
Droit de changer de régime	X		
Régime par défaut	X		
Pension alimentaire	X		
Recours équitables pour répartition des biens	non nécess.		
Soutien d'un enfant	X	X	
Filiation	X	X	
Adoption conjointe	X	X	X
Droits de succession	X		
Réversions de rentes	X		
Rentes réversibles	X	X	
Protection du débiteur	X		
Dés. Bénéfic. irrév.	X		
Compétence	X		
Charte des droits de la personne			
Orientation sexuelle – droits individuels			X
Inclus dans la protection pour l'état matrimonial	X		
Statut de l'union protégé d'une autre façon	X	X	
Droits de pension protégés	X	X	
Prestations sociales protégées	X	X	

Table A-2 (suite)

	Couples mariés	Cohabitants de sexe opposé	Cohabitants lesbiens et gais
Ajoutés par le projet de loi n° 32			
Services de santé	X	X	X
Normes de travail	X	X	X
Aide juridique/tribunaux	X	X	X
Fiscalité	X	X	X
Banque, placements	X	X	X
Assurance auto	X	X	X
Avantages des employés de l'État	X	X	X
Pension des employé de l'État	X	X	X
Régime des rentes du Québec	X	X	X
Soutien du revenu	X	X	X
Prestations familiales	X	X	X
Aide aux étudiants	X	X	X
Immigration	X	X	X
Exclus du projet de loi n° 32			
Exécution d'ordonnance alimentaire	X		
Droits des Autochtones Baie James	X	X	?
Droits fonciers des Autochtones	X	X	?
Recensement électoral	X	X	?
Info décès du conjoint	X	X	?
Signification indirecte	X	X	?
Conflit d'intérêts	X	en partie	?
Divulgation de conflit	X	en partie	?
Règles anti-évitement	X	X	?

Tableau A-3 : Droits et obligations des personnes mariées, des cohabitants de sexe opposé et des couples lesbiens et gais, Colombie-Britannique

	Couples mariés	Cohabitants de sexe opposé	Cohabitants de même sexe
Droit de la famille			
Capacité de se marier	X	X	
Consentement en cas d'urgence	X	X	X
Foyer conjugal	X		
Partage des biens familiaux	X		
Accords de mar. / cohab.	X	X	X
Pension alimentaire	X	dépend des faits	dépend des faits
Recours équitables pour répartition des biens	non nécess.	dépend des faits	dépend des faits
Soutien d'un enfant	X	X	X
Filiation	X	X	beau-parent
Garde/accès	X	X	X
Adoption conjointe	X	X	X
Obligations alimentaires	X	seul. au conjoint ou aux enfants	seul. au conjoint ou aux enfants
Droits de succession	X		
Rentes réversibles	X	X	X
Intérêt assurable (vie seulement)	X	X	X
Protection du débiteur	X		
Compétence	X	X	X
Droits de la personne			
Orientation sexuelle – droits individuels			X
Inclus dans la protection pour l'état matrimonial	X		
Statut de l'union protégé d'une autre façon	X	X	jurisprudence
Droits de pension protégés	X		
Droit public			
Services de santé	X	X	X
Accès à insém. artific.	X	X	X
Protection des travailleurs	X	X	X
Aide juridique/tribunaux	X	X	X
Fiscalité	X	X	X
Banque, placements	X	X	X
Assurance auto	X	jurisprudence	pas clair
Avantages des employés de l'État	X	X	X
Pension des employé de l'État	X	X	X
Régimes de pension privés	X	X	X
Soutien du revenu	X	X	X
Prestations familiales	X	X	X
Aide aux étudiants	X	X	X

Tableau A-4 : Droits et obligations des personnes mariées, des cohabitants de sexe opposé et des couples lesbiens et gais, Canada, avant et après le projet de loi C-23

	Couples mariés	Cohabitants de sexe opposé	Cohabitants lesbiens/gais	Projet de loi C-23
Droit de la famille				
Capacité de se marier	X	X		
Répartition de pension	X	X		X
Filiation	X	Parent de fait	parent de fait	parent de fait
Protection du débiteur	X	X		X
Soutien des enfants	X	X		X
Droits de la personne				
Orientation sexuelle – droits individuels			X	
Inclus dans la protection pour l'état matrimonial	X	X	oui, selon certaines décisions judiciaires	
Statut de l'union protégé d'une autre façon	pas nécess.	pas nécess.		
Droits de pension protégés	X	X		
Prestations sociales protégées	X	X		
Droit public				
Assurance-chômage	X	X		X
Prestations fiscales	X	X	santé, pension options de survivant	X
Pénalités fiscales	X	X		X
Banque, placements	X	X		X
Avantages des employés de l'État	X	X	X	X
Droits de pension des employés de l'État	X	X	X	X
Prestations de survivant, Régime de pensions du Canada	X	X	tribunaux divisés	X
Soutien du revenu	X	X		X
Immigration	X	X	discrétionnaire	
Autres				
Loi sur les Autochtones	X			
Preuve non valable contre conjoint	X			
Recensement électoral	X	X		X
Conflit d'intérêts	X	en partie	si conflit factuel, dans certains contextes	X
Divulgation de conflit	X	en partie	si conflit factuel, dans certains contextes	X
Mesures anti-évitement	X	X	si, selon les faits, lien de dépendance	X
Recensement	X	X	en 2001	

Tableau A-5 : Droits et obligations des personnes mariées, des cohabitants de sexe opposé et des couples lesbiens et gais selon les propositions du B.C. Law Institute

	Couples mariés	Cohabitants de sexe opposé	Cohabitants lesbiens / gais	Conjoints domestiques enregistrés	Conjoints domestiques non enregistrés
Droit de la famille					
Capacité de se marier	X	X		sexe opposé seul.	sexe opposé seul.
Obligations maritales	X			X	X
Consentement en cas d'urgence	X			X	X
Foyer conjugal	X	X >10 ans	X >10 ans	X	X < tiers
Partage des biens familiaux	X	X >10 ans	X >10 ans	X	X < tiers
Choix du régime mat.	X	accord cohab.	accord cohab.	X	X < tiers
Accords de mar./ cohab.	X	X	X	X	X
Régime par défaut	X	X	X	X	X
Pension alimentaire	X	dépend des faits	dépend des faits	X	X
Recours équitables pour répartition des biens	X	dépend des faits	dépend des faits	X	X
Soutien d'un enfant	X	X	X	X	X
Filiation	X	X	beau-parent	sexe opposé : parent naturel; même sexe beau-parent	sexe opposé : parent naturel; même sexe beau-parent
Garde/accès					
Adoption conjointe	X	X	X	X	X
Obligations de soutien	X	seul. au conjoint ou aux enfants	seul. au conjoint ou aux enfants	X	
Droits de succession	X	recours pers. à charge	recours pers. à charge	X	?
Réversions de rentes	X	?	?	X	X
Rentes réversibles	X	X	X	X	X
Intérêt assurable	X	X	X	X	X
Protection du débiteur	X			X	X< tiers
Dés. bénéfic. irrév.	?			?	X< tiers
Compétence	X	X	X	X	X

104

Table A-5 (suite)

	Couples mariés	Cohabitants de sexe opposé	Cohabitants lesbiens / gais	Conjoints domestiques enregistrés	Conjoints domestiques non enregistrés
Droits de la personne					
Orientation sexuelle – droits individuels			X	même sexe seul.	
Inclus dans la protection pour l'état matrimonial	X			X	
Statut de l'union protégé d'une autre façon	X	X	X	X	
Droits de pension protégés	X	X	X	X	
Prestations sociales protégées	X	X	X	X	
Droit public					
Services de santé	X	X	X	X	
Accès à insém. artific.	X	X	X	X	X
Protection des travailleurs	X	X	X	X	X
Aide juridique/tribunaux	X	X	X	X	X
Fiscalité	X	X	X	X	X
Banque, placements	X	X	X	X	X
Assurance auto	X	X	X	X	X
Avantages des employés de l'État	X	X	X	X	X
Pension des employés de l'État	X	X	X	X	X
Soutien du revenu	X	X	X	X	X
Prestations familiales	X	X	X	X	
Aide aux étudiants	X	X	X	X	X

ANNEXE B : EFFET DISTRIBUTIF DE LA RECONNAISSANCE DES UNIONS LESBIENNES ET GAIES EN VERTU DU PROJET DE LOI C-23 (AF 2000)

Tableau B-1 : Résumé des données financières sur les couples de même sexe, grille serrée vs grille lâche

Quantités choisies pour ménages – Statu quo vs couples de même sexe et variation

An 2000 (en millions de $)

	Grille serrée			Grille lâche	
	Statu quo (base) $	Couples de même sexe (variante) $	Changement en montants $	Statu quo (base) $	Comme couples de même sexe (variante)
Revenu du marché	7 834,6	7 834,7	0,1	8 500,2	8 500,3
Total des revenus de transfert	871,6	749,6	(122,0)	1 169,9	1 023,9
Revenu de transfert fédéral	354,0	288,1	65,8	518,1	444,5
Revenu de transfert provincial	517,6	461,4	(56,2)	651,8	579,4
Total des impôts	2 647,3	2 614,2	(33,1)	2 870,5	2 834,3
Impôts fédéraux	1 705,5	1 688,6	(16,9)	1 850,7	1 832,0
Impôts provinciaux	941,6	925,6	(16,0)	1 019,7	1 002,3
Impôts fédéraux moins transferts	1 351,6	1 400,5	48,9	1 332,6	1 387,5
Impôts provinciaux moins transferts	424,0	464,1	40,1	367,9	422,9
Revenu de transfert fédéral	354,0	288,1	(65,8)	518,1	444,5
Total des prestations fédérales pour enfant	23,6	11,6	(12,1)	24,5	12,0
Prestation de la SV	58,2	58,3	–	80,1	80,2
Prestations du SRG	33,2	18,2	(15,0)	50,8	33,9
Allocation au conjoint	–	–	–	–	–
Aide sociale fédérale	–	–	–	–	–
Crédit pour taxe fédérale sur les ventes	60,3	23,1	(37,3)	73,0	30,3

Table B-1 (suite)

	Statu quo (base) $	Couples de même sexe (variante) $	Changement en montants $	Statu quo (base) $	Comme couples de même sexe (variante)
Prestations d'assurance-chômage / assurance-emploi	10,9	10,9	–	15,8	15,8
Prestations du RPC/RRQ payables	114,5	114,5	–	145,7	145,8
Abattement fiscal du Québec (remboursable)	0,1	0,1	–	0,1	0,1
Autres subventions démographiques imposables	–	–	–	–	–
Autres AS ou garanties	–	–	–	–	–
Programmes familiaux provinciaux	1,1	1,7	0,5	1,4	1,7
Aide sociale provinciale	439,2	439,2	–	548,1	548,1
Crédits d'impôt provincial remboursables	76,5	20,5	(56,0)	101,6	29,4
Impôts fédéraux	1 705,5	1 688,6	(16,9)	1 850,7	1 832,0
Impôt fédéral sur le revenu à payer	949,6	938,2	(11,4)	1 017,1	1 005,2
Impôt fédéral de base	982,1	969,9	(12,2)	1 051,4	1 038,7
Réduction d'impôt fédérale	–	–	–	–	–
Abattement d'impôt du Québec (appliqué)	31,3	30,5	(0,8)	32,9	32,1
Autres crédits d'impôts fédéraux appliqués (416)	3,7	3,7	–	3,7	3,7
Surtaxe fédérale	4,3	4,2	–	4,3	4,3
Cotisations à l'AC	149,4	149,5	0,1	161,8	161,9
Cotisations au RPC/RRQ	217,7	217,9	0,1	236,1	236,2

Table B-1 (suite)

	Statu quo (base) $	Couples de même sexe (variante) $	Changement en montants $	Statu quo (base) $	Comme couples de même sexe (variante)
Remboursements de prestations sociales	0,1	0,1	–	0,1	0,1
Taxes fédérales à la consommation	388,3	382,9	(5,4)	435,2	428,5
Impôts provinciaux	941,6	925,6	(16,0)	1 019,7	1 002,3
Impôt provincial sur le revenu à payer	568,2	557,7	(10,5)	603,1	592,5
Taxes provinciales à la consommation	373,3	367,9	(5,4)	416,4	409,8
Revenu disponible	6 821,0	6 721,0	(100,0)	7 651,6	7 528,1
Revenu consommable	6 059,0	5 970,1	(88,8)	6 799,6	6 689,9

Source :
BD/MSPS version 7.0, rajusté pour 2000.

Tableau B-2 : Couples de même sexe, selon le sexe et le revenu, Canada, 2000

Revenu total de base ($)	Sexe du couple		Les deux (milliers)	Masculin (%)	Féminin (%)
	Masculin (milliers)	Féminin (milliers)			
Grille serrée					
Min. à 20 000	14,5	5,6	20,1	15	9
20 001 à 30 000	13,2	11,6	24,8	14	18
30 001 à 40 000	12	10,4	22,3	12	16
40 001 à 50 000	14,6	5,9	20,5	15	9
50 001 à 60 000	5,8	9,2	15	6	14
60 001 à 75 000	14,8	9,1	23,9	15	14
75 001 à 100 000	11,7	8,4	20,1	12	13
100 001 max.	9,6	5,4	15	10	8
Tous	96,1	65,5	161,6	100	100
Grille lâche					
Min. à 20 000	23	10,3	33,3	20	14
20 001 à 30 000	15,8	12,3	28,1	14	16
30 001 à 40 000	14,8	12,5	27,3	13	16
40 001 à 50 000	16,2	6,6	22,8	14	9
50 001 à 60 000	8,5	10,9	19,4	7	14
60 001 à 75 000	15,5	9,7	25,1	13	13
75 001 à 100 000	12,8	8,4	21,2	11	11
100 001 max.	9,8	5,4	15,1	8	7
Tous	116,3	76	192,3	100	100

Source :
BD/MSPS version 7.0, rajusté pour 2000.

Tableau B-3 : Gagnants et perdants, selon le sexe

	Grille serrée			Grille lâche		
	Masculin	Féminin	Les deux	Masculin	Féminin	Les deux
Nombre de gagnants	10 361	7 797	18 158	10 690	8 592	19 282
Nombre de perdants	60 893	46 604	107 497	73 768	54 649	128 417
Total des gains chez les gagnants (millions de $)	7,4	6,6	14,0	7,6	7,2	14,8
Total des pertes chez les perdants (millions de $)	(42,0)	(60,6)	(102,6)	(54,3)	(54,3)	(124,2)
Gain moyen des gagnants	717	845	772	707	843	768
Perte moyenne des perdants	(689)	(1 301)	(954)	(736)	(1 278)	(967)
Variation moyenne du revenu consommable	(361)	(827)	(550)	(404)	(825)	(570)
Compte unitaire	96,1	65,5	161,6	116,3	76	192,3
Distribution des ménages (%)	59,5	40,5	100	60,5	39,5	100
Distribution des gagnants (%)	57,1	42,9	100	55,4	44,6	100
Distribution des perdants (%)	56,6	43,4	100	57,4	42,6	100
Revenu total moyen – statu quo ($)	54 842	52 475	53 882	50 714	49 601	50 275
Revenu disponible moyen – statu quo ($)	42 656	41 565	42 214	39 845	39 681	39 780
Revenu consommable moyen – statu quo ($)	38 068	36 661	37 498	35 560	35 030	35 351
Revenu consommable moyen – couples de même sexe ($)	37 707	35 835	36 948	35 157	34 205	34 780

Source :
BD/MSPS version 7.0, rajusté pour 2000.

Tableau B-4 : Crédit pour personne mariée, individus vs conjoints, selon le sexe

Sexe du couple	Exemption de marié demandée – statu quo (millions de $)	Exemption de marié demandée – couples de même sexe (millions de $)	Changement de l'exemption de marié (millions de $)	Exemption de marié moyenne demandée – statu quo ($)	Exemption de marié moyenne demandée – couples de même sexe ($)	Changement de l'exemption de marié moyenne demandée ($)	Compte unitaire	Distribution des ménages
Grille serrée								
Masculin	1,4	11,3	9,9	14	117	103	96,1	59,5
Féminin	8,4	7,9	(0,5)	129	121	(8)	65,5	40,5
Les deux	9,8	19,2	9,4	61	119	58	161,6	100,0
Grille lâche								
Masculin	1,4	14,4	13,0	12	124	112	116,3	60,5
Féminin	8,8	9,8	1,0	116	129	14	76	39,5
Les deux	10,1	24,2	14,1	53	126	73	192,3	100

Source :
BD/MSPS version 7.0, rajusté pour 2000.

Tableau B-5 : Prestations du SRG, individus vs conjoints, selon le sexe

Sexe du couple	Prestations du SRG – statu quo (millions de $)	Prestations du SRG moyennes – statu quo ($)	Prestations du SRG – couples de même sexe (millions de $)	Prestations du SRG moyennes – couples de même sexe ($)	Changement des prestations du SRG (millions de $)	Nombre de bénéficiaires du SRG – statu quo ($)	Nombre de bénéficiaires du SRG – couples de même sexe
Grille serrée							
Masculin	2,1	1 740	0,8	2 804	(1,3)	1 200	280
Féminin	31,1	3 235	17,4	2 092	(13,7)	9 630	8 340
Les deux	33,2	3 069	18,2	2 115	(15,0)	10 830	8 620
Grille lâche							
Masculin	3,0	1 546	0,8	2 804	(2,2)	1 942	280
Féminin	47,8	2 975	33,1	2 438	(14,8)	16 082	13 572
Les deux	50,8	2 821	33,9	2 445	(17,0)	18 024	13 852

Source :
BD/MSPS version 7.0, rajusté pour 2000.

Tableau B-6 : Crédit pour TPS, individus vs conjoints, selon le sexe

Sexe du couple	Crédit pour taxe féd. sur les ventes – statu quo (millions de $)	Crédit pour taxe féd. sur les ventes – couples de même sexe (millions de $)	Changement du crédit pour taxe féd. sur les ventes ($)	Crédit pour taxe féd. sur les ventes moyen – statu quo ($)	Crédit pour la taxe féd. sur les ventes moyen – couples de même sexe ($)	Changement du crédit pour taxe féd. sur les ventes ($)	Compte unitaire (milliers)	Distribution des ménages (%)
						Grille serrée		
Masculin	33,3	13,3	(20,0)	346	138	(208)	96,1	59,5
Féminin	27,1	9,8	(17,3)	413	150	(264)	65,5	40,5
Les deux	60,3	23,1	(37,3)	373	143	(231)	161,6	100,0
						Grille lâche		
Masculin	41,3	18,0	(23,3)	355	155	(200)	116,3	60,5
Féminin	31,7	12,3	(19,4)	417	161	(256)	76,0	39,5
Les deux	73,0	30,3	(42,7)	380	158	(222)	192,3	100,0

Source :
BD/MSPS version 7.0, rajusté pour 2000.

Tableau B-7 : Prestation pour enfant, individus vs conjoints, selon le sexe

Sexe du couple	Total des prestations fédérales pour enfants – statu quo (millions de $)	Total des prestations fédérales pour enfants – couples de même sexe (millions de $)	Changement des prestations fédérales pour enfants (millions de $)	Prestations fédérales pour enfants moyennes – statu quo ($)	Prestations fédérales pour enfants moyennes – couples de même sexe ($)	Nombre de bénéficiaires – statu quo	Nombre de bénéficiaires – couples de même sexe
			Grille serrée				
Masculin	2,5	1,0	(1,5)	616	390	3 987	2 490
Féminin	21,2	10,6	(10,6)	782	457	27 104	23 151
Les deux	23,6	11,6	(12,1)	761	450	31 091	25 641
			Grille lâche				
Masculin	2,5	1,0	(1,5)	616	390	3 987	2 490
Féminin	22,1	11,1	(11,0)	781	456	28 246	24 293
Les deux	24,5	12,0	(12,5)	761	450	32 233	26 783

Source :
BD/MSPS version 7.0, rajusté pour 2000.

Tableau B-8 : Crédits provinciaux remboursables, individus vs conjoints, selon le sexe

Sexe du couple	Total des crédits d'impôt provinciaux remboursables – statu quo (millions de $)	Total des crédits d'impôt provinciaux remboursables – couples de même sexe (millions de $)	Changement dans tous les crédits d'impôt provinciaux remboursables (millions de $)	Crédits d'impôt provinciaux remboursables moyens – statu quo ($)	Crédits d'impôt provinciaux remboursables moyens – couples de même sexe ($)	Changement dans les crédits d'impôts provinciaux remboursables moyens ($)
			Grille serrée			
Masculin	42,2	10,4	(31,8)	439	108	(331)
Féminin	34,3	10,1	(24,2)	523	154	(369)
Les deux	76,5	20,5	(56,0)	473	127	(346)
			Grille lâche			
Masculin	56,8	14,9	(41,8)	488	128	(359)
Féminin	44,8	14,4	(30,4)	589	190	(399)
Les deux	101,6	29,4	(72,2)	528	153	(375)

Source :
BD/MSPS version 7.0, rajusté pour 2000.

Tableau B-9 : Crédits provinciaux non remboursables, individus vs conjoints, selon le sexe

Sexe du couple	Crédits d'impôts provinciaux non remboursables – statu quo (millions de $)	Crédits d'impôts provinciaux non remboursables – couples de même sexe (millions de $)	Changement dans les crédits d'impôts provinciaux non remboursables (millions de $)	Crédits d'impôts provinciaux non remboursables moyens – statu quo ($)	Crédits d'impôts provinciaux non remboursables moyens – couples de même sexe ($)	Changement dans les crédits d'impôts provinciaux non remboursables
Grille serrée						
Masculin	2,7	3,3	0,5	29	34	6
Féminin	0,6	0,6	–	10	9	–
Les deux	3,4	3,9	0,5	21	24	3
Grille lâche						
Masculin	2,7	3,3	0,6	23	28	5
Féminin	0,5	0,5	–	6	6	–
Les deux	3,1	3,7	0,6	16	19	3

Source :
BD/MSPS version 7.0, rajusté pour 2000.

Tableau B-10 : Réduction d'impôt provincial, individus vs conjoints, selon le sexe

Sexe du couple	Réduction d'impôt provincial – statu quo (millions de $)	Réduction d'impôt provincial – couples de même sexe (millions de $)	Changement dans la réduction d'impôt provincial (millions de $)	Montant moyen – statu quo	Montant moyen – couples de même sexe	Changement dans les montants moyens
			Grille serrée			
Masculin	2,5	1,3	(1,2)	26	13	(12)
Féminin	1,4	2,2	0,8	22	34	12
Les deux	3,9	3,5	(0,4)	24	21	(2)
			Grille lâche			
Masculin	3,1	1,9	(1,3)	27	16	(11)
Féminin	2,0	2,7	0,7	26	36	10
Les deux	5,1	4,6	(0,5)	26	24	(3)

Source :
BD/MSPS version 7.0, rajusté pour 2000.

Tableau B-11 : Gagnants et perdants, selon la tranche de revenu

Revenu du ménage total de base ($)	Nombre de gagnants	Nombre de perdants	Total des gains chez les gagnants (millions de $)	Total des pertes chez les perdants (millions de $)	Gains moyens chez les gagnants ($)	Perte moyenne chez les perdants ($)	Changement moyen du revenu consommable ($)	Compte unitaire (milliers)	Distribution des ménages (%)	Distribution des gagnants (%)	Distribution des perdants (%)	Revenu total moyen — statu quo	Revenu disponible moyen — statu quo ($)	Revenu consommable moyen — statu quo ($)	Revenu consommable moyen — couples de même sexe ($)
Grille serrée															
Min–20 000	1 840	10 221	1,4	(9,5)	748	(931)	(408)	20,1	12,5	10,1	9,5	14 991	14 544	12 339	11 931
20 001–30 000	6 467	16 308	4,6	(20,1)	717	(1 235)	(625)	24,8	15,3	35,6	15,2	26 253	23 562	20 941	20 316
30 001–40 000	2 947	17 135	2,8	(19,4)	958	(1 131)	(744)	22,3	13,8	16,2	15,9	33 818	29 584	25 964	25 220
40 001–50 000	4 275	15 852	2,4	(13,1)	557	(826)	(524)	20,5	12,7	23,5	14,7	45 104	36 289	32 468	31 943
50 001–60 000	566	13 998	0,6	(13,4)	1 109	(960)	(853)	15	9,3	3,1	13	54 590	43 664	38 738	37 885
60 001–75 000	1 064	20 824	0,7	(14,1)	692	(676)	(562)	23,9	14,8	5,9	19,4	67 755	51 819	46 120	45 558
75 001–100 000	–	10 565	–	(10,0)	–	(943)	(502)	20,1	12,4	0	9,8	85 791	63 312	55 157	54 654
100 001–Max	999	2 594	1,4	(3,0)	1 438	(1 145)	(102)	15	9,3	5,5	2,4	128 227	92 184	84 152	84 049
Tous	18 158	107 497	14,0	(102,6)	772	(954)	(550)	161,6	100	100	100	53 882	42 214	37 498	36 948
Grille lâche															
Min–20 000	2 054	16 084	1,8	(17,7)	867	(1 097)	(480)	33,3	17,3	10,7	12,5	14 411	14 033	12 043	11 562
20 001–30 000	6 796	18 620	4,8	(21,7)	701	(1 165)	(602)	28,1	14,6	35,2	14,5	25 964	23 461	20 876	20 274
30 001–40 000	2 947	21 774	2,8	(25,0)	958	(1 149)	(816)	27,3	14,2	15,3	17	33 985	29 862	26 307	25 491
40 001–50 000	4 275	18 206	2,4	(17,1)	557	(940)	(646)	22,8	11,9	22,2	14,2	44 823	36 408	32 722	32 076
50 001–60 000	1 147	17 364	0,9	(14,8)	761	(850)	(712)	19,4	10,1	5,9	13,5	54 387	43 609	38 720	38 008
60 001–75 000	1 064	22 066	0,7	(14,5)	692	(657)	(551)	25,1	13,1	5,5	17,2	67 686	51 690	46 048	45 497
75 001–100 000	–	11 709	–	(10,5)	–	(894)	(499)	21,2	11	0	9,1	85 567	63 167	54 986	54 487
100 001–Max	999	2 594	1,4	(3,0)	1 438	(1 145)	(101)	15,1	7,9	5,2	2	128 218	92 205	84 151	84 049
Tous	19 282	128 417	14,8	(124,2)	768	(967)	(570)	192,3	100	100	100	50 275	39 780	35 351	34 780

Source :
BD/MSPS version 7.0, rajusté pour 2000.

Tableau B-12 : Montants de transfert et revenu moyens, individus vs conjoints, selon la tranche de revenu

Revenu total de base ($)	Revenu total moyen – statu quo ($)	Revenu total moyen – couples de même sexe ($)	Revenu du marché moyen – statu quo ($)	Revenu du marché moyen – couples de même sexe ($)	Revenu de transfert moyen – statu quo ($)	Revenu de transfert moyen – couples de même sexe ($)	Revenu imposable moyen – statu quo ($)	Revenu imposable moyen – couples de même sexe ($)	Total moyen des impôts – statu quo ($)	Total moyen des impôts – couples de même sexe ($)	Revenu disponible moyen – statu quo ($)	Revenu disponible moyen – couples de même sexe ($)	Revenu consommable moyen – statu quo ($)
Grille serrée													
Min-20 000	14 991	14 428	7 171	7 171	7 820	7 257	6 697	6 698	2 652	2 498	14 544	14 083	12 339
20 001-30 000	26 253	25 165	17 485	17 486	8 768	7 679	18 513	18 514	5 312	4 848	23 562	22 858	20 941
30 001-40 000	33 818	32 756	23 781	23 782	10 036	8 974	24 709	24 710	7 854	7 536	29 584	28 728	25 964
40 001-50 000	45 104	44 155	41 413	41 414	3 690	2 742	38 587	38 588	12 636	12 212	36 289	35 708	32 468
50 001-60 000	54 590	53 681	51 329	51 330	3 260	2 351	47 922	47 922	15 851	15 796	43 664	42 697	38 738
60 001-75 000	67 755	67 104	64 966	64 967	2 788	2 137	59 063	59 064	21 634	21 546	51 819	51 199	46 120
75 001-100 000	85 791	85 401	82 764	82 764	3 027	2 637	77 067	77 067	30 634	30 746	63 312	62 752	55 157
100 001-Max	128 227	127 985	126 801	126 801	1 427	1 184	111 029	111 029	44 075	43 936	92 184	92 064	84 152
Tous	53 882	53 127	48 488	48 488	5 394	4 639	44 999	45 000	16 384	16 179	42 214	41 595	37 498
Grille lâche													
Min-20 000	14 411	13 800	7 360	7 361	7 050	6 439	7 140	7 141	2 368	2 238	14 033	13 484	12 043
20 001-30 000	25 964	24 938	16 811	16 812	9 153	8 126	17 995	17 996	5 089	4 664	23 461	22 784	20 876
30 001-40 000	33 985	32 899	23 361	23 362	10 624	9 537	24 840	24 841	7 679	7 409	29 862	28 932	26 307
40 001-50 000	44 823	43 783	38 647	38 647	6 176	5 136	38 535	38 536	12 101	11 707	36 408	35 698	32 722
50 001-60 000	54 387	53 592	50 549	50 550	3 837	3 042	47 174	47 175	15 667	15 584	43 609	42 801	38 720
60 001-75 000	67 686	67 048	64 503	64 504	3 182	2 544	58 995	58 996	21 637	21 551	51 690	51 082	46 048
75 001-100 000	85 567	85 170	82 181	82 181	3 385	2 989	76 921	76 921	30 580	30 683	63 167	62 610	54 986
100 001-Max	128 218	127 978	126 807	126 807	1 411	1 171	111 052	111 052	44 067	43 929	92 205	92 087	84 151
Tous	50 275	49 516	44 192	44 192	6 082	5 323	41 643	41 643	14 924	14 735	39 780	39 138	35 351

Source :
BD/MSPS version 7.0, rajusté pour 2000.

Tableau B-13 : Exemption de personne mariée, individus vs conjoints, selon la tranche de revenu

Revenu total de base ($)	Exemption de marié – demandée – statu quo (millions de $)	Exemption de marié demandée – couples de même sexe (millions de $)	Changement dans l'exemption de marié demandée (millions de $)	Exemption moyenne de marié demandée – statu quo	Exemption moyenne de marié demandée – couples de même sexe	Changement dans l'exemption moyenne de marié demandée	Compte unitaire (milliers)
Grille serrée							
Min–20 000	0,4	4,7	4,2	21	231	210	20,1
20 001–30 000	1,3	4,8	3,6	51	195	144	24,8
30 001–40 000	2,0	3,4	1,3	91	151	59	22,3
40 001–50 000	0,4	3,2	2,8	21	158	137	20,5
50 001–60 000	1,4	0,6	(0,8)	97	42	(55)	15
60 001–75 000	1,0	0,9	(0,1)	43	39	(5)	23,9
75 001–100 000	2,2	–	(2,1)	109	2	(106)	20,1
100 001–Max	1,0	1,5	0,5	65	99	35	15
Tous	9,8	19,2	9,4	61	119	58	161,6
Grille lâche							
Min–20 000	0,4	9,4	9,0	13	283	270	33,3
20 001–30 000	1,3	5,0	3,7	45	178	132	28,1
30 001–40 000	2,3	3,4	1,1	83	124	41	27,3
40 001–50 000	0,6	3,2	2,7	24	141	117	22,8
50 001–60 000	1,4	0,7	(0,7)	75	38	(37)	19,4
60 001–75 000	1,0	0,9	(0,1)	41	37	(4)	25,1
75 001–100 000	2,2	–	(2,1)	103	2	(101)	21,2
100 001–Max	1,0	1,5	0,5	64	98	34	15,1
Tous	10,1	24,2	14,1	53	126	73	192,3

Source :

BD/MSPS version 7.0, rajusté pour 2000.

Tableau B-14 : Prestations du SRG, individus vs conjoints, selon la tranche de revenu

Revenu total de base	Prestations du SRG – statu quo (millions de $)	Prestations moyennes du SRG – statu quo ($)	Prestations du SRG – Couples de même sexe (millions de $)	Prestations moyennes du SRG – couples de même sexe ($)	Changement dans les prestations du SRG (millions de $)	Bénéficiaires du SRG – statu quo	Bénéficiaires du SRG – couples de même sexe
Grille serrée							
Min–20 000	–	–	–	–	–	–	–
20 001–30 000	23,6	3 777	16,1	2 578	(7,5)	6 246	6 246
30 001–40 000	9,2	2 411	2,1	900	(7,1)	3 828	2 374
40 001–50 000	–	–	–	–	–	–	–
50 001–60 000	–	–	–	–	–	–	–
60 001–75 000	–	–	–	–	–	–	–
75 001–100 000	0,1	515	–	–	(0,1)	252	–
100 001–Max	0,3	572	–	–	(0,3)	504	–
Tous	33,2	3 069	18,2	2 115	(15,0)	10 830	8 620
Grille lâche							
Min–20 000	12,1	2 894	12,5	2 995	0,4	4 178	4 178
20 001–30 000	26,7	3 664	19,2	2 633	(7,5)	7 300	7 300
30 001–40 000	9,2	2 411	2,1	900	(7,1)	3 828	2 374
40 001–50 000	2,4	1 202	–	–	(2,4)	1 962	–
50 001–60 000	–	–	–	–	–	–	–
60 001–75 000	–	–	–	–	–	–	–
75 001–100 000	0,1	515	–	–	(0,1)	252	–
100 001–Max	0,3	572	–	–	(0,3)	504	–
Tous	50,8	2 821	33,9	2 445	(17,0)	18 024	13 852

Source :
BD/MSPS version 7.0, rajusté pour 2000.

Tableau B-15 : Crédit pour TPS, individus vs conjoints, selon la tranche de revenu

Revenu total de base ($)	Crédit pour taxe de vente fédérale – statu quo (millions de $)	Crédit pour taxe de vente fédérale – Couples de même sexe (millions de $)	Changement dans le crédit pour taxe de vente fédérale	Crédit moyen pour taxe de vente fédérale – statu quo	Crédit moyen pour taxe de vente fédérale – couples de même sexe	Changement dans le crédit pour taxe de vente fédérale	Compte unitaire (milliers)	Distribution des ménages (%)
Grille serrée								
Min–20 000	8,2	8,1	(0,1)	407	400	(7)	20,1	12,5
20 001–30 000	12,9	9,7	(3,3)	523	391	(132)	24,8	15,3
30 001–40 000	12,3	4,8	(7,5)	552	216	(336)	22,3	13,8
40 001–50 000	8,9	0,4	(8,5)	436	20	(416)	20,5	12,7
50 001–60 000	7,2	–	(7,2)	481	1	(481)	15	9,3
60 001–75 000	6,6	0,1	(6,4)	274	4	(270)	23,9	14,8
75 001–100 000	3,1	–	(3,1)	156	–	(156)	20,1	12,4
100 001–Max	1,1	–	(1,1)	72	–	(72)	15	9,3
Tous	60,3	23,1	(37,3)	373	143	(231)	161,6	100
Grille lâche								
Min–20 000	13,6	13,3	(0,3)	410	399	(10)	33,3	17,3
20 001–30 000	14,7	11,0	(3,7)	522	392	(131)	28,1	14,6
30 001–40 000	14,9	5,5	(9,4)	547	201	(345)	27,3	14,2
40 001–50 000	10,3	0,4	(9,9)	450	18	(433)	22,8	11,9
50 001–60 000	8,2	–	(8,2)	422	–	(421)	19,4	10,1
60 001–75 000	6,8	0,1	(6,7)	270	4	(266)	25,1	13,1
75 001–100 000	3,5	–	(3,5)	164	–	(164)	21,2	11
100 001–Max	1,1	–	(1,1)	71	–	(71)	15,1	7,9
Tous	73,0	30,3	(42,7)	380	158	(222)	192,3	100

Source :
BD/MSPS version 7.0, rajusté pour 2000.

Tableau B-16 : Crédits provinciaux remboursables, individus vs conjoints, selon la tranche de revenu

Revenu total de base	Crédits d'impôts provinciaux remboursables – statu quo (millions de $)	Crédits d'impôts provinciaux remboursables – couples de même sexe (millions de $)	Changement dans les crédits d'impôts provinciaux remboursables	Crédits d'impôts provinciaux remboursables moyens – statu quo	Crédits d'impôts provinciaux remboursables moyens – couples de même sexe	Changement dans les crédits d'impôts provinciaux remboursables moyens
			Grille serrée			
Min–20 000	21,1	10,0	(11,1)	1 047	494	(553)
20 001–30 000	24,4	8,3	(16,1)	987	337	(650)
30 001–40 000	8,8	1,6	(7,3)	396	70	(326)
40 001–50 000	10,1	0,2	(9,9)	494	10	(484)
50 001–60 000	2,5	–	(2,5)	168	–	(168)
60 001–75 000	6,3	0,3	(6,0)	262	11	(252)
75 001–100 000	3,1	0,1	(3,0)	154	6	(148)
100 001–Max	0,1	0,1	(0,1)	7	4	(3)
Tous	76,5	20,5	(56,0)	473	127	(346)
			Grille lâche			
Min–20 000	37,9	17,3	(20,6)	1 139	520	(618)
20 001–30 000	26,8	9,2	(17,5)	953	329	(624)
30 001–40 000	13,2	2,0	(11,1)	483	75	(409)
40 001–50 000	10,4	0,3	(10,0)	454	14	(440)
50 001–60 000	3,4	–	(3,4)	174	1	(173)
60 001–75 000	6,5	0,3	(6,3)	259	10	(249)
75 001–100 000	3,3	0,1	(3,2)	156	5	(151)
100 001–Max	0,1	0,1	(0,1)	7	4	(3)
Tous	101,6	29,4	(72,2)	528	153	(375)

Source :
BD/MSPS version 7.0, rajusté pour 2000.

ANNEXE C : DISPOSITIONS FISCALES FÉDÉRALES FONDÉES SUR LE TYPE D'UNION

Tableau C-1. Subventions fiscales destinées au soutien du conjoint dépendant sur le plan économique

Dispositions qui reposent expressément sur des niveaux de revenu précis :

118(1)a)	Crédit d'impôt pour le soutien du conjoint

Dispositions dont peut se prévaloir le particulier qui subvient aux besoins de son conjoint si celui-ci a un revenu inférieur au sien et ne peut pas bénéficier de ces dispositions :

118.8	Transfert au conjoint de certains crédits d'impôt inutilisés; par exemple les crédits suivants :
118.5	Crédit d'impôt pour frais de scolarité
118.6	Crédit d'impôt pour études
118(2)	Crédit d'impôt pour personnes âgées
118(3)	Crédit d'impôt pour pension
118.3(1)	Crédit d'impôt pour déficience mentale ou physique

Dispositions qui s'appliquent lorsque l'écart entre les revenus des conjoints donne lieu à un accord ou à une ordonnance prévoyant le versement d'une pension alimentaire :

56, 60	Transfert de la responsabilité fiscale relative au versement d'une pension alimentaire au bénéficiaire

Source : *Loi de l'impôt sur le revenu*, L.R.C. (1985), ch. 1, (5e suppl.), tel que modifié pour l'année d'imposition 1999.

Tableau C-2. Dispositions fiscales qui procurent un « revenu familial » aux couples ou qui augmentent ce revenu

Dispositions qui permettent aux conjoints de répartir entre eux leurs revenus ou de se céder certaines déductions :

8	Déduction des dépenses d'entretien de la maison du conjoint (employés d'une compagnie de chemin de fer)
62, 64	Les frais de déménagement des biens personnels du conjoint peuvent être déduits avec les frais de déménagement de la « maisonnée »
104, 108	Partage du revenu au moyen de la création d'une fiducie
118.2	Crédit d'impôt pour les frais médicaux du conjoint
118.2(2)*q*)	Crédit d'impôt pour le versement de primes à un régime d'assurance-maladie couvrant le conjoint
146	Le contribuable peut bénéficier de déductions fiscales s'il contribue au REER de son conjoint
146	Des prestations réversibles peuvent être payées sur le produit du REER
Règl. 8501	Permet le paiement de prestations du RPA au conjoint après une séparation ou un divorce

Dispositions qui fournissent un abri fiscal aux avantages du conjoint :

6	Exemption fiscale applicable aux avantages offerts à l'employé et dont bénéficie le conjoint (soins dentaires, soins médicaux, services de counselling)
15	Exemption fiscale applicable au prêt consenti à un actionnaire qui est employé du prêteur, en vue de lui permettre d'acquérir une habitation pour son conjoint
248(1)	Exemption fiscale applicable à un paiement maximal de 10 000 $ fait au conjoint à titre de prestation consécutive au décès

Dispositions qui organisent et fractionnent la pension du conjoint survivant :

60*j.2*)	Le conjoint survivant peut transférer le RPA ou le RPDB du conjoint décédé dans son propre REER
146.3	Les prestations du conjoint survivant peuvent être payées sur le fonds de revenu de retraite
Règl. 8503, 8506	Les prestations du conjoint survivant peuvent être payées sur le RPA

Source : *Loi de l'impôt sur le revenu*, L.R.C. (1985), ch. 1, (5ᵉ suppl.).

Tableau C-3. Dispositions fiscales de 1999 relatives au partage de revenus ou de biens avec le conjoint

Dispositions qui permettent le transfert de biens entre conjoints sans entraîner de conséquences fiscales :

24	Transfert, avec report d'impôt, des immobilisations admissibles au conjoint
40	Transfert, avec report d'impôt, de biens agricoles au conjoint
40	Le gain en capital tiré de la disposition de la résidence détenue en fiducie au profit du conjoint peut être exempt d'impôt en vertu de l'exemption sur la résidence principale
54	Le gain en capital gain tiré de la disposition du logement appartenant à l'un des conjoints en vue de son utilisation et de son occupation par l'autre conjoint est exempt d'impôt en vertu de l'exemption sur la résidence principale
60*j*.2)	Transfert, avec report d'impôt, de fonds du régime de pension agréé ou du régime de participation différée aux bénéfices au REER du conjoint
70	Transfert, avec report d'impôt, de biens au conjoint survivant ou à la fiducie au profit du conjoint
70, 73	Transfert, avec report d'impôt, de biens agricoles utilisés par le conjoint
73	Transfert entre vifs, avec report d'impôt, d'immobilisations au conjoint ou à la fiducie au profit du conjoint
74.5	Transfert entre vifs, avec report d'impôt, d'immobilisations au conjoint vivant séparé
96	Non-reconnaissance du revenu et des gains d'une société de personnes lorsque le conjoint acquiert la participation de l'autre conjoint dans cette société
146	Transfert, avec report d'impôt, du REER du conjoint décédé au REER du conjoint survivant
147	Transfert, avec report d'impôt, du régime de participation différée aux bénéfices (RPDB) d'un conjoint aux régimes enregistrés de l'autre conjoint
47.3	Transfert, avec report d'impôt, du régime de pension agréé (RPA) du conjoint décédé ou séparé au REER ou au RPDB du conjoint survivant
148	Transfert exonéré d'impôt de polices d'assurance-vie entre conjoints

Dispositions qui permettent de transférer des avantages fiscaux d'un conjoint à l'autre :

104	Transfert d'avantages fiscaux lorsque des biens sont détenus en fiducie au profit du conjoint, mais que le revenu est payé au conjoint personnellement
110.6	Transfert de l'exonération enrichie des gains en capital lorsque des biens ont été transférés au conjoint

Source : *Loi de l'impôt sur le revenu*, L.R.C. (1985), ch. 1, (5ᵉ suppl.).

BIBLIOGRAPHIE

Apps, Patricia. *A Theory of Inequality and Taxation*. Cambridge: Cambridge University Press, 1981.

———. « Tax Reform, Ideology and Gender ». *Sydney Law Review*, 21: 437-452, 1999.

Australian Bureau of Statistics. *1996 Census of Population and Housing*. Canberra: ABS, 1997.

Badgett, M.V. Lee. « The Wage Effects of Sexual Orientation Discrimination ». *Industrial and Labor Relations Review*, 48(4): 726, 1995.

Bancroft, John (dir.). *Researching Sexual Behaviour: Methodological Issues*. Bloomington: Indiana University Press, 1997.

BCLI (British Columbia Law Institute). *Proposed Family Status Recognition Act*. Vancouver: British Columbia Law Institute, 1999.

Beaujot, R., K.G. Basavarajappa et R.B.P. Verma. *La conjoncture démographique : Le revenu des immigrants au Canada.*. Ottawa : Statistique Canada, 66-67, tableaux 23 et 24, 1988 (analyse des données du recensement).

Becker, Gary. *The Economics of Discrimination*. Chicago: University of Chicago Press, 1957.

Blumstein, Philip et Pepper Schwartz. *American Couples*. New York: Wm. Morrow and Co, 1983.

Boskin, Michael J. et E. Sheshinski. « Optimal Tax Treatment of the Family: Married Couples ». *Journal of Public Economics*, 20: 281-297, 1983.

Briggs, Norma. « Individual Income Taxation and Social Benefits in Sweden, the United Kingdom, and the U.S.A. – A Study of Their Inter-Relationships and Their Effects on Lower-Income Couples and Single Heads of Household ». *International Bureau of Fiscal Documentation*, 243, 1985.

Brodsky, Gwen. « Out of the Closet and Into a Wedding Dress? Struggles for Lesbian and Gay Legal Equality ». *Canadian Journal of Women and the Law/revue femmes et droit*. 7: 523-535, 1994.

Brooks, Neil. « The Irrelevance of Conjugal Relationships in Assessing Tax Liability ». In *Tax Units and the Tax Rate Scale*. Publié sous la direction de Richard Krever et John Head. Melbourne: Australian Tax Research Foundation, 36, 1996.

Brown, D.A. « Race, Class, and Gender Essentialism in Tax Literature: The Joint Return ». *Washington and Lee L. Rev*, 1469, 1997.

Buist, Margaret. « Segregation and Sexuality ». Barreau du Haut-Canada/Association du Barreau canadien (Ontario). Sexual Orientation and Gender Identity Committee Pride Day Roundtable, 21 juin 2000.

Canada, Revenu Canada. *Statistique fiscale, 1993*. Ottawa : Ministre des Approvisionnements et Services, 1995.

Canada, Commission royale d'enquête sur la fiscalité. *Rapport de la Commission royale*. Volumes 1-6. Ottawa : Imprimeur de la Reine, 1967.

Canada, Statistique Canada. *Profil des groupes ethniques*. Ottawa : Statistique Canada. N° 93-154 au cat., 1989a.

———. *Profil de la population immigrante*. Ottawa : Statistique Canada. N° 93-155 au cat., 1989b.

———. Matrices CANSIM, 12 juin 1995.

———. *Guide de consultation du recensement de 1996*. Ottawa : Statistique Canada, 1992.

———. *Base de données et modèle de simulation de politique sociale*. Ottawa : Statistique Canada, Projet de microsimulation, version 5.2, données rajustées en fonction des années 1985-1995, 1994.

———. *Finances du secteur public, 1994-1995*. N° 68-212 au catalogue, 1995.

———. *Dimensions, Revenu et gains au Canada en 1990 et en 1995*. Ottawa, 1996.

———. *Rapport n° 2 sur les consultations du recensement de 1996*. Ottawa : Statistique Canada, 1997a.

———. *Enquête sur les finances des consommateurs de 1996*, 1997b.

Casswell, Donald G. « Canada's Lotusland ». In Wintemute, Robert. *Legal Recognition of Same-Sex Relationships in National and International Law*. London: Hart Publishing, 2001.

Christian, Amy C. « The Joint Return Rate Structure: Identifying and Addressing the Gendered Nature of the Tax Law ». *Journal of Law and Politics*, 13: 241, 1997.

Coffield, James. *A Popular History of Taxation: From Ancient to Modern Times*. London: Longman Group Ltd., 1970.

Coleman, Thomas F. « The Hawaii Legislature Has Compelling Reasons to Adopt a Comprehensive Domestic Partnership Act ». *Law and Sexuality*, 5: 541, 1995.

Commission de l'équité fiscale. *Document de discussion : Enquête d'équité.* Toronto : Commission de l'équité fiscale, p. 60-62, 1993.

Commission de l'équité fiscale, Groupe de travail sur les femmes et la fiscalité. *Les femmes et la fiscalité.* Toronto : Commission de l'équité fiscale, 1992.

Commission de réforme du droit de l'Ontario. *Rapport sur les droits et responsabilités des cohabitants sous le régime de la Loi sur le droit de la famille.* Toronto : CDPO, 1993.

Commission royale d'enquête sur la situation de la femme. *Rapport de la Commission royale d'enquête sur la situation de la femme au Canada.* Ottawa, 1970.

Davis, James Allen et Tom W. Smith. *General Social Surveys 1972-1991.* Chicago: National Opinion Research Center, 1991.

Gann, Pamela. « Abandoning Marital Status as a Factor in Allocating Income Tax Burdens ». *Texas L. Rev.*, 59: 1, 1980.

Gavigan, Shelley. « Paradise Lost, Paradox Revisited: The Implications of Familial Ideology for Feminist, Lesbian and Gay Engagement to Law ». *Osgoode Hall L. J.*, 31: 589-624, 1993.

Grbich, Judith. « The Tax Unit Debate Revisited: Notes on the Critical Resources of a Feminist Revenue Law Scholarship ». *Canadian Journal of Women and the Law/revue femmes et droit*, 4: 512, 1991.

Griffin, Kate et Lisa Mullholland (dir.). *Lesbian Motherhood in Europe.* London: Cassels, 1997.

Henson, Deborah M. « A Comparative Analysis of Same-Sex Partnership Protections: Recommendations for American Reform ». *International Journal of Law and the Family*, 7: 282-313, 1993.

Herman, Didi. *Rights of Passage: Struggles for Lesbian and Gay Legal Equality.* Toronto: University of Toronto Press, 1994.

Kinsey, Alfred C., Wardell B. Pomeroy et Clyde E. Martin. *Sexual Behavior in the Human Male.* Philadelphia: W. B. Saunders, 1948.

Kinsey, Alfred C., Wardell B. Pomeroy, Clyde E. Martin et P. H. Gebhard. *Sexual Behavior in the Human Female.* Philadelphia: W. B. Saunders, 1953.

Klawitter, Marieka M. and Victor Flatt. *Antidiscrimination Policies and Earnings for Same-Sex Couples.* Seattle, WA: University of Washington Graduate School of Public Affairs, Working Papers in Public Policy Analysis and Management, 1995.

Kornhauser, Marjorie E. « What Do Women Want: Feminism and the Progressive Income Tax ». *American University L. Rev.* 47: 151, 1997.

Kurdek, L. « Lesbian and Gay Couples ». In *Lesbian , Gay, and Bisexual Identities Over the Lifespan.* Publié sous la direction de A. D'Augelli et C. Patterson. New York: Oxford University Press, 1995.

Lahey, Kathleen. « The Political Economies of 'Sex' and Canadian Income Tax Policy ». Toronto: ABCO, 1998.

———. *Are We 'Persons' Yet? Law and Sexuality in Canada.* Toronto: University of Toronto Press, 1999.

———. « Becoming 'Persons' in Canadian Law: Genuine Equality or 'Separate but Equal? » In Wintemute, Robert. *Legal Recognition of Same-Sex Relationships in National and International Law.* London: Hart Publishing, 2001a.

———.*The Benefit/Penalty Unit in Income Tax Policy: History, Impact, and Options for Reform.* Ottawa: Commission du droit du Canada, 2001b.

Law Reform Commission of Nova Scotia. *Final Report on Reform of the Law Dealing with Matrimonial Property in Nova Scotia.* Halifax: LRCNS, 1997.

LeFebour, Patricia. « Same Sex Spousal Recognition in Ontario: Declarations and Denial – A Class Perspective ». *Revue des lois et des politiques sociales*, 9: 272, 1993.

LeFebour, Patricia et Michael Rodrigues. « Estate Planning for Same-Sex Couples ». Toronto: ABCO, Eleventh Semi-Annual Estate Planning, 1995.

Lefkowitz, Mary R. et Maureen B. Fant. *Women's Life in Greece and Rome.* Baltimore: Johns Hopkins University Press.

Leuthold, Jane H. « Income Splitting and Women's Labor-Force Participation ». *Industrial and Labor Relations Rev.* 98, 1984.

———. « Work Incentives and the Two-earner Deduction ». *Public Finance Quarterly*, 13: 63-73, 1985.

Lund-Andersen, Ingrid. « Moving Towards an Individual Principle in Danish Law ». *International Journal of Law and the Family*, 4: 328-342, 1990.

Major, Henri. *Document de fond sur la répartition des juridictions fédérale et provinciales en matière de droit de la famille.* Ottawa : Conseil consultatif canadien de la situation de la femme, 1974.

————. *Notes sur certaines lois fédérales qui reconnaissent les unions de Common law.* Ottawa : Conseil consultatif canadien de la situation de la femme, 1975.

McCaffery, Edward. « Slouching Towards Equality: Gender Discrimination, Market Efficiency, and Social Change ». *Yale Law Review,* 103: 595, 1993a.

————. « Taxation and the Family: A Fresh Look at Behavioral Gender Biases in the Code ». *U.C.L.A. L. Rev.,* 40: 983, 1993b.

————. *Taxing Women.* Chicago: University of Chicago Press, 1997.

Mickman, Robert. « Discrimination Against Same-Sex Couples in Tax Law ». *International Journal of Law, Policy and the Family.* 13: 33, 1999.

Ministres responsables des services sociaux. *À l'unisson : Une approche canadienne concernant les personnes handicapées.* Ottawa, 1989-1999.

Moran, B. et W. Whitford. « A Black Critique of the Internal Revenue Code ». *Wisconsin L. Rev.* 75, 1996.

Nelson, Julie A. « Tax Reform and Feminist Theory in the United States: Incorporating Human Connection ». *Journal of Economic Studies,* 18: 11-29, 1991.

Nielsen, Linda. « Denmark: New Rules Regarding Marriage Contracts and Reform Considerations Concerning Children ». *Journal of Family law,* 31: 309, 1992-93.

————. « Family Rights and the 'Registered Partnership' in Denmark ». *International Journal of Law and the Family,* 4: 297-307, 1990.

OCDE (Organisation de coopération et de développement économiques). *La fiscalité dans les pays de l'OCDE.* Paris : OCDE, 1993.

Ontario, Ministère du Procureur général. « L'Ontario protège la définition traditionnelle du conjoint dans une loi nécessaire en raison de la décision de la Cour suprême du Canada dans la cause *M.* c. *H.* » Communiqué de presse. 25 octobre 1999.

Pedersen, Marianne Hojgaard. « Denmark: Homosexual Marriages and New Rules Regarding Separation and Divorce ». *Journal of Family law,* 30: 289, 1991-92.

Polikoff, Nancy, entrevue, rapportée dans Fenton Johnson. « Wedded to an Illusion: Do gays and lesbians really want the right to marry? » *Harper's Magazine.* Novembre, 43-50, 1996.

Sherman, David. « Till Tax Do Us Part: The New Definition of 'Spouse' ». *Canadian Tax Foundation Conference Report*, 20: 1, 1992.

Sweet, James A. « The Employment of Wives and the Inequality of Family Income ». In *The Economics of Women and Work*. Publié sous la direction d'Alice H. Amsden. Markham, Ont.: Penguin Books, pp. 400-409, 1980.

Tellier, Nicole. « Support and Property Issues for Same Sex Couples: Domestic Contract, Court Challenges and Remedies ». Toronto: Special Lecture, 1995.

Waaldijk, Kees et Andrew Clapham (dir.). *Homosexuality: A European Community Issue — Essays on Lesbian and Gay Rights in European Law and Policy*. Dordrecht: Martinus Nijhoff, 1993.

Wakkary, Albert. Affidavit déposé dans *Rosenberg* v. *The Queen*. (Div. gén. Ont., n° du greffe 79885/94) (signé le 2 juin 1994).

Wintemute, Robert. *Legal Recognition of Same-Sex Relationships in National and International Law*. London: Hart Publishing, 2001.

Young, Claire. « Taxing Times for Lesbians and Gay Men: Equality at What Cost? » *Dalhousie L. J.* 17: 534, 1994.

Zelenak, L. « Marriage and the Income Tax ». *Southern Calif. L. Rev.*, 67: 339, 1994.

NOTES

[1] En 1999, le projet de loi n° 32 du Québec est entré en vigueur, et la Colombie-Britannique a poursuivi son programme consistant à modifier graduellement les lois de la province afin de faire une place aux couples lesbiens et gais. En 2000, l'Ontario a adopté le projet de loi n° 5 et le gouvernement fédéral en a fait autant avec le projet de loi C-23. Tous ces instruments reconnaissent les couples lesbiens et gais comme des cohabitants. Ailleurs, le Vermont a adopté son projet de loi sur l'union civile en avril 2000 et, en 1999, Hawaï a adopté des dispositions législatives sur les « unions domestiques ». Le chapitre 2 traite en détail de ces projets de loi.

[2] En Ontario, la contestation a été déposée le 14 juin 2000, auprès de la Cour divisionnaire et, en Colombie-Britannique, la contestation a été annoncée en juillet. Les deux sont pilotées par les gouvernements, qui considèrent qu'ils sont tenus de délivrer des permis de mariage, mais que la loi fédérale les empêche de le faire. La contestation menée au Québec, qui a été reprise en 2000, ne bénéficie pas de l'appui du gouvernement.

[3] Pays-Bas, document parlementaire n° 26672, modification du livre 1 du *Code civil* concernant l'ouverture du mariage aux personnes de même sexe (Loi sur l'ouverture du mariage) (présenté le 8 juillet 1999); trad. Kees Waaldjik (exemplaire en possession de l'auteure).

[4] La source la plus récente est Wintemute (2001), qui rend compte de l'apparition de ce genre de dispositions législatives dans le monde entier.

[5] Canada, Chambre des communes, *Debates and Proceedings*, 7th Sess., 12th Parl., IV: 4102, 4103 (3 août 1917), Thomas White [traduction non officielle].

[6] *Ibidem*, IV: 4103, M. Verville.

[7] *Ibidem*, IV: 4106, M. Middlebro.

[8] *Ibidem*, IV: 4105, M. Knowles.

[9] *Ibidem*, IV: 4104, M. Graham.

[10] *Ibidem*, IV: 4109, Thomas White.

[11] Le projet de loi C-4, 1re sess., 30e législature, 23 Élis. II, 1974, modifiant la *Loi sur les allocations aux anciens combattants*, S.R., c. W-5, ch. 34 (2e suppl.) (qui a reçu la sanction royale en novembre 1974) a réduit la période de cohabitation de sept à trois ans, mais exigeait qu'un homme déclare publiquement que sa conjointe était son épouse; le projet de loi C-16, *Loi de 1974 modifiant la législation (statut de la femme)*, 1re sess., 30e législature,

23-24 Élis. II, 1974-5 (qui a reçu la sanction royale le 30 juillet 1975) a ajouté la définition d'un conjoint réputé de « sexe opposé » à des programmes sociaux comme le Régime de pensions du Canada et la *Loi sur la sécurité de la vieillesse*.

[12] *Re North and Matheson* (1974), 52 D.L.R. (3d) 280 (Cour de comté du Man.), juge Philp (permis de mariage refusé à un couple homosexuel); *Adams* v. *Howerton*, 486 F. Supp. 199, 673 F. 2d 1036 (C.C.A. 9, 1983), cert. refusée 458 U.S. 1111, 102 S. Ct. 3494 (U.S.S.C., 1985) (permis de mariage délivré à un couple homosexuel et mariage subséquent non reconnu aux fins d'une immigration parrainée).

[13] *Equality Rights Statute Law Amendment Act*, 1986, S.O. 1986, ch. 64.

[14] Assemblée législative de l'Ontario, 19 janvier 1987, 4665-6; 25 novembre 1986, 3622.

[15] [1995] 2 R.C.S. 513.

[16] [1998] 1 R.C.S. 493.

[17] *M.* c. *H.*, [1999] 2 R.C.S. 3.

[18] *Loi de 1992 sur la prise de décisions au nom d'autrui*, L.O. 1992, ch. 30, par. 1(2), 17(1), accordant à un « partenaire » les droits accordés aux conjoints en vertu de cette loi.

[19] Ces dispositions figurent dans Lahey (1999, ch. 11).

[20] Statistique Canada, Base de données et modèle de simulation de politique sociale, version 7.0, mise à la disposition des responsables de la présente étude par l'Initiative de démocratisation des données (Canada), avec l'aide de M. Brian Murphy, de l'Unité de microsimulation de Statistique Canada, et d'Andrew Mitchell, statisticien.

[21] L'explication que l'on donne parfois pour justifier cette décision est que les couples lesbiens et gais ne voudraient pas se dévoiler dans le recensement. Les analystes lesbiens et gais n'ont jamais trouvé cette explication convaincante, surtout lorsqu'on la combine à la préoccupation selon laquelle des questions sur la sexualité contrarieraient ou aliéneraient d'autres groupes de personnes et mettraient ainsi en péril le processus du recensement tout entier.

[22] Kinsey et ses collègues (1948: 357-361, 610-666; 1953: 474-475) ont conclu qu'aux États-Unis, 13 p. 100 des hommes pouvaient être classés comme homosexuels, et que chez les femmes, le chiffre équivalent était d'environ 7 p. 100. Pour une analyse des facteurs méthodologiques qui influent sur les résultats dans ce secteur de recherche, voir Bancroft (1997).

[23] Australian Bureau of Statistics (1997). La question qui a mené à la collecte de ces données était la suivante : [TRADUCTION] « Quel lien entretenez-vous avec l'occupant n° 1? ». Dans le recensement, il a été déterminé que la population totale âgée de plus de 15 ans s'élevait à 13 914 897 personnes.

[24] Badgett (1995: 726, 734), analysant des données de Davis et Smith (1991).

[25] Le recensement australien a été délibérément conçu pour recueillir des données sur les couples lesbiens et gais, mais ces derniers ont été traités comme une sous-série d'unions de fait, et, après le recensement, il y a eu des plaintes généralisées selon lesquelles les couples lesbiens et gais n'étaient pas parvenus à savoir comment déclarer leur union.

[26] Statistique Canada (1992: 36; 1997a: 18-19) a invoqué plusieurs raisons pour exclure du recensement de 1996 des questions sur la sexualité : il a considéré la demande d'inclusion comme rien de plus qu'un moyen de légitimer l'état des mariages homosexuels. Il a considéré qu'il y avait trop de résistance publique et a conclu qu'un grand nombre de couples lesbiens et gais considéraient de telles questions comme potentiellement menaçantes. Il a exprimé la crainte que la controverse entourant les questions pourraient inciter les gens à boycotter le recensement, mettant ainsi en péril l'utilité des réponses, et qu'il y avait tout simplement trop de réactions négatives à la suggestion. En fin de compte, le recensement de 1996 n'a pas comporté les couples homosexuels comme choix de réponse, mais Statistique Canada a publié une note de service donnant instruction aux couples lesbiens et gais d'inscrire la réponse « partenaire de même sexe de la personne 1 » ou « partenaire de même sexe de la personne _ » avec, comme choix, jusqu'à six personnes par ménage s'ils optait pour le choix « Autre – préciser » en répondant à la question n° 2 (relation entre les membres du ménage). Note de service de Statistique Canada, reçue par l'organisme ÉGALE (Égalité pour les gais et les lesbiennes) en 1996. Statistique Canada a refusé de diffuser cette information, en dépit de déclarations contraires, mais semble maintenant disposé à incorporer des questions sur la sexualité dans le recensement de 2001.

[27] Ces données ont ensuite été présentées par Albert Wakkary dans un affidavit produit dans l'affaire *Rosenberg* c. *The Queen* (Div. gén. Ont., n° du greffe 79885/94) (affidavit signé le 2 juin 1994), par. 8-9, aux p. 7-8, et pièce B.

[28] Ce travail de recherche a été effectué dans le cadre du présent projet de Condition féminine Canada. La chercheuse principale était Tara Doyle, assistée de Deirdre Harrington, Law '00. Tous les dossiers de recherche sont archivés à la faculté de droit, université Queen's, auprès de l'auteure.

[29] La base de données et le modèle de simulation de politique sociale (BD/MSPS) de Statistique Canada est un outil conçu pour analyser les interactions financières des gouvernements et des individus au Canada. Il permet d'évaluer les répercussions financières ou les effet redistributifs sur le revenu de changements apportés au régime de transfert de fonds et d'impôt sur le revenu des particuliers. Pour prendre connaissance des niveaux de revenus détaillés selon le couple et le sexe, voir le tableau B-1.

[30] Voir, en général, Moran et Whitford (1996); Brown (1997).

[31] *Loi sur le Canada de 1982*, 1982, ch. 11 (R.-U.) [proclamée en vigueur le 17 avril 1982], ANNEXE B, *Loi constitutionnelle de 1982*, PARTIE I, *Charte canadienne des droits et libertés*, [mod. par la Proclamation de 1983 modifiant la Constitution, SI/84-102; modification constitutionnelle de 1993 (Nouveau-Brunswick), SI/93-54, paragraphe 15(1) : « La loi ne fait acception de personne et s'applique également à tous, et tous ont droit à la même protection et au même bénéfice de la loi, indépendamment de toute discrimination, notamment des discriminations fondées sur la race, l'origine nationale ou ethnique, la couleur, la religion, le sexe, l'âge ou les déficiences mentales ou physiques. »

[32] Les hommes âgés de moins de 60 ans et les femmes âgées de moins de 50 ans étaient tenus d'être mariés, et les legs à des hommes non mariés ou à des femmes mariées sans enfants étaient frappés de nullité. Voir Lebfkowitz et Fant (1982: 182). Voir aussi Coffield (1970: 25-26). Des taxes spéciales sur les successions étaient imposées aux legs de biens faits aux hommes non mariés, aux hommes mariés sans enfant et aux femmes non mariées ayant moins de trois enfants. C'est sous le régime d'Auguste, entre l'an 30 av. J.-C. et l'an 14 apr. J.-C. qu'ont été édictées un grand nombre de ces lois.

[33] Depuis juin 2001, les couples lesbiens et gais de la Nouvelle-Écosse ont accès à certains des droits en formant une « union domestique enregistrée ». Voir le projet de loi n° 75 (2000).

[34] Voir la Commission de réforme du droit de l'Ontario (1993) (recommandant l'inclusion des cohabitants de sexe opposé dans la définition d'un « conjoint » aux fins du droit des biens matrimoniaux, après avoir cohabité pendant trois ans ou habité avec des parents); la Commission de réforme du droit de la Nouvelle-Écosse (1997: 5) (recommandant l'adoption d'un nouveau régime matrimonial pour les personnes vivant dans une « relation familiale » de dépendance économique ou avec des parents); British Columbia Law Institute (1999: par. 1(1)).

[35] Le 24 juin 2000, les Territoires du Nord-Ouest et le Nunavut ont étendu les dispositions relatives aux biens familiaux et aux successions non testamentaires en faveur du conjoint aux cohabitants de sexe opposé et non mariés. Voir la *Loi sur le droit de la famille*, L.R.T.N.-O. 1997, ch. 18, art. 33 conjoint; *Loi sur les successions non testamentaires*, L.R.T.N.-O. 1988, ch. I-10, art. 1(1) conjoint; *Loi sur le droit de la famille* (Nunavut) L.R.T.N.-O. 1997, ch. 18, tel que reproduit pour le Nunavut en application de la *Loi sur le Nunavut*, L.C. (1993), ch. 28, art. 29; tel que mod. par L.C. 1998, ch. 15, art. 14. La Cour d'appel de la Nouvelle-Écosse a décrété que le fait d'exclure les cohabitants hétérosexuels non mariés de l'application des dispositions régissant les biens matrimoniaux enfreint de manière injustifiable le paragraphe 15(1) de la *Charte*. Voir *Walsh* v. *Bona*, [2000] N.S.J. No. 117 (QL; dossier n° 159139, 19 avril 2000), le juge Glube et les juges d'appel Roscoe et Flinn, motifs de jugement supplémentaires diffusés le 5 juin 2000 [[2000] N.S.J. No. 173; pas d'appel interjeté au 24 juin 2000].

[36] *Re North and Matheson* (1974), 52 D.L.R. (3d) 280 (C.C. Man.), le juge Philp; *Layland* v. *Ontario (Minister of Consumer and Commercial Relations)* (1993), 14 O.R. (3d) 658 (C. div. Ont.), les juges Southey et Sirois, motifs dissidents du juge Greer.

[37] Voir, par exemple, *B.* v. *A.* (1990), 1 O.R. (3d) 569 (Ont.), maître Cork; *Canada* v. *Owen*, [1993] F.C.J. n° 1263 (C.F. 1re inst.), le juge Rouleau; *L.C.* v. *C.C.* (1992), 10 O.R. (3d) 254 (Div. gén. Ont.), le juge Jenkins. Dans toutes ces affaires, une inversion sexuelle chirurgicale (d'homme à femme) « incomplète » a été invoquée comme motif pour annuler des mariages qui avaient été célébrés avec permis de mariage, et dont certains avaient duré 21 ans, dans certains cas, avant que l'action en justice soit intentée. Voir aussi *Sherwood Atkinson (Sheri de Cartier)* (1972), 5 Imm. App. Cases 185 (C. app. Imm.).

[38] Le projet de loi n° 75 de la Nouvelle-Écosse, que le gouvernement a dévoilé à l'automne de 2000, ouvre la possibilité que d'autres provinces puissent prendre des mesures semblables.

[39] Bien sûr, les contestations de nature constitutionnelle visant les dispositions législatives discriminatoires n'ont pas toutes eu du succès. Pour un compte rendu détaillé de l'ensemble des litiges soumis aux tribunaux depuis 1974, voir Lahey (1999), chapitres 2 et 3. À la fin des années 1990, la plupart des contestations fondées sur la *Charte* à l'encontre de dispositions législatives discriminatoires avaient été fructueuses, sinon toutes.

[40] *Veysey* c. *Service correctionnel du Canada* (1990), 109 N.R. 300 (C.A.F.), le juge en chef Iacobucci et les juges Urie et Décary, confirmant pour des motifs différents (1989) 29 F.T.R. 74.

[41] Certaines des décisions qui illustrent cette approche sont : *Knodel* v. *British Columbia (Medical Services Commission)* (1991), 58 B.C.L.R. (2d) 346 (S.C.); *Veysey* c. *Canada (Service correctionnel)*, (1990), 109 N.R. 300 (C.A.F.); *Dwyer* v. *Toronto (Metropolitan)*, [1996] O.H.R.B.I.D. No. 33 (Ontario Board of Inquiry (Human Rights Code)); *Leshner* v. *Ontario* (1992), 16 C.H.R.R. d/184; 92 C.L.L.C 17, 035 (Ont. Bd. of Inquiry); *Kane* v. *Ontario (A.-G.)* (1997), 152 D.L.R. (4th) 738; *Ontario Public Service Employees Union Pension Plan Trust Fund (Trustees of)* v. *Ontario (Management Board of Cabinet)*, [1998] O.J. n° 5075, 20 C.C.P.B. 38 (Div. gén. Ont.); *Re Canada (Treasury Board-Environment Canada) and Lorenzen* (1993), 38 L.A.C. (4th) 29; *Coles and O'Neill* v. *Ministry of Transportation and Jacobson*, dossier n° 92-018/09 (octobre, 1994) (Ont. Bd. Inq.); *Canada (procureur général)* c. *Moore*, [1998] 4 C.F. 585 (1re inst.); *M.* c. *H.* (1996), 31 O.R. (3d) 417, 142 D.L.R. (4th) 1 (C.A. Ont.), les juges Doherty et Charron, motifs dissidents du juge Finlayson, conf. (1996), 27 O.R. (3d) 593, 132 D.L.R. (4th) 538 (Div. gén. Ont.), le juge Epstein, mais mesures de redressement modifiées [1999] 2 R.C.S. 3.

[42] *Rosenberg* c. *Canada (A-G)* (1998), 38 O.R. (3d) 577; (1998), 158 D.L.R. (4th) 664 (C.A. Ont.). Cela a aussi été nécessaire dans les cas d'adoption par un beau-parent en Ontario. Voir *Re K.* (1995), 23 O.R. (3d) 679, (1995), 125 D.L.R. (4th) 653 (Cour. Prov. Ont.); *Re C.E.G. (No. 1)*, [1995], O.J. No. 4072 (Div. gén. Ont.); *Re C.E.G. (No. 2) (Re)*, [1995], O.J. No. 4073 (Div. gén. Ont.).

[43] Pour une analyse de l'inconstitutionnalité des classifications « distinctes mais égales », voir *Canada (procureur général)* c. *Moore*, [1998] 4 C.F. 585 (1re inst.).

[44] Un litige comporte bien sûr quelques inconvénients, même dans un climat jurisprudentiel généralement favorable. Un litige est coûteux, long, ponctuel et individualiste. À moins qu'un litige ne soit présenté dans le cadre d'un programme cohérent, les premières affaires dont les tribunaux sont saisis ne sont pas nécessairement les meilleures. Cependant, au Canada, il est prouvé que les litiges ont permis de réaliser des percées énormes, tandis que la législation a tendance à perpétuer les classifications discriminatoires et l'extension partielle des droits.

[45] Cette analyse de la législation canadienne développe et met à jour l'analyse figurant dans Lahey (2001).

[46] *M.* c. *H.*, [1999] 2 R.C.S. 3, conf. (1996), 27 O.R. (3d) 593, 132 D.L.R. (4th) 538 (Div. gén. Ont.), le juge Epstein, conf. (1996), 31 O.R. (3d) 417, 142 D.L.R. (4th) 1 (C.A. Ont.), les juges Doherty et Charron, motifs dissidents du juge Finlayson.

[47] Le gouvernement est allé jusqu'à donner à l'ensemble de la loi le titre suivant : *Loi modifiant certaines lois en raison de la décision de la Cour suprême du Canada dans l'arrêt M. c. H.*, L.O. 1999 (28 octobre 1999).

[48] Le projet de loi n° 5 définit les « partenaires de même sexe » comme suit : « L'une ou l'autre de deux personnes de même sexe qui ont cohabité, selon le cas : a) de façon continue depuis au moins trois ans; b) dans une relation d'une certaine permanence, si elles sont les parents naturels ou adoptifs d'un enfant ».

[49] Assemblée législative, *Journal des débats* (27 octobre 1999), aux p. 1830-1840.

[50] Voir le tableau A-1. À l'exception des éléments liés au consentement d'urgence, où la législation en vigueur en 1992 accordait le droit d'agir l'un pour l'autre en cas d'urgence médicale, dans le but de recevoir des renseignements médicaux et de faire une visite à l'hôpital en tant que famille, tous les éléments figurant sous la rubrique « cohabitant lesbien/gai » au tableau A-1 ont été étendus aux couples lesbiens et gais à la suite de litiges. Ces éléments comprennent les droits des employés du secteur public aux prestations de survivant; les avantages sociaux destinés au partenaire et aux enfants; les exemptions fiscales pour ces prestations; le droit de demander un soutien pour cohabitant; le droit de prendre le nom de famille de l'autre; la reconnaissance des droits parentaux, de garde et d'accès; le droit d'adopter conjointement leurs propres enfants de manière à obtenir des droits de succession; les prestations d'assurances; la protection contre la discrimination en tant que couples en vertu du *Code des droits de la personne*; l'exemption des taxes sur les transferts de véhicules; ainsi que le droit de demander un redressement en faveur d'une personne à charge auprès de la succession d'un partenaire.

138

[51] Ces droits comprennent ceux que confère la *Loi sur les coroners* (prendre des dispositions funéraires, exiger une enquête), les droits d'indemnisation des victimes d'actes criminels, le produit de poursuites fondées sur un décès causé par la faute d'autrui, le droit de tirer avantage du système des paiements de soutien qu'administre la province, le droit de partager des chambres dans les foyers de soins infirmiers et maisons de repos, le pouvoir d'ordonner les dons d'organes et un éclaircissement de l'admissibilité au redressement en faveur des personnes à charge. Si le projet de loi n° 5 n'avait pas été adopté, ces droits, s'ils avaient été réclamés en vertu de l'arrêt *M. c. H.*, auraient été étendus aux couples lesbiens et gais à titre des « cohabitants réputés être des conjoints », c'est-à-dire sur une base intégrée. À cause du projet de loi n° 5, ces droits sont accordés aux couples lesbiens et gais uniquement à titre de partenaires de même sexe.

[52] Il s'agit principalement de douzaines de dispositions concernant les conflits d'intérêts et de dispositions en matière d'exclusion obligatoire, figurant dans des lois comme celles qui se rapportent à la sécurité.

[53] Il s'agit des dispositions concernant le foyer conjugal, le partage des biens familiaux, les successions et les partages forcés en cas de décès, ainsi que tous les autres droits et obligations énumérés à la première partie du présent chapitre.

[54] Les lois suivantes ont été omises du projet de loi n° 5 : les dispositions en matière de mariage de la *Loi sur le droit de la famille*; les présomptions de parentalité dans la *Loi portant réforme du droit de l'enfance*; tous les crédits et avantages fiscaux accordés aux échelons provincial et fédéral en vertu de la *Loi de l'impôt sur le revenu*; la *Loi sur le mariage*, même si cette dernière est neutre au point de vue du sexe et de la sexualité; la *Loi sur les ventes pour impôts municipaux*; la *Loi de 1994 sur les mesures budgétaires*; la *Loi de 1994 portant modification de la Loi sur l'aménagement du territoire et la Loi sur les municipalités*; la *Loi de 1994 modifiant la Loi sur les accidents du travail et la Loi sur la santé et la sécurité au travail*; la *Loi de 1994 portant modification de textes législatifs (Gestion et services gouvernementaux)*; la *Loi de 1997 sur la réforme de l'aide sociale*; la *Loi de 1997 sur l'amélioration de la qualité en éducation*; la *Loi sur les prêts aux jeunes agriculteurs*; la *Loi sur la Collection McMichael d'art canadien*.

[55] L'adoption par un beau-parent comporte habituellement l'adoption d'un enfant d'un parent par le conjoint de ce dernier. Les couples homosexuels ont eu accès à cette forme d'adoption grâce à des décisions comme *Re K.* et *Re C.E.G.*, qui font qu'il est maintenant possible pour les deux parents d'être inscrits sur le certificat de naissance de l'enfant. Cependant, cette façon d'obtenir le statut de parent est en soi une solution de second choix à la discrimination qu'occasionnent d'autres lois, car la *Loi portant réforme du droit de l'enfance* continue de définir le « parent naturel » en présumant que soit l'époux soit le « cohabitant de sexe opposé » d'une mère biologique est réputé être un parent naturel. Les cohabitants lesbiens et gais sont exclus de l'application de cette disposition.

[56] *Loi sur les services à l'enfance et à la famille*, L.R.O. (1990), ch. C.11, par. 146(4); Assemblée, *Journal des débats de l'Ontario* (27 octobre 1999) p. 1830.

[57] Voir, par exemple, *Obringer* v. *Kennedy Estate*, [1996] O.J. N° 3181 (Div. gén. Ont.), le juge Sheard.

[58] Voir ci-après l'analyse concernant cet aspect.

[59] [1991] B.C.J. N° 2588 (C.S.C.-B.), le juge Rowles.

[60] Ces lois comprennent la *Health Care Consent Act*, la *Pension Benefits Standards Amendment Act*, le projet de loi n° 100 de 1999, l'*Adoption Act*, la *Wills Variation Act*, la *Family Relations Act*, la *Representation Agreement Act*, et la *Family Maintenance Enforcement Act*. Le tableau A-3 présente l'état du droit en vigueur au 1ᵉʳ mars 2000. Pour des citations complètes et des renvois à des dispositions précises de cette législation, voir Casswell (à venir).

[61] Par exemple, dans la *Representation Agreement Act*, R.S.B.C. 1996, ch. 405, l'article 1 (à compter du 28 février 2000, B.C. Reg. 12/00) définit un « conjoint » comme [TRADUCTION] « une personne mariée ou une personne vivant avec une autre personne dans une union assimilable à un mariage et… le mariage ou cette union peut être entre deux membres du même sexe ». Le même effet est obtenu en incluant les « personnes du même sexe » dans la *Family Relations Act*, R.S.B.C. 1996, ch. 128, par. 1*c*), modifiée par le projet de loi n° 31, al. 1*c*) : « conjoint » inclut soit [TRADUCTION] « une personne mariée soit une personne ayant vécu avec une autre personne dans une union assimilable à un mariage pendant une période d'au moins 2 ans…et …cette union peut être entre deux personnes du même sexe ».

[62] *Family Relations Act*, R.S.B.C. 1996, ch. 128, articles 94 et 95, énonce les règles de parentalité et les présomptions de paternité en fonction de la « personne de sexe masculin » qui est « le père » par mariage ou cohabitation. L'alinéa 1*c*), modifié par le projet de loi n° 31, définit une personne comme étant [TRADUCTION] « le beau-parent d'un enfant si la personne et un parent de l'enfant sont mariés ou vivent ensemble dans une union assimilable à un mariage depuis une période d'au moins 2 ans et… l'union assimilable à un mariage peut être entre deux personnes du même sexe ».

[63] Cependant, le gouvernement de la Colombie-Britannique semble avoir prévu le jour où les couples lesbiens et gais pourront se marier. Huit lois mentionnent expressément que le « conjoint » inclut une personne mariée à une autre personne ou vivant avec une personne dans une union assimilable à un mariage, et [TRADUCTION] « pour l'application de cette définition, le mariage ou l'union assimilable à un mariage peut être entre deux membres du même sexe ». Voir l'*Adult Guardianship Act*, R.S.B.C. 1996, ch. 6, art. 1 *spouse*; la *Criminal Injuries Compensation Act*, R.S.B.C. 1996, ch. 85, par. 1(1) *immediate family member* (a)(ii); la *Family Maintenance Enforcement Act*, R.S.B.C. 1996, ch. 127, par. 1(1) *spouse*; la *Health Care (Consent) and Care Facilities (Admission) Act*, R.S.B.C. 1996, ch. 181, art. 1 *spouse* (b); la *Medicare Protection Act*, R.S.B.C. 1996, ch. 286, par. 1(1) *spouse*;

la *Representation Agreement Act*, R.S.B.C. 1996, ch. 405, art. 1 *spouse* (b); la *Securities Act*, R.S.B.C. 1996, ch. 418, par. 1(1) *spouse*; la *Victims of Crime Act*, R.S.B.C. 1996, ch. 478, art. 1 *spouse*.

[64] *Trudel et Commission des droits de la personne du Québec* c. *Camping & Plage Gilles Fortier Inc.*, [1994] J.T.D.P.Q. n° 32 (Trib. D.P. Québec), Brossard (13 décembre 1994).

[65] Comme c'est le cas en Ontario et en Colombie-Britannique; cependant, le Québec est confronté à une contestation constitutionnelle concernant le refus des droits de mariage aux couples lesbiens et gais.

[66] Loi n° 372 du 7 juin 1989, entrée en vigueur le 1er octobre 1989, citée dans Pedersen (1991-92: 289, note 2).

[67] Pour de plus amples détails, voir Pedersen (1991-92: 290-91); Henson (1993: 286-87), dispositions en matière de communauté de biens, d'héritage et de succession non testamentaire; Nielsen (1990).

[68] Henson (1993: 309, note 28). Voir aussi Griffin et Mullholland (1997); Waaldijk et Clapham (1993). Les activistes se sont concentrés sur ces questions, mais les progrès tardent à venir.

[69] *An Act Relating to Domestic Partners*, House of Representatives, 20th Legisl., 1999, Hawaii, H.B. No. 884.

[70] *An Act Relating to Civil Unions*, H.847 (signée le 26 avril 2000), art. 3, modifiant 15 V.S.A., c. 23, s. 1202(2).

[71] Civil Unions, art. 3, modifiant 15 V.S.A., ch. 23, al. 1204(a), (b).

[72] Civil Unions, art. 5, modifiant 18 V.S.A., ch. 106, al. 5001-5012, 5160-5169(e).

[73] *Proposed Family Status Recognition Act*, par. 1(1) (Vancouver : British Columbia Law Institute, 1999).

[74] Par exemple, les inscrits pourraient être des colocataires, des amis, des frères ou sœurs, un parent et un enfant, des lesbiennes ou des partenaires de tennis.

[75] L'enregistrement de l'union comporterait un grand nombre des attributs du mariage, y compris une part forcée de la succession d'un partenaire décédé, le foyer de l'union et la succession nette de l'union, de même que les droits de soutien et le droit de renoncer au testament du partenaire décédé. Il ne serait pas nécessaire que l'enregistrement soit public. Un partenaire enregistré secret aurait les droits et les obligations qui précèdent, mais les tiers ne seraient pas touchés par l'enregistrement.

[76] *Family Provision (Amendment) Bill 1996, An Act to amend the Family Provision Act 1969*, 1996, Legislative Assemb. Australian Cap. Terr., article 5, *domestic partner, domestic relationship, eligible partner, legal spouse and spouse.* Voir aussi les mêmes définitions dans *Administration and Probate (Amendment) Bill 1996, An Act to amend the Administration and Probate Act 1929*, 1996, Legislative Assemb. Australian Cap. Terr., article 8.

[77] Administration and Probate (Amendment) Bill 1996, article 10, modifiant l'article 45A de la loi, afin de prévoir qu'un partenaire admissible ayant vécu avec un *intestat* pendant une période de plus de cinq ans juste avant le décès obtiendrait la totalité de la part du conjoint, même à l'exclusion d'un conjoint survivant.

[78] *Property (Relationships) Legislation Amendment Act* 1999 (NGS).

[79] *Haig and Birch* v. *The Queen* (1991), 5 O.R. (3d) 245 (Div. gén. Ont.), le juge McDonald, conf. par (1992), 9 O.R. (3d) 495 (C.A. Ont.), les juges d'appel Lacourcière, Krever et McKinley.

[80] *Moore et Akerstrom* c. *La Reine*, [1996] C.R.H.D. n° 8 (TCDB), le président Norton et les commissaires Ellis et Sinclair, conf. par [1998] F.C.J. n° 1128 (QL : n° du greffe T-1677-96, T-954-97, 14 août 1998) (C.F. 1re inst.), le juge MacKay.

[81] *Vriend* c. *Alberta* (1998), 156 D.L.R. (4th) 385 (C.S.C.), les juges Cory et Iacobucci.

[82] *Rosenberg* c. *P. G. Canada* (1995), 127 D.L.R. (4th) 738, 25 O.R. (3d) 612 (Div. gén. Ont.), le juge Charron, rév. par [1998] O.J. No. 1627 (C .A.O.) (QL), les juges d'appel McKinley, Abella et Goudge.

[83] Dans *M.* c. *H.*, la Cour suprême a conclu qu'une définition élargie du mot « conjoint » et à caractère hétérosexuel en Ontario enfreignait les garanties d'égalité de la *Charte*. Dans l'affaire *Rosenberg* c. *Canada*, la Cour d'appel de l'Ontario a statué qu'en dépit d'une définition hétérosexuelle élargie du mot « conjoint » dans la *Loi de l'impôt sur le revenu* fédérale, les employés lesbiens et gais étaient, de par la Constitution, admissibles à choisir les options de survivants qu'offraient les régimes de retraite agréés de leur employeur. Dans *Moore et Akerstrom*, la Cour fédérale (section de première instance) a conclu que la proposition du gouvernement fédéral d'inscrire les employés lesbiens et gais dans des régimes d'avantages sociaux distincts était interdite d'un point de vue constitutionnel.

[84] *Loi de l'impôt sur le revenu*, par. 252(4), adopté avec effet pour l'année d'imposition 1993.

[85] Figure au paragraphe 248(1) de la *Loi de l'impôt sur le revenu*, modifiée par le projet de loi C-23.

[86] Voir *Miron* c. *Trudel*, (1995), 13 R.F.L. (4th) 1 (C.S.C.), qui a établi qu'on ne peut refuser aux couples de fait les droits revenant aux conjoints, et *M.* c. *H.*, qui a établi que l'on ne peut refuser aux couples lesbiens et gais les droits dont jouissent les cohabitants hétérosexuels.

[87] *Mossop*, Cour suprême du Canada, 1993. Voir aussi *Leshner*, Commission d'enquête de l'Ontario, 1992, affaire dans laquelle un tribunal a conclu qu'en vertu de la *Loi sur les droits de la personne de l'Ontario*, la discrimination fondée sur le fait de vivre dans une union lesbienne ou gaie ne constitue pas une discrimination fondée sur l'« état matrimonial ».

[88] À peu près à la même époque où la Suède a adopté la législation concernant les UDE, la plupart des dispositions du régime d'impôt sur le revenu de ce pays qui étaient fondées sur les unions adultes ont été abrogées. Aujourd'hui, le régime ne comporte presque aucune disposition fondée sur ces unions. Voir l'OCDE (1993). Voir aussi Lund-Andersen (1990).

[89] Statistique Canada, BD/MSPS, version 7.0, base de données personnalisée préparée pour cette étude. Cette base de données et ce modèle comprennent toutes les dispositions de la *Loi de l'impôt sur le revenu*, tous les programmes de transfert fédéraux et provinciaux, ainsi que la plupart des principales caractéristiques démographiques des individus, des couples et des familles, telles que recueillies par le recensement et les enquêtes sur les finances des consommateurs. Aucun programme fiscal ou de transfert important n'a été omis de cet outil.

[90] Le revenu consommable est le revenu total moins toutes les taxes et tous les impôts. Il est à distinguer du revenu disponible, qui est le revenu total moins les impôts sur le revenu fédéraux et provinciaux.

[91] Les crédits d'impôts pour le soin des personnes à charge non conjugales ne sont pas inclus dans cette analyse. Il ne s'agit pas de crédits qui sont accordés pour raison de conjugalité, et comme ils se limitent aux parents d'adultes à charge, les couples lesbiens ou gais n'ont pas de risque de les perdre lorsqu'ils sont réputés être des cohabitants en vertu du projet de loi C-23. Le crédit pour frais de préposé aux soins vaut 406 $ à l'échelon fédéral et peut être demandé par les personnes à charge gagnant un revenu de 11 661 $ ou moins; le crédit pour personne handicapée à charge vaut également 406 $ à l'échelon fédéral, mais il est réduit lorsque le revenu de la personne à charge excède 4 845 $ (2000).

[92] *Rosenberg* avait étendu aux couples lesbiens et gais les options de survivant que prévoient les régimes de pension de retraite; *Hodder* et *Fisk* avaient étendu les droits de survivant aux couples lesbiens et gais en vertu du Régime de pensions du Canada.

[93] La *Loi de l'impôt sur le revenu*, al. 6(1)*a*), n'impose pas de critères d'union à l'exclusion des régimes de prestations familiales financés par l'employeur de l'assiette fiscale; les al. 62(3)*a*)-*e*) permettent aux contribuables de déduire les frais de déménagement qui concernent n'importe quel membre de leur « ménage ».

[94] *Loi de l'impôt sur le revenu*, al. 118(1)*b*).

[95] Voir plus loin l'analyse de l'effet pénalisant de cette disposition.

[96] Voir, en général, Lahey (2001b).

[97] L'ouvrage de base dans ce domaine est Apps (1981). Voir aussi Boskin et Sheshinski (1983); Leuthold (1985); Briggs (1985); Apps (1999, surtout aux pages 448-449).

[98] Les caractéristiques de revenu élevé-bas sont celles où l'une des personnes a un revenu suffisamment élevé pour être en mesure de subvenir aux besoins du couple, et où le revenu de l'autre conjoint est suffisamment bas qu'il n'empêchera pas le conjoint à revenu élevé de profiter pleinement de ce crédit. Les caractéristiques de revenu unique sont celles où un seul conjoint gagne un revenu, et ce revenu est suffisamment important pour subvenir aux besoins des deux conjoints.

[99] Les chiffres présentés dans cette analyse traitent ce crédit comme s'il n'existait qu'à l'échelon fédéral. Cela n'est pas exact; il apparaît aussi dans le calcul de l'impôt provincial sur le revenu à payer. Voir la section « Problèmes fédéraux-provinciaux » dans ce chapitre, où l'on analyse la partie provinciale de ce crédit.

[100] *Loi de l'impôt sur le revenu*, art. 63.

[101] *Code criminel*, S.R.C. 1985, ch. C-46, par. 215(1)-(4).

[102] Voir *Poulter* c. *M.N.R.*, [1995] T.C.J. n° 228 (C.C.I.) (action n° 94-2119(IT)I, 16 mars 1995), le juge Christie. Voir aussi (Cour div. Ont., 30 juin 2000, appel en instance); *Rehberg* (1994) N.S.S.C.; *Walsh* v. *Bona*.

[103] *Loi de l'impôt sur le revenu*, par. 18(1) et 74(3), abrogés. La même règle s'appliquait à un salaire versé à une épouse par une société de personnes dont son époux était membre [par. 74(4)]. En outre, le ministre du Revenu national avait le pouvoir discrétionnaire de traiter la part des bénéfices d'une société de personnes revenant à l'épouse-associée comme appartenant à l'époux en vertu du par. 74(5).

[104] *Loi de l'impôt sur le revenu*, art. 67.

[105] (1973), 41 D.L.R. (3d) 367 (C.S.C.).

[106] Voir, par exemple, cette analyse de la question de savoir si une épouse d'agriculteur travaillait bel et bien pour son époux aux fins de l'art. 67.

[107] *Loi de l'impôt sur le revenu*, art. 251.

[108] *Loi sur l'assurance-emploi*, al. 5(2)(3)*b*).

[109] Cela est attribuable au fait que la *Loi sur l'assurance-emploi*, al. 5(2)(i) et par. 5(3), exclut les salaires que reçoivent les personnes avec lesquelles un employeur entretient un lien de dépendance, selon la définition des « gains assurables ». Les rapports de dépendance doivent être déterminées d'une manière conforme à l'alinéa 251(1)*a*) de la *Loi de l'impôt sur le revenu*, qui prescrit que « des personnes liées sont réputées avoir entre elles un lien de dépendance », et l'alinéa 251(2)*a*) qui prescrit que « sont des personnes liées entre elles des particuliers unis par les liens du sang, du mariage ou de l'adoption ». L'alinéa 251(2)*b*) étend le cercle des personnes liées pour englober les sociétés contrôlées par une personne liée ou un groupe lié. Le projet de loi C-23 a modifié ces définitions des unions afin d'inclure les couples lesbiens et gais.

[110] Voir, par exemple, *Cook* c. *MRN*, [1999] T.C.J., n° 15 (QL; dossier du greffe n° 97-375(AE), le 8 janvier 1999) (C.C.I.), le juge Cuddihy; *Garland* c. *MRN*, [1999] T.C.J. n° 73 (QL; dossier du greffe n° 97-477(AC), le 1ᵉʳ février 1999) (C.C.I.), le juge Cuddihy.

[111] Voir le *Régime de pensions du Canada*, L.R.C. (1985), ch. C-8, par. 2(1) « emploi exclus » et l'al. 6(2)*d*), incorporant par renvoi dans le RPC les règles relatives au lien de dépendance et les critères de déductibilité des salaires de la *Loi de l'impôt sur le revenu*.

[112] *Loi de l'impôt sur le revenu*, art. 54, résidence principale.

The Impact of Relationship Recognition
on Lesbian Women in Canada:
Still Separate and Only Somewhat "Equivalent"

Kathleen A. Lahey

Faculty of Law, Queen's University

The research and publication of this study were funded by Status of Women Canada's Policy Research Fund. This document expresses the views of the authors and does not necessarily represent the official policy of Status of Women Canada or the Government of Canada.

September 2001

Status of Women Canada is committed to ensuring that all research produced through the Policy Research Fund adheres to high methodological, ethical and professional standards. Specialists in the field anonymously review each paper and provide comments on:

- the accuracy, completeness and timeliness of the information presented;
- the extent to which the methodology used and the data collected support the analysis and recommendations; and
- the original contribution the report would make to existing work on this subject, and its usefulness to equality-seeking organizations, advocacy communities, government policy makers, researchers and other target audiences.

Status of Women Canada thanks those who contribute to this peer-review process.

Canadian Cataloguing in Publication Data

Lahey, Kathleen Ann

The impact of relationship recognition on lesbian women in Canada: still separate and only somewhat "equivalent"

Text in English and French on inverted pages.
Title on added t.p.: L'effet de la reconnaissance des unions sur les lesbiennes au Canada.
Includes bibliographical references.
Issued also on the Internet.

ISBN 0-662-65940-6
Cat. No. SW21-82/2001

1. Lesbians – Legal status, laws, etc. – Canada.
2. Homosexuality – Legal status, laws, etc. – Canada.
3. Lesbians – Taxation – Canada.
4. Lesbians – Government policy – Canada.
5. Sex discrimination against women – Canada.
I. Canada. Status of Women Canada.
II. Title.

KE4399.L33.2001   346.'7101'3   C2001-980222-6E

Project Manager: Vesna Radulovic, Status of Women Canada
Publishing Co-ordinator: Mary Trafford and Cathy Hallessey, Status of Women Canada
Editing and Layout: PMF Editorial Services Inc. / PMF Services de rédaction inc.
Translation: Université d'Ottawa, Centre de traduction et documentation juridiques
Comparative Read: Normand Bélair
Translation Co-ordinator: Monique Lefebvre, Status of Women Canada
Translation Quality Control: Serge Thériault

For more information contact:
Research Directorate
Status of Women Canada
123 Slater Street, 10th Floor
Ottawa, Ontario K1P 1H9
Telephone: (613) 995-7835
Facsimile: (613) 957-3359
TDD: (613) 996-1322
E-mail: research@swc-cfc.gc.ca

This document is also available for download on the Status of Women Canada Web site <http://www.swc-cfc.gc.ca/>.

ABSTRACT

This study evaluates the impact of relationship recognition on lesbian women as a class. Two main conclusions are reached. First, all statutes that recognize lesbian and gay relationships continue to discriminate against them in many ways. Second, extending spousal treatment to lesbian and gay couples for federal income taxation, social assistance and retirement programs will result in disproportionately higher taxes and reduced social benefits for those lesbian and gay couples with the lowest incomes. Using microsimulation, those new costs are projected to be in the order of $130 million to $155 million in 2000, while new fiscal benefits of relationship recognition are only about $10 million to $15 million.

These costs fall most heavily on lesbian women and on low-income gay couples. As women, lesbian women are heavily disadvantaged by their gender, and this disadvantage is further compounded by the effects of sexuality, race, disability, age and family responsibility. Using low-income cutoffs, family income concepts, the tax on marriage and presumed economies of scale to limit low-income assistance turns relationship recognition into a way to increase the total tax load on low-income couples.

The solutions recommended in this study include eliminating all remaining forms of discrimination in federal law on the basis of sexuality and shifting from the use of the couple as the basic unit of tax/transfer policy to the use of the individual as the basic policy unit. These steps, when combined with the extension of employee family benefits and tax provisions relating to non-conjugal couples, and the repeal of tax/transfer benefits for the support of economically dependent able-bodied adults, will eliminate much of the regressivity of the tax/transfer system at lower income levels. Enhancing the progressivity of the total tax system will further assist in improving the incidence of government penalties on low-income couples and households.

Recommendations for enhanced data collection, protection of human rights and law reform are also made.

TABLE OF CONTENTS

LIST OF FIGURES AND TABLES

PREFACE

Good public policy depends on good policy research. In recognition of this, Status of Women Canada instituted the Policy Research Fund in 1996. It supports independent policy research on issues linked to the public policy agenda and in need of gender-based analysis. Our objective is to enhance public debate on gender equality issues and to enable individuals, organizations, policy makers and policy analysts to participate more effectively in the development of policy.

The focus of the research may be on long-term, emerging policy issues or short-term, urgent policy issues that require an analysis of their gender implications. Funding is awarded through an open, competitive call for proposals. A non-governmental, external committee plays a key role in identifying policy research priorities, selecting research proposals for funding and evaluating the final reports.

This policy research paper was proposed and developed under a call for proposals in August 1998, entitled *The Intersection of Gender and Sexual Orientation: Implications of Policy Changes for Women in Lesbian Relationships*. The purpose of this call was to examine the implications, for women in lesbian relationships, of possible reforms which would bring government policy and programs into conformity with the recent court decisions requiring the inclusion of same-sex couples.

Status of Women Canada funded two research projects on this issue. The other project funded under this same call for proposals is entitled *Legal Recognition of Lesbian Couples: An Inalienable Right* by Irène Demczuk, Michèle Caron, Ruth Rose and Lyne Bouchard.

We thank all the researchers for their contribution to the public policy debate.

EXECUTIVE SUMMARY

This study evaluates the impact of relationship recognition on lesbian women as a class. Two main conclusions are reached. First, all statutes that recognize lesbian and gay relationships continue to discriminate against them in many ways. Second, extending spousal treatment to lesbian and gay couples for federal income taxation, social assistance and retirement programs will result in disproportionately higher taxes and reduced social benefits for those lesbian and gay couples with the lowest incomes. Using microsimulation, those new costs are projected to be in the order of $130 million to $155 million in 2000, while new fiscal benefits of relationship recognition are only about $10 million to $15 million.

These costs fall most heavily on lesbian women and on low-income gay couples. This is because, as women, lesbian women are heavily disadvantaged by their gender. The effects of sexuality, race, disability, age and family responsibility further compound this disadvantage. Using low-income cutoffs, family income concepts, the tax on marriage and presumed economies of scale to limit low-income assistance turns relationship recognition into a way to increase the total tax load on low-income couples.

The solutions recommended in this study include the following.

- Replace the "heterosexual presumption" in Canadian law with the presumption that all relationship provisions apply to all couples without regard to their sex, sexuality, gender identity or legal sex. This should be done through both judicial declaration and legislation.

- Repeal the marriage clause in federal Bill C-23 and the 1998 marriage motion.

- Extend the right to marry to all conjugal couples and offer all couples a meaningful choice between marriage and cohabitation.

- Extend all the rights and incidents of marriage to all couples who marry, without any distinctions as to the classification, form of union, registration, reporting or legal effects of the relationship.

- Extend all the rights and incidents of legally recognized cohabitation to all conjugal couples who satisfy the criteria without any distinctions as to sexuality, gender identity or legal sex.

- Replace the couple with the individual as the basic unit of tax and transfer policy. Provisions or penalties that disparately affect low-income individuals, couples or parents should be carefully restructured to eliminate these effects.

- Repeal all tax and direct subsidies for the support of economically dependent able-bodied adults.

- Replace couple-based income limits with individual income cutoffs.

- Eliminate all taxes on marriage.

- Extend single supplements to all adults in relevant legislation.

- Repeal benefit formulas that rely on economies of scale in calculating couple-based benefits.

- Avoid extension of couple-based provisions to non-conjugal relationships.

- However, extend employee benefits and tax exemptions for benefit plans to non-conjugal beneficiaries to equalize the distribution of benefits among single adults until an earned-income credit program can be implemented for two-earner households.

- Revise all conflict-of-interest criteria to make the existence of conflict a matter of factual non-arm's-length dealing instead of a matter of legal presumption.

Recommendations designed to improve the ability of the federal government to discharge its legislative obligations to lesbian, gay, bisexual, transgender, transsexual and two-spirited people and their families are also made.

- Collect data on all individuals, couples and families affected by sexuality or gender identity.

- Make these data available to researchers on an ongoing basis.

- Include couples affected by sexuality or gender identity in the scope of "marital status" discrimination in the federal *Human Rights Act*.

- Establish a commission to collect data, report to Parliament and make ongoing recommendations for reform in relation to sexuality and gender identity at the federal level for at least five years.

INTRODUCTION

The trend toward state recognition of lesbian and gay relationships has become well established in Canadian law. In the last two years, three jurisdictions have extended many spousal rights and responsibilities to lesbian and gay couples in omnibus legislation.[1] Several court challenges to the denial of marriage rights to lesbian and gay couples were filed in 2000.[2] The Dutch parliament is expected to permit lesbian and gay couples to marry in 2001,[3] and new relationship recognition legislation has begun to emerge elsewhere around the globe.[4] The net result is that increasing numbers of heterosexual and lesbian/gay couples are being treated as if they were spouses for purposes of state policy.

The omnibus extension of spousal treatment to unmarried couples has essentially been an exercise in formal equality. Unlike litigation, which has proceeded through challenges to selected discriminatory provisions and which has necessarily entailed substantive analysis of the merits of each individual case, omnibus legislation has taken a mechanical approach. In searching out terms, such as "spouse," in legislation and redefining them to include different- or same-sex cohabitants, omnibus reforms have placed greater emphasis on extending large numbers of provisions to cohabitants, and relatively little emphasis on the substantive merits of the provisions themselves. Indeed, in recent years, there has been no consideration at all of the continued use of the couple as the central unit of state social or legal policy.

This study assesses the impact of relationship recognition on lesbian women as a group. Lesbian women (and, where relevant, gay men) have been selected as the focus because of the unique status of lesbian women in Canadian society. Excluded from recognized family structures for much of Canada's history, yet long involved in waged labour as well as in forming relationships, raising children, and seeking social and economic security without the support of state family policies, lesbian women are markedly disadvantaged by their gender as well as by their sexuality. This study seeks to ascertain how legal reform that begins to treat lesbian women and gay men as full members of the human family affects them—both positively and negatively.

Early Policy Choices

The legal and political status of adult relationships is a fundamental element of Canadian social and economic policy. This has been evident for nearly a century. For example, when the first income tax act was introduced in Parliament in 1917, heated debate broke out immediately over whether the income tax system should treat all taxpayers equally, or whether special tax benefits should be given to married men.

This debate arose when the government decided that because households in Canadian society were so diverse, it was more appropriate to give all taxpayers generous individual exemptions instead of adopting structured dependency exemptions that would be available only to some taxpayers. As the Minister of Finance explained when introducing this feature of the *Income War Tax Act*:

> It would be unfair to base the distinction solely on the number of the members of a family, because there are many citizens who have not only children to take care of, but other dependents as well. [T]here are many citizens who have not only their own family to take care of, but also the family of a brother or a sister, or perhaps they have to look after an aged father or mother.[5]

This proposal was met with outrage. Members railed at the unfairness of placing single men and "spinsters with taxable income" in the same position as married men with children: "I think it is absolutely unfair to put the man with no children on the same footing as the father of a big family, with the children to feed and clothe and send to school, and so forth."[6]

Single men were described as "escaping too lightly"[7]; "spinsters" were assumed to have no dependants, and married women with no children were accused of being "free," of being able to choose to work for wages or "save a lot of disbursements" by working in the home.[8]

> We have some striking examples of unmarried men in this House. I am not in favour of encouraging a man to laxity in that regard, because I believe a man should get married, if possible, when he reaches a certain age. Of course, with some of them, it is not their fault.[9]

As the arguments piled up, the members became more and more incensed at the image of married men with all their dependants being treated the same as all these other groups. In the end, the government agreed to reduce the $3,000 individual exemption to $1,500 for taxpayers who were not married, and some consideration was given to raising the exemption to $4,000 for men with six or more children.[10]

Beginnings of Change

In the following decades, women—including lesbian women—became more visible in policy debates. The early women's movement drew attention to discrimination against women, and the involvement of women in war industries brought issues of women's economic autonomy and questions of lesbianism to the surface of public debate. In the postwar period, the renewed emphasis on women's domestic responsibilities placed pressure on politicians to enact various provisions designed to give government recognition and support to married couples.

Although growing attention was focussed on women's role as waged workers throughout this period, most legislative measures continued to be designed around women as wives and women as mothers. It is clear from the legislative record through the early 1950s that it was invariably assumed in both litigation and legislation that marriage was the fundamental unit of legal policy. Thus, married couples remained the primary focus of Canadian legal and social policy right up through the 1960s.

The late 1960s generated massive changes in the social policy landscape. The civil rights movement in the United States, the women's movement that erupted in the late 1960s and the Stonewall rebellion of 1969 in New York City all drew public attention to the legitimacy

of constructing legal and economic policy solely around single-income heterosexual married couples.

The year 1974 was key in this process in Canada. Early studies commissioned by the Advisory Council on the Status of Women (ACSW)—itself established on the recommendation of the Royal Commission on the Status of Women—brought the definition of "spouse" under close scrutiny at virtually the same moment that lesbian and gay activists began to demand that lesbian and gay relationships be recognized. In two studies by Henri Major (1974, 1975), the Advisory Council drew attention to the general lack of coherence in the law relating to non-married "common-law" spouses. These studies recommended that the criteria applied to women who claimed to be common-law spouses be simplified and that spousal benefits be extended to common-law wives in major government benefit schemes (They had been limited to veterans' pension benefits for war wives.)

At about the same time that the ACSW began to lobby for inclusion of common-law couples in the definition of "spouse," news that lesbian and gay couples had begun to apply for marriage licences surfaced in the media. The federal government quickly seized on the opening created by the ACSW recommendations as an opportunity to begin inserting "opposite-sex" definitions of "spouse" into statutes dealing with common-law relationships.[11]

By opening up the definition of "spouse" in this way in 1974 and 1975, the federal government made the first substantial move away from restricting federal benefits to married couples alone. This was a liberalizing move for heterosexual couples. However, it was simultaneously a regressive move from the perspective of lesbian and gay couples. Statutory definitions of marriage that had made no reference to gender or sexuality for most of the century had suddenly been turned into heterosexual-only provisions when they were amended to include cohabiting couples in the definition of "spouse" if they were "of the opposite sex."

At the same time that the federal government in Canada began to inject opposite-sex clauses into its legislation, courts in Canada and the United States began to close the door on lesbian and gay couples who sought to marry.[12] Thus, by the end of the 1970s, it appeared that there was no scope in Canadian law to recognize either lesbian or gay relationships. But at least the issue had been raised expressly for the first time in Canadian law.

Impact of the *Canadian Charter of Rights and Freedoms*

The *Canadian Charter of Rights and Freedoms* created new opportunities in the 1980s for lesbian and gay couples to seek legal recognition of their relationships. Although this struggle took over 15 years, it resulted in dramatic changes in the law.

The Charter equality provisions opened up the discourse surrounding the status of lesbian and gay couples in some unexpected ways. On the legislative level, the decision to eliminate sex-based distinctions from statutes and regulations resulted in replacing terms, such as "wife" or "husband," with gender-neutral terms, such as "spouse." Thus, "common-law wife" was replaced with formulations, such as "persons who cohabit." Keenly aware that such gender-

neutral terms no longer expressly excluded lesbian and gay couples, governments limited cohabitation definitions of "spouse" to couples "of the opposite sex." For example, in 1985, after being pressured to bring provincial statutes into line with the equality guarantees of section 15 of the Charter, Ontario added "sexual orientation" to its human rights code. However, it simultaneously amended the definition of "spouse" in the human rights code to include cohabitants but to exclude cohabitants "of the opposite sex."

The "opposite-sex" definition of recognized cohabitation was obviously designed to prevent lesbian and gay couples from using the new human rights "sexual orientation" clause to gain access to relationship recognition.[13] Opponents of the new "sexual orientation" clause had insisted that it would augur the destruction of the traditional family. Speaking for the government, Ian Scott, then Attorney General, reassured the legislature that these amendments were intended to protect only the personal or individual rights of lesbian women and gay men. He stated that "the government has no plans to redefine the family in Ontario legislation to include unmarried couples of the same sex."[14]

Section 15 of the Charter also provided a constitutional basis from which lesbian women and gay men could bring court challenges to denial of rights. Section 15 enabled lesbian women and gay men to challenge specific statutory provisions dealing with individual rights. This led to important decisions that interpreted human rights statutes as including sexual orientation clauses. Eventually, it resulted in court decisions that recognized lesbian and gay relationships in a variety of contexts.

Three key Supreme Court of Canada decisions supported this trend. In the 1995 decision in *Egan and Nesbit* v. *Canada*,[15] the Court concluded that the "opposite-sex" definition of "spouse" in old age security legislation violated the equality guarantees of section 15(1). Although the Court went on to refuse to invalidate the provision on the basis that excluding gay couples from this benefit scheme was "demonstrably justified" under section 1 of the Charter, the first part of the ruling sparked numerous other favourable rulings across the country. In 1998, the Court ruled in *Vriend* v. *Alberta*[16] that excluding "sexual orientation" from human rights provisions violates section 15 of the Charter and, in 1999, the Court ruled in *M.* v. *H.*[17] that the opposite-sex definition of "spouse" in Ontario's cohabitant support provisions unjustifiably violated section 15.

Legislative Responses to Charter Rulings

Between 1985 and 1997, few legislatures dealt with sexuality issues. Those that did merely added "sexual orientation" clauses to their human rights statutes. Only British Columbia and Ontario went beyond that by making changes to substantive statutory provisions. Ontario quietly extended consent to treatment and substituted consent legislation to lesbian and gay couples.[18] British Columbia amended several family law provisions to make them applicable to lesbian and gay couples.[19]

On the whole, these initial legislative changes were friendly in intention and form. However, they radically departed in form and content from the way in which courts had amended discriminatory legislation. Courts had removed opposite-sex clauses from expanded

definitions of "spouse," from statutes, whenever they could, resulting in the inclusion of lesbian and gay relationships in the general category of "spouse" as previously expanded to include "opposite-sex" cohabitants. In contrast, both Ontario and British Columbia created new statutory categories to which they assigned lesbian and gay couples. Ontario added the category of "partners of the same sex" to its consent legislation. While British Columbia added couples of "the same gender" to its expanded definitions of cohabitants deemed to be spouses, it did so by first recognizing the separate category of "same-gender" cohabitants, and then adding these couples to the general category of "spouse," instead of removing sexuality-specific language from these definitions altogether.

In retrospect, the creation of new categories for lesbian and gay couples does not appear to have been an accident. Some insight into the political pressures that resulted in the establishment of separate categories can be gleaned from the progress of Bill 167 through the Ontario legislature in the early 1990s. Originally drafted to add lesbian and gay couples to the definition of "spouse," Bill 167 was amended at the last minute after it came under heavy political attack to segregate lesbian and gay couples in a separate category of couples with less than full marital rights and responsibilities.

At the time Bill 167 was so radically altered, the government announced that it was going to adopt the European-style registered domestic partnership (RDP) model. This was a revealing announcement, for it is well known that RDPs do not extend full equality to lesbian and gay couples. In particular, they invariably prohibit the formation of families with children by denying adoption, custody or guardianship rights to lesbian and gay couples, and often deny other rights and responsibilities as well.

Even as altered, Bill 167 was nonetheless defeated. But it was an important moment in the gradual recognition of lesbian and gay relationships, because it foreshadowed the impact the growing political backlash would eventually have on the ultimate legal status of lesbian and gay relationships.

When the Supreme Court of Canada, in *M.* v. *H*, ordered Ontario to amend its definition of "spouse" in the cohabitant provisions of the *Family Law Act* to include lesbian and gay couples, the impact of this backlash on the growing judicial recognition of lesbian and gay couples became apparent. In March 2000, Ontario Bill 5 came into effect. This omnibus statute extended most of the provincial rights and responsibilities of married couples to lesbian and gay couples. However, it did so by creating a new segregated category of "same-sex partner" completely separate from the existing definition of "spouse" for married and cohabiting heterosexual couples. Thus, lesbian and gay couples have been given rights and responsibilities equivalent to those of married and cohabiting opposite-sex couples, but they gain access to them via the segregated legal category of "same-sex partner." This was done for the express purpose of continuing to reserve the traditional category of spouse for heterosexual couples, whether married or unmarried.

In June 2000, a similar pattern was followed when the B.C. government introduced another in a series of omnibus bills to recognize lesbian and gay relationships in most of the statutes

that had not yet been amended by earlier omnibus statutes. In all these statutes, the B.C. government has used separate terminology for lesbian and gay couples. And in June 2000, the federal government enacted Bill C-23, an omnibus bill that extends spousal rights and responsibilities to lesbian and gay couples by assigning them to the non-spousal category of "cohabitant."

Issues and Implications

This study assesses the implications of relationship recognition on lesbian women as a class (and on gay men). Two main implications are considered: the material impact of relationship recognition and the impact of the form of recognition.

The incomes and demographics of each lesbian family affect the material impact of relationship recognition. Where lesbian couples are recognized, they now qualify for the same benefits as heterosexual couples and are subject to the same responsibilities. In practice, however, only some lesbian couples are able to take advantage of spousal benefits, while others are actually penalized in ways they never had to face before. Material impact itself is affected by the incomes and opportunities available to lesbian women.

The form relationship recognition takes is important because the degree of integration or segregation from the population as a whole has administrative, social and emotional effects. When lesbian couples are included in the category "spouse," they are not segregated or separated out administratively or in legal theory. When they are considered to belong to separate legal categories such as "same-sex partners," they can be administratively cordoned off in governmental and non-governmental records, and their rights may not be protected to the same extent by human rights legislation as the rights of heterosexual couples. That is, not being "spouses" under some new statutory regimes, they cannot appeal to human rights commissions in the same way as heterosexual couples when they experience discrimination on the basis of marital or family status.

At this point in time, it is difficult to assess either type of impact with complete precision. Despite their growing recognition in law, lesbian women, gay men and their families are still not identified in government survey and census instruments. Thus, most of the tools of social and economic analysis that are routinely used in investigations, such as this, cannot be applied, except speculatively, to lesbian women. And on the legal issues, it is too early to predict how the courts will respond to the creation of segregated legal categories for lesbian and gay couples.

Plan of This Study

This report is constructed around a series of questions. Chapter 1 identifies the demographic characteristics of lesbian couples in Canada today. Using data from Canadian and U.S. sources, as well as a microsimulation database,[20] the incomes and other characteristics of lesbian and gay couples, as compared with each other and, to the extent possible, as compared with married and cohabiting heterosexual couples, are analyzed.

Beginning with demographic information is important. The material impact of relationship recognition on lesbian women is the product of the complex interaction of several factors:

- the distribution of incomes among women versus men;
- the impact of race on incomes;
- the distribution of incomes within lesbian couples;
- the degree of economic autonomy or dependency associated with lesbian couples;
- the specific rights and responsibilities arising from a given relationship recognition model;
- the mix of benefit/penalty provisions contained in the model; and
- the degree to which the model reflects differences in income levels in the delivery of benefits and penalties.

Women's incomes are much lower than men's incomes. Sexuality further affects women's incomes. Women who are racially identified and/or living with disabilities are additionally disadvantaged. Because lesbian women do not have access to the male economy in their conjugal relationships, they are disadvantaged by their sex *and* sexuality in income-earning potential. This demographic information forms the backdrop against which the impact of various models of relationship recognition on lesbian women is evaluated.

Chapter 2 surveys these relationship recognition models. At present, the models range from complete access to marriage (Netherlands) to the Vermont civil union model, quasi-marital models (New South Wales) and segregated models, such as Bill C-23, European RDPs and the French Civil Solidarity Pacts (PaCS). Although the specific mix of rights and responsibilities associated with each model is completely unique, they do have commonalities that make it possible to assess their overall structural impact on lesbian women. It is also possible to comment on the degree to which each type of model promotes the genuine equality of lesbian women when evaluated in light of constitutional equality criteria and with the status quo, in which lesbian women are treated as individuals, no matter how "coupled" they really are.

Chapter 3 takes a close look at the distributional impact of relationship recognition. This entails an examination of how incomes and other characteristics associated with sex, sexuality, race, relationship status and ability affect eligibility for relationship-based benefits. Because legal recognition of relationships does not invariably generate benefits, but sometimes results in the imposition of responsibilities or even penalties (such as the tax on marriage), these distributional effects are considered. Chapter 3 also looks at the probable revenue implications of recognizing lesbian relationships.

The policy recommendations in Chapter 4 bring together the two main considerations that have shaped the preceding analysis:

- the importance of promoting the genuine equality of all women in Canada, including lesbian women and women in lesbian relationships; and

- the importance of ensuring that relationship recognition laws do not differentially burden or benefit any class of people, whether by forcing them to be "outed," by setting up pressures to conform to dominant norms or by reinforcing hierarchies of privilege.

The main conclusion reached in Chapter 4 is that segregated forms of relationship recognition and relationship benefits and penalties that differentially disadvantage groups characterized by gender, sexuality, race and/or disability violate constitutional equality guarantees.

These solutions are threefold: eliminate segregated forms of relationship laws, open all forms of relationship recognition, including marriage, to all couples and shift away from relationships toward the individual as the basic focus of both benefit and penalty provisions. Chapter 4 concludes with detailed recommendations on how these three structural solutions should be implemented.

1. LESBIAN WOMEN IN CANADA:
DEMOGRAPHICS AND DISADVANTAGE

The decision to recognize lesbian and gay relationships in federal law is truly momentous. Federal law as amended by Bill C-23 affects all lesbian and gay couples across the country, as well as provincial legal policy where, for example, the provisions of the *Income Tax Act* are incorporated by reference into provincial income tax legislation.

Perhaps surprisingly, however, the impact of this major policy shift on lesbian women or gay men cannot be assessed with any precision, because the government has consistently refused to collect census or survey data on this sector of the population.[21] This chapter is devoted to developing a demographic profile of lesbian women, gay men and lesbian/gay couples that can be used to analyze the impact of alternative forms of relationship recognition on lesbian women.

As the material in this chapter demonstrates, many factors affect the status of lesbian women. Unlike gay men, lesbian women are significantly affected by sex discrimination. Thus, that forms the starting point for this analysis. Already disadvantaged by their sex, lesbian women are also affected by their sexuality, and by their lack of access to the "male" economy. Lesbian women may also be disadvantaged because of their race, ethnic origin, cultural identity and/or their physical/mental condition.

This chapter draws on material that illuminates the role each characteristic plays in constructing the disadvantage of lesbian women as a class. Building on Canadian data on women's and men's incomes, this chapter draws on Australian census data, U.S. survey and census data, extrapolations based on Canadian survey data and Canadian microsimulation studies to identify the main characteristics of lesbian women and gay men as classes. This material is presented at the outset to ensure that this study of the impact of relationship recognition on lesbian women takes the realities of lesbian existence into account as fully as possible, and explores the commonalities and differences between lesbian women and gay men as well.

Incomes and Gender

Some researchers consider lesbian women and gay men to be completely interchangeable from a policy perspective. However, there is some reason to believe that, at least from an economic perspective, lesbian women are perhaps more powerfully defined by their gender than by their sexuality, whereas gay men are more substantially affected by their sexuality.

Information about the income gap between women and men in Canada suggests it is an intractable problem and women's incomes remain markedly lower from men's. As Figure 1 indicates, from 1984 to 1995, women's average incomes tended to be in the $10,001 to $20,000 range, while men's average incomes were between $30,001 and $50,000 in equivalent years.

10

Figure 1 Total Income by Age, Sex, and Gender, 1984-1995

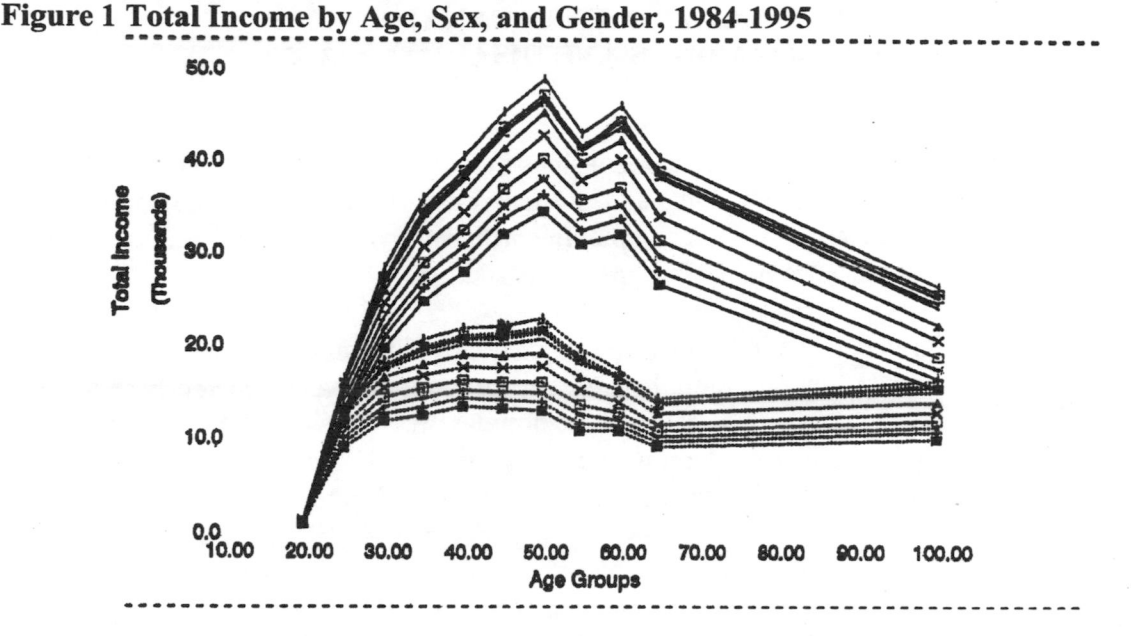

Source:
Social Policy Simulation Model and Database (SPSD/M) version 5.2, adjusted to years 1984-1995.

Whether the focus is on average incomes or on incomes by age, the gap between women and men's incomes remains so dramatic that it almost appears they inhabit two completely different economies.

This dual income pattern has several important implications for lesbian women. First, it suggests that lesbian women and gay men will have very different income levels, and that legal policy will not necessarily affect lesbian and gay couples in precisely the same ways. Second, it suggests that because lesbian couples will have two women's incomes and gay couples will have two men's incomes, lesbian and gay couples may also have different income patterns. Third, it suggests that because lesbian couples are the only couples that do not have access to male incomes, they may be uniquely disadvantaged in income terms when compared with all other couples.

Incomes and Sexuality

The collection of data on lesbian women and gay men poses special methodological problems. Even in jurisdictions that prohibit discrimination on the basis of sexuality, lesbian women and gay men are reluctant to reveal their sexual identities. This reluctance reflects the habits of self-protection associated with growing up and living in homophobic communities.

While younger lesbian women and gay men are less fearful of self-disclosure, they continue to display some of this lack of openness. Thus, research projects designed to measure the size of lesbian and gay populations have reported figures that range as low as one percent and as high as 20 percent. Factors affecting the degree of disclosure to researchers include the definition of sexuality used in the research project, the time frame covered by the questions and the research methodology.[22]

The difficulties of measuring lesbian and gay populations mean there is little valid data on the incomes and other characteristics of lesbian women and gay men. Because of the way census data are collected, there are more useful data on lesbian and gay couples than on lesbian or gay individuals. This is probably because sexuality can be inferred from the sex of non-married cohabitants in the context of some census questions, whereas no census instrument has yet included questions on the sexuality of unattached individuals.

As discussed below, Australia actually included a question on de facto couples in its 1996 census forms. This has facilitated identification of two-woman or two-man households where the adults are involved in a conjugal relationship. Similar data have been developed in the United States using census data that report the sex of cohabitants. While similar data were collected in the 1996 Canadian census, officials have refused to release these data, necessitating the creation of other research methodologies. However, general trends observable in Australian and U.S. data help frame research hypotheses to be used in the Canadian context.

Australian Census Data

The Australian Bureau of Statistics included questions relating to lesbian and gay couples under the category of "de facto couples" in the 1996 census. Over 10,000 couples were identified in this way. Around 11 percent of those couples did not provide complete income information, but the incomes reported by the remaining 88 percent bear out the hypothesis that lesbian couples generally have lower incomes than gay couples.[23]

Some 42 percent of all the de facto couples of the same sex, who identified themselves in the 1996 census, were lesbian. If the distribution of incomes between lesbian couples and gay couples was not affected by sex, one would expect that 42 percent of all same-sex couples in each income bracket would be lesbian. This is not borne out by the data.

As Table 1 demonstrates, lesbian couples are markedly overrepresented at the lower income levels. None of the couples in the lowest income bracket comprised gay men; 100 percent were lesbian women. In the second bracket, the balance shifted, with 40 percent of the couples in that bracket being gay men and 60 percent being lesbian women. Compared with the representation in the overall population of couples surveyed, this means that lesbian women were overrepresented in the lower income brackets by some 18 percentage points, and that gay men were underrepresented.

In the middle brackets, lesbian women were sometimes proportionately represented and sometimes slightly overrepresented, but over two thirds of the couples in the highest income categories were underrepresented at the higher income levels. This pattern is consistent with women's access to moderate-low incomes in split wage economies, such as Canada's, and suggests that most of the couples in those middle brackets probably had two income earners. But because women cannot achieve the income levels associated with men, their representation in the highest income brackets falls off sharply because, even doubled, women's incomes will not, on average, match either the highest men's incomes or doubled men's incomes. Some 14 percent of all couples fell into this highest income bracket.

Table 1. Family Incomes of Lesbian and Gay Couples, Australia, 1996

Income (weekly) $	Number of Couples in Income Bracket	Lesbian Couples as % of All Couples in Income Bracket	Gay Couples as % of All Couples in Income Bracket
1-119	9	100	0
120-159	15	60	40
160-299	245	43	57
300-499	745	50	50
500-799	1,409	47	53
800-1,199	2,340	42	58
1,200-1,499	1,454	42	58
1,500-1,999	1,517	43	57
2,000 and over	1,278	31	69
Total	9,069	42	58

Source:
Australian Bureau of Statistics, (1997, Table 1, at 18).

United States Data

Research in the United States suggests that sexuality generally has a negative effect on individual and couple incomes of both lesbian women and gay men. An early study demonstrated that three factors—sex, sexuality and marital status—interact to produce income hierarchies in which married women have the lowest incomes and married men have the highest. While women's average incomes are all markedly lower than average incomes of men, cohabiting heterosexual and lesbian women did have higher incomes than married women, while gay men had the lowest individual male incomes (Blumstein and Schwartz 1983: 598, Table 9).

More recent research has confirmed this pattern. In a multivariate regression analysis of survey data, Lee Badgett used the General Social Survey conducted by the National Opinion Research Center to carry out a multivariate regression analysis of the effect of sexual activity on incomes.[24] As summarized in Table 2, she found that heterosexual men had the highest incomes, followed by gay/bisexual men, heterosexual women and lesbian/bisexual women, in that order.

Badgett concluded that the income penalty for gay or bisexual men could be as much as 24.4 percent, and increased to as much as 26.7 percent when occupation variables were included. However, she also concluded that because lesbian women were so disadvantaged in income terms because of their sex, discrimination on the basis of sexuality had far less effect. Nonetheless, lesbian women's earnings were lower when expressed as a percentage of gay/bisexual men's earnings (57 percent), while heterosexual women's earnings were higher when expressed as a percentage of heterosexual men's earnings (64.8 percent). This suggests that the earnings of lesbian women are negatively affected by both sex and sexuality.

Table 2: Incomes by Sexual Behaviour, United States, 1989-1991

	Lesbian/Bisexual	Heterosexual Women	Gay/Bisexual	Heterosexual Men
Annual earnings	$15,056	$18,341	$26,321	$28,312
$0-$9,999	29.4%	21.2%	10.6%	8.8%
$10,000-$19,999	35.3%	36.2%	29.8%	22.5%
$20,000-$29,999	29.4%	25.8%	21.3%	26.2%
$30,000-$39,999	5.9%	12.0%	17.0%	19.4%
$40,000-$49,000	0.0%	4.7%	21.3%	23.1%

Source:
Badgett (1995: 726, 734).

Although the U.S. census does not collect information on sexuality, data on the sex of "unmarried partners" has made it possible for researchers to analyze incomes of lesbian and gay couples who reported their relationships in this manner. Marieka M. Klawitter and Victor Flatt (1995) used the 1990 census data to analyze the income levels and race/gender composition of same-sex couples. Summarized in Table 3, their findings are similar to Badgett's, with married and gay couples receiving the highest household incomes, followed by unmarried heterosexual couples and then by lesbian couples.

Table 3. Predicted Earnings Differences by Couple Type, United States, 1990

	Lesbian Couple $	Gay Couple $	Cohabiting Heterosexual $	Married Heterosexual $
Household income	37,754	45,777	41,530	46,721
Individual men's incomes	--	18,462	18,213	24,450
Individual women's incomes	15,823	--	10,611	9,866

Source:
Calculated from data in Klawitter and Flatt (1995, tables 2 and 4, using "private employment" lines).

It is worth emphasizing that only the Blumstein-Schwartz study was deliberately designed to produce valid data on incomes by sex, sexuality and type of relationship. The findings in the other two studies were based on partial data sets. While providing insight into the possible income effects of sex, sexuality and type of relationship, the results remain partial because none of the governmental instruments used to collect the data was deliberately fashioned to produce valid and representative data on these points.[25]

These data are not comparable with each other, cannot always be used to make comparisons with heterosexual couples and leave identification of probable individual incomes somewhat speculative. However, all these studies do support the hypothesis that the interaction of sex, sexuality and type of relationship generates income hierarchies in which married couples

consistently receive the highest incomes and lesbian couples the lowest. While lesbian women's incomes are slightly higher than the incomes of married and heterosexual cohabiting couples, they still remain markedly lower than all men's incomes, which explains why lesbian couples' incomes remain the lowest of all couple incomes.

Canadian Data

There are no direct Canadian data on lesbian women and gay men. Existing survey data are univariate, and no representative national samples have been developed. Statistics Canada has consistently refused to include questions on sexuality in the census forms, although it has been included in the 2001 census. Unlike Australia and the United States, which have published data on lesbian and gay couples identifying themselves in the cohabiting categories, Canada has refused to publish its test data or the admittedly incomplete responses of some lesbian and gay couples who did identify themselves as "other" in the 1996 census. In any event, these data would relate only to couples, not to individuals.[26] Until Statistics Canada does collect national data on sexuality, data on lesbian and gay couples can be collected only indirectly and on a very speculative basis. One method involves identifying two-adult, non-family, same-sex pairs in census or survey data who may be lesbian or gay. The other method involves using microsimulation to construct potential populations of lesbian and gay couples for analytic purposes. Neither method deals directly with known lesbian and gay couples, because there is nothing in either type of database to suggest which two-adult, non-family pairs of the same sex are actually lesbian or gay, or intimately involved with each other. However, studies using this methodology can identify rough trends and issues and, in the case of microsimulation studies, make it possible to analyze the impact of complex factors on the distribution of government benefits and penalties.

Three studies have produced income data on the class of same-sex pairs. One was carried out by the Department of Finance for use by the Department of Justice when representing the government in litigation. This study used data on same-sex pairs in the 1990 Statistics Canada Survey of Consumer Finances to project data on probable lesbian and gay couples. For purposes of this research project, this methodology was repeated at Queen's University using the Survey of Consumer Finances, adjusted to 1996. The third study used the Statistics Canada Social Policy Simulation Model and Database, adjusted to 2000, to identify two-adult, non-family pairs. The results of these studies are summarized below.

Department of Finance study

In this study, all two-adult households containing unrelated adults of the same sex in a sample of 39,000 households were identified. (Full-time students were excluded.) The resulting figures were then used to project that there were approximately 134,700 same-sex couples in Canada in 1994 (about 1.6 percent of all households with more than one person). These data were used to model detailed characteristics of these households to project the probable distributional and revenue implications of recognizing lesbian and gay couples for income taxation purposes.[27]

Table 4. Adult Pairs of Same Sex by Number of Earners, Household Income, 1994

Total Household Income $	Single Income	Two Incomes	Total	% in Bracket
Under 10,000	1,100	--	1,100	1
10,001-20,000	2,800	2,400	5,200	4
20,001-30,000	1,700	11,500	13,200	10
30,001-40,000	1,700	15,100	16,800	12
40,001-50,000	700	18,500	19,200	14
50,001-75,000	1,200	43,000	44,100	33
Over 75,000	--	35,000	34,900	26
Total households	9,200	125,500	134,700	
Average household Income	27,850	63,070	60,670	
Percentage of all couples	6.8	93.2	100	100

Source:
Affidavit of Albert Wakkary, filed in *Rosenberg* v. *The Queen* (Ont. Gen. Div., Court File No. 79885/94) (sworn June 2, 1994), Exhibit B, Table 2.

These data have limited utility. They are highly speculative. The same-sex adult pairs identified in this study are not necessarily lesbian or gay. They may be friends, roommates, distant relatives or people who have decided to live together for a variety of reasons. There is nothing in the survey data that makes it possible to identify the sexuality of the pairs.

These data are not easily comparable, because comparable data for heterosexual couple earnings were not developed. Nor do they break pairs down by sex. They do separate out the single-income pairs from the two-income pairs and present the findings by income brackets. However, the data cannot be used to project the impact of sex and sexuality together on income distributions.

These data are useful because they give some insight into the relative number of pairs that have one income versus two. However, the suggestion that average household incomes are around $60,000 is somewhat high.

Queen's analysis of survey data
To fill in some of the missing comparisons and breakdowns, the Department of Finance study was replicated with data from the 1996 Survey of Consumer Finances. The households selected for this Queen's University study consisted of all households with two adults of the same sex who were not related by blood, marriage or adoption.[28] Pairs of students were removed from the file, as were pairs in which extreme age differences or occupation codes suggested that it was quite unlikely that the pairs were potential lesbian or gay couples.

A total of 843 household records were selected for use in constructing the database used in the Queen's analysis. These 843 households represent 363,196 individuals, or 2.8 percent of

the entire adult population. All selected households were classified as to sex: 63 percent were male, 37 percent were female.

These pairs were selected not because they are lesbian and gay couples, but because it is safe to assume that most lesbian and gay cohabitants fall within this overall population. Actual lesbian and gay couples cannot be separated out from non-lesbian or gay pairs in any way. Nor are they necessarily evenly distributed among the income classes used in this study. However, this is the most realistic way of getting some sense of how incomes of this part of the population may also be affected by sex.

Table 5 summarizes the distribution of income among these households by income bracket and by sex. The overall distribution of income among this population is substantially lower than that found in the Department of Finance study. In the Queen's analysis of 1996 Survey of Consumer Finance data, 29.4 percent of all incomes by household fell below $30,000. In the Department of Finance 1994 Survey of Consumer Finance study, only 15 percent fell below $30,000. In the middle-income brackets, the distribution was consistently higher in the Department of Finance study, and there was another substantial divergence in incomes over $50,000. The Queen's study found only 49 percent of the class above that level, whereas the Finance study found 59 percent representation at that level. This divergence is evenly spread through the brackets above $50,000.

Table 5. Same-Sex Pair Income by Sex, Survey of Consumer Finances, 1996

Total Household Income $	Male Households %	Female Households %	Total %
0-10,000	2.2	0.5	2.7
10,001-20,000	3.5	5.5	9.1
20,001-30,000	10.4	7.1	17.6
30,001-40,000	5.2	5.3	0.5
40,001-50,000	9.1	4.2	13.3
50,001-60,000	11.4	4.3	15.8
60,001-70,000	5.0	2.5	7.5
70,001-80,000	5.0	3.9	8.9
80,001-90,000	5.4	0.9	6.2
90,001-100,000	2.0	0.5	2.4
Over 100,000	4.5	1.5	6.0
Total	63.7	36.3	100

Source:
Compiled using the combined database composed of the individual, census family and key files from Statistics Canada (1997b).

The Queen's findings are more consistent with the Australian and U.S. data summarized earlier in this section.

The Queen's study categorized these same-sex pairs by sex as well as by incomes. While the two-male and two-female households identified in this way have similar income profiles, female pairs are substantially overrepresented in lower-income brackets. Approximately 36 percent of all female pairs have less than $30,000 in total household income, and about 62 percent have less than $50,000. Only some 25 percent of male pair incomes falls below $30,000, and around 47 percent falls below $50,000.

Further analysis of this database revealed that this sex-based pattern is borne out whether there are children in the household or not. Average household income for female households is less than that for males with and without children present. The database containing same-sex adult pairs that was constructed using the Statistics Canada Social Policy Simulation Model and Database (SPSD/M) also suggests that the incomes of potential lesbian couples are lower than those of potential gay couples.[29]

Incomes and Race

Race is another factor that has a marked influence on income levels at both the individual and the couple level. It was not possible to code race into the data set used in this study. However, the information in Table 6 suggests that lesbian women or gay men who are racially identified will experience more income disadvantage than non-identified individuals. The effects of racism on income levels would be predicted to affect couple-based incomes as well.

The growing literature on the relationship between income tax policy and race in the United States has demonstrated that there are numerous income tax provisions that disparately affect people of colour. This disparity is primarily due to the impact of race on incomes of both individuals and couples.

The income tax provisions that have a disparate impact include the imposition of the "marriage penalty" generated by the different tax rates applied to single and married people, the large number of tax benefits given to those who own various forms of property, and joint filing, which is not available to couples who cannot afford to live on a single income.[30] Family-based, low-income cutoffs for various forms of social assistance will also tend to discriminate against two-income couples and, over time, place pressure on low-income mothers or custodial parents to live alone in order to qualify for maximum state-funded benefits.

Those who are both sexually and racially identified would probably be affected even more severely by such provisions.

Table 6. Average Incomes by Race and Gender, 1990-1995

Race/Ethnic Identity	Men $	Women $
Southeast Asian	24,233	16,794
Filipino	24,771	20,145
Arab/West Asian	26,401	16,964
Latin American	21,254	14,461
Japanese	41,254	20,202
Korean	24,548	16,976
Chinese	27,815	20,046
South Asian	29,435	18,952
Black	25,410	20,345
All the above combined	27,933	19,204
First Nations/on reserve	14,711	13,447
First Nations/off reserve	22,144	15,559

Source:
Statistics Canada (1996).

Incomes and Disability

The continued omission of sexuality from census and survey data means there are no data in Canada that would illuminate the combined impact of disability and sexuality on incomes. However, the impact of disability on incomes is well documented and, certainly, women who are classified as disabled have markedly lower incomes than men who are disabled. Those who are disadvantaged by disability as well as by sexuality are likely to have lower-than-average incomes when compared with other individuals of their sex. Thus, lesbian couples who are disabled would be likely to have incomes lower than average lesbian couples.

Table 7. Average Incomes by Disability and Gender, 1996

Ability Status	Men $	Women $
Able-bodied	30,000	18,008
Disabled	22,129	13,425

Source:
Ministers Responsible for Social Services (1998-99).

People with low incomes are unlikely to engage in the types of behaviours that attract the largest tax benefits. For example, women with a disability, with average incomes of $13,425, are unlikely to be able to support both themselves and another woman. Thus, they would not be able to take advantage of the married tax credit that can be claimed by taxpayers supporting an economically dependent spouse. For this reason, it is likely that income tax and transfer programs will have a disparate negative impact on people characterized by disability and sexuality.

Conclusions

It is commonly accepted that governmental regulatory and fiscal structures should be neutral and fair in their impact on behaviour. When demographic characteristics, such as sex, sexuality, race and/or disability, are known to produce differential incomes, responsible policy formation requires that the impact of major changes in social and economic policy on those groups be considered carefully.

When the goal of new relationship recognition legislation is to ameliorate conditions of disadvantage flowing from patterns of historical discrimination, it is particularly important to note how such changes affect various members of that population. As this review of the available data has demonstrated, the incomes of people characterized by their sexuality are also affected by their sex, relationship status, perceived race, responsibility for children, and physical or mental ability.

Gender, Race and Ability
Women's incomes are markedly lower than men's, whether they are examined over the life cycle, by level of education, by occupation group, or on regional or national averages. Race correlates with lower lifetime and average incomes across variables of education or occupation. Physical or mental disability also predicts greater poverty.

Sexuality and Relationship Status
Married couples have the highest household incomes of all couples. Gay men have lower incomes than heterosexual men, but when their incomes are doubled, they have household incomes comparable to those of heterosexual couples. Non-married cohabiting women have higher incomes than married women, but cohabiting men have lower incomes than married men. Lesbian women's incomes tend to cluster at about the same or somewhat higher level as cohabiting women's, but lesbian households have the lowest incomes of all categories of households.

Race and Relationship Status
The average incomes of racially identified persons are generally lower than those who are not racially identified (predominantly people of European origins). Not only are there wide divergences in average incomes by ethnic origin/race, but there are wide divergences by gender as well. Generally, the gap between women and men's average incomes is smaller and, for some groups, women's incomes are relatively less depressed than men's when compared with national averages. Thus racially identified married couples' household incomes are, on average, much lower than those of married couples who are not racially identified. To state this finding in another way, the benefit of having access to male incomes is much smaller in this category.

Disability and Relationship Status
Similar patterns are to be expected in relation to individuals with a disability. All adults with disabilities receive lower incomes than those without a disability. Women with a disability are far more disadvantaged than men with a disability, in terms of incomes. In this class of

couples, then, the advantages of having access to male incomes are blunted by the effects of disability.

The realities of lesbian and gay existences are not neutral because of the non-neutral effects of sexuality and, in the case of lesbian women, gender on their incomes, needs, resources and responsibilities. These realities become even less neutral when lesbian women or gay men are also racially identified or have a disability, or both.

It is important to keep the income effects of sexuality, gender, race and disability in mind when assessing alternative forms of relationship recognition on lesbian women and gay men. Tax/transfer policy is not neutral in its impact on low-income couples. The trend toward imposing the full fiscal burdens of relationship recognition on lesbian and gay couples, while continuing to withhold many of the benefits of couple status, can be expected to intensify the overall disadvantage of lesbian and gay couples.

Patterns of benefits and burdens imposed in new forms of relationship recognition that have emerged over the last decade are canvassed in the next chapter.

2. EMERGING FORMS OF RELATIONSHIP RECOGNITION: SEPARATE BUT SOMEWHAT "EQUIVALENT"

Until legal policy began to address the status of lesbian and gay couples, only two types of relationships between adults were recognized in Canadian law: marriage and cohabitation. Most of the thinking, to date, about how lesbian and gay relationships should be recognized has centred on two issues: whether lesbian and gay couples should be given access to either married or cohabitant status, and how parent–child relationships are recognized within lesbian and gay families. This study is concerned with the impact of alternative forms of relationship recognition on lesbian women, but the parent–child relationship is also important, for lesbian and gay couples often form families and are members of families themselves.

The first part of this chapter outlines the basic legal differences between single status, marriage and cohabitation in Canadian law. Next, the extent to which judicial and statutory methods of recognizing lesbian and gay relationships can be considered to be "equal' is examined. The methodological advantages of judicial recognition over statutory recognition are outlined, as are the various forms of discrimination inevitably built into statutory provisions.

The third part takes a closer look at new federal Bill C-23, which has assigned lesbian and gay couples to a new category in federal law labelled "common-law partners." The impact of the mix of rights, responsibilities, benefits and burdens that flow from Bill C-23, on lesbian women particularly and on queer couples more generally, is considered from the perspective of constitutional equality doctrine and from the perspective of how the legislation differentially affects lesbian women as a class. The interface between federal and provincial law is included in this analysis, because changes in federal law have implications for provincial tax and family property law.

The main conclusion emerging from this analysis is that, while lesbian and gay couples are now expected to bear the same burdens and responsibilities as other couples in Canada, they continue to experience unique and significant forms of discrimination in federal law. This is primarily due to the fact that the role of the state in recognizing adult relationships is still very much the product of 19th- and 20th-century values that treat male-headed, single-income, heterosexual marriage as the basic unit of social organization to be supported and promoted in federal law.

Like all non-voluntary laws that extend spousal treatment to lesbian and gay relationships, Bill C-23 requires lesbian and gay cohabitants to pay the same price for relationship recognition as all other couples, but federal and provincial laws continue to deny them the full benefits of recognition. Indeed, as explored in this chapter and as documented in statistical form in Chapter 3, the way federal relationship benefit/burden policy operates ensures that, because of lower average incomes, the burdens of relationship recognition fall more heavily on lesbian and gay couples than on married or cohabiting heterosexual couples, and most heavily on queer couples affected by race, female sex, disability and/or parental responsibilities.

Because Bill C-23 continues to deny lesbian and gay couples equal rights, it can best be described as creating a class of couples who are separate but somewhat equivalent to unmarried heterosexual cohabitants.

Individuals, Married Couples and Cohabitants

Although it seems to be taken for granted in North American legal discourse that married people ought to have special rights and responsibilities, this has not always been the case, nor is it true everywhere. In egalitarian societies, property ownership tended to be collective, devolution of property reflected the primacy of collective interests, and the smallest observable unit of social and economic organization often focussed on the mother–child unit. Over time, egalitarian social organization has been displaced, to a great extent, by patrifocal organization. Thus, by the late Roman Empire when the outlines of contemporary property law first emerged, property ownership became vested in individual men of the citizen class. The political and legal prerogatives that gave shape to the emerging state were also concentrated exclusively in the hands of male citizens, making it possible for ruling classes to maintain political and economic control over a growing geographic area and diverse population.

Individuals

Individuals emerged in European legal discourse in contradistinction to kin-based collectivities. As reflected in Roman civil law, one of the earliest legal systems to define and organize rights and prerogatives at the level of the individual, the legal rights and status of the individual were shaped around the political and legal prerogatives of male citizens in Roman law.

Although the right to own property, enter into contracts, hold public office, consent to marriage, have custody of children, utilize the courts, establish a domicile and be considered a citizen were initially available only to male citizens, in North American legal discourse, all individuals possess these fundamental civil and political rights. Indeed, the language of section 15(1) of the *Canadian Charter of Rights and Freedoms* clearly confirms that it is the individual who holds rights in Canadian society, and that the principle of equality extends to all individuals, notwithstanding previously incapacitating characteristics such as sex, race or disability.[31]

This point is made to emphasize that while all people are considered individuals and, therefore, legal persons in Canada today, this concept originally was not neutral, but was designed to create and maintain hierarchies of privilege and power.

The individual is now considered the basic unit of society. While the term "individual" is often counterpoised against more collective terms, it is useful to remember that expectations around the legal status of individuals themselves have been shaped by the political and legal status of males in Euro-Canadian society generally.

Marriage

The rights and responsibilities associated with marriage likewise can be traced to hierarchical Roman law. Marriage has not always had legal significance. Forms of marriage have often

existed without any legal status whatsoever. Inheritance and tax laws that focussed directly on married couples were designed to promote heterosexual marriage over male–male relationships. Thus, the Julian laws of the Roman Empire penalized men who did not give or bequeath their property to their children, and penalized women who did not marry and have at least three children.[32] Sometimes, seen as essentially moralistic in purpose, such laws maintained the wealth and political power of the citizen class by regulating marital and property transactions.

From a fiscal perspective, these laws are not unlike many of those of the modern state. Such provisions subsidize heterosexual marriage, women's reproduction and family bequests by penalizing those who choose to behave as individuals. Indeed, when viewed from this perspective, it can be seen that the purpose of special property rights and tax benefits for married couples is to shift economic power from those who act as individuals to those who act as heterosexual married couples.

Similar objectives have produced a legal structure in which, in Canada, certain rights and responsibilities are reserved for married couples only. Many of these rights and responsibilities have been extended to conjugal cohabitants as well, but until the 1990s, all relationship rights and responsibilities continued to be denied to lesbian and gay couples. To the present day, lesbian and gay couples have no access to any of the rights reserved strictly for married couples. At best, lesbian and gay couples have only partial access to cohabitant rights.[33]

The special rights reserved almost exclusively for married people in Canadian law are generally as follows:

- presumptive 50 percent interest in the matrimonial home;
- prohibition on encumbering or alienating the matrimonial home without the written consent of the other spouse;
- presumptive 50 percent interest in the remainder of the matrimonial estate;
- rights to possession of the matrimonial home without regard to which spouse holds actual legal title to the property;
- rights to share of accumulated pension credits;
- surviving spouse's right to a forced share of assets owned by deceased spouse no matter what the decedent's will provides;
- a surviving spouse's right to elect whether to take the family law share of net family estate, gifts under will or forced share on intestacy on the death of the other spouse;
- a surviving spouse's right to act as the personal representative of the deceased spouse;
- a surviving spouse's right to apply for dependant's relief against the estate of the deceased spouse;
- income tax provisions that extend tax-exempt status to the above types of transactions;

- many other types of taxes that create exemptions only for married couples (e.g., exemptions from land transfer taxes, tax deductions for contributions to Ontario registered home ownership savings plans, eligibility for the Ontario guaranteed annual income);

- presumptions of parentage that flow, in many jurisdictions, from the fact of marriage notwithstanding actual biological connections to children; and

- orders for exclusive possession of the matrimonial home.

These particular rights and responsibilities are almost universally reserved for married couples in Canada. Three law reform commissions have recommended that some of these property rights be extended to heterosexual cohabitants[34] but, so far, only one court and three legislatures have taken that step.[35]

Beyond these core incidents of marriage, the remainder of the rights and responsibilities assigned to married people varies a great deal from jurisdiction to jurisdiction. Appendix tables A-1 through A-5 illustrate the wide range of additional marital rights and responsibilities found in federal, Ontario, Quebec and British Columbia statutes. The biggest difference is between federal legislation and provincial/territorial legislation. This is due to the fact that federal legislative authority is quite distinct from provincial/territorial legislative authority. Generally, these additional marital rights and responsibilities relate to the public law areas of public pensions, benefits, taxation, conflict of interest and social assistance.

Heterosexual Cohabitation
In a sense, heterosexual cohabitation lies along a continuum between individual versus married status. This is true of every jurisdiction in Canada, for every jurisdiction now recognizes heterosexual cohabitation for at least some purposes.

The legal incidents that lie along this continuum between single and married status are not unique to cohabitation. No legal rights or responsibilities have been crafted to meet the special needs of cohabitants. Instead, cohabitant status is a mixture of the legal incidents of single and married status. For example, in Ontario, opposite-sex cohabitants are treated as if they were individuals for purposes of domestic property law and inheritance, but they are treated as if they were married—indeed, are deemed to be spouses—for purposes of child support, presumptions of parentage and human rights complaints.

From a policy perspective, the hundreds of rights and responsibilities associated with heterosexual marriage in each jurisdiction continue to set the standard of relationship recognition. As non-marital relationships have come to be recognized, policy formation has tended to proceed by deciding which of those hundreds of incidents will be extended to other types of relationships. This is an all-or-nothing choice, because there are only two possible choices that can be made in relation to each specific marital provision: extend it to some or all non-married couples, or do not extend it.

This all-or-nothing method of creating new policy arises from the fact that in legal discourse, people are seen either as spouses—actually married or deemed to be married—or as single

individuals whose adult relationships have no legal significance. Unlike policy relating to adult–child relationships (which, in some contexts, looks at factual matters, such as whether the adult lives with the child, the extent to which the child has functionally moved into adulthood and whether the adult wholly or partially supports the child alone or with another adult), legal policy in relation to adult relationships offers only two choices: either the relationship is sufficiently like marriage in relation to some particular element of legal doctrine to be treated the same as marriage, or it is not.

Lesbian and Gay Couples

Until just 12 years ago, lesbian and gay relationships were not recognized in Canadian law at all. No matter how long-term, exclusive, committed, supportive or inter-dependent a queer relationship might be, the partners in that relationship were treated as if they were unrelated individuals—strangers in law.

Transgender, lesbian and gay partners first attempted to break out of that enforced individual status by marrying. Gay couples who sued to obtain marriage licences failed,[36] and marriages involving transgender partners who had not legally changed their sex were, when challenged, treated as legal nullities by the judiciary.[37] Thus, the judiciary closed the route to relationship recognition via formal marriage. New challenges, begun in 2000, may eventually change this, but for the moment, it remains closed.

Legal recognition of lesbian and gay relationships has, however been achieved to some extent by challenging the exclusion of lesbian and gay individuals from opposite-sex cohabitant provisions. Thus, lesbian and gay couples now fall along the continuum between individual and married status in some jurisdictions. However, they generally have far less legal recognition than opposite-sex cohabitants, and no jurisdiction has extended the full rights of heterosexual cohabitants to lesbian and gay couples. Appendix tables A-1 through A-5 illustrate the differences that still exist between heterosexual and lesbian/gay cohabitants under Ontario, Quebec, British Columbia and federal law, and reform proposals. These jurisdictions were selected for this analysis because they are the only jurisdictions in Canada that have amended many or even most of their statutes to extend some form of legal recognition to lesbian and gay relationships. Similar steps have not yet been taken in any other jurisdictions in Canada.[38]

When the rights and responsibilities of lesbian and gay cohabitants are mapped against those of married people, it can be seen that queer couples in Canada are still largely treated as if they were individuals.

Table 8. Selected Legal Rights and Responsibilities of Lesbian and Gay Couples, 2000

Jurisdiction	Human Rights Protection, Individual	Human Rights Protection Relationship	Right to Marry	Share Family Home (*)	Share Family Property (*)	Inheritance Rights	Dependant's Relief	Parent–Child Relationship Recognized	Adopt as Couple	Employment Benefits for Spouse	Pension Survivor Benefits
Federal	X							Some de facto		X	X
Ontario	X	X						X	Step-parent	Provincial employment	Some
Quebec	X								X	X	Some
British Columbia	X	X							X	X	
New Brunswick	X							Step-parent			
Nova Scotia	X										
Newfoundland and Labrador	X										
Manitoba	X	X									Provincial employment
Saskatchewan	X									Some	
Alberta	X										
Yukon	X								Step-parent		
Northwest Territories											
Nunavut											

Note:

As at June 24, 2000, equitable remedies may be available.

As will be outlined in the next section of this chapter, there is considerable variation in the degree to which lesbian and gay relationships are legally recognized in each jurisdiction. However, in no jurisdiction have any of the core features of marriage been extended to lesbian and gay couples. Nor has any jurisdiction extended *all* the legal incidents of heterosexual cohabitation to lesbian and gay couples.

Judicial vs. Legislative Recognition of Queer Relationships

The fundamental constitutional issue presented by current patterns of relationship recognition becomes whether lesbian and gay couples are entitled to voluntary access to the two existing categories of relationship recognition—marriage and cohabitation. Or, will they be assigned to third and fourth classes that are different from, and segregated from, the first two? This is essentially a choice between full and genuine equality with all other couples in Canadian law versus third- or fourth-class legal status.

While issues of relationship recognition remained almost exclusively in the hands of the judiciary, it appeared that lesbian and gay couples would gradually move out of the category of individuals by gaining increasing access to the incidents and benefits of cohabitation without any distinction on the basis of sexuality. In North America, where constitution-based litigation relating to queer couples first developed, the trend in judicial remedies for discrimination on the basis of sexuality has been to remove statutory classifications based on sexuality.[39]

In contrast, legislation that recognizes lesbian and gay relationships has invariably fallen far short in two different ways. First, legislation tends to create new statutory classifications for queer couples. Second, it tends to extend only selected incidents of heterosexual cohabitation to queer couples. Not only have all legislatures continued to deny lesbian and gay couples access to formal marriage; but not even the legislatures that have purported to enact omnibus legislation have as yet extended the full rights and responsibilities of heterosexual cohabitants to queer couples.

Judicial Recognition

When discrimination against lesbian and gay couples has been challenged successfully under the Charter, courts have ordered remedies designed to eradicate that discrimination. The nature of these remedies has tended to reflect the way in which discriminatory effects were created in the first place—by judicial interpretation or by express statutory provision.

In some cases, courts have found language that makes no reference to sexuality to violate section 15(1) of the Charter because it has been assumed to exclude lesbian and gay couples. Judicial orders in these "heterosexual presumption" cases resemble the order in the famous Privy Council decision in the 1929 Persons case, in which the court read the Canadian constitution as if the word "male" included women. Beginning with the Federal Court of Appeal decision in *Veysey*,[40] courts that have found that sexuality-neutral language violates the Charter have invariably formulated orders that have read those sexuality-neutral provisions as if they include lesbian and gay couples. Such orders are clearly within the common-law competence of courts, not the least because it was the courts themselves that

originally created the heterosexual presumption to exclude lesbian and gay couples from sexuality-neutral provisions.

When statutory provisions have been expressly limited to heterosexual couples, the courts have issued declarations that have achieved this "as if" effect by removing those expressly discriminatory terms and then reading the resulting language as if it included lesbian and gay couples. Thus, for example, when statutory provisions have defined "spouse" as including only cohabitants of the opposite sex, courts have used the power to remove terms such as "opposite sex." (This is called "reading down.") They have then been able to read the remaining sexuality-neutral language as if it included lesbian and gay couples. When sex-specific terms such as "husband and wife" have been "read down," sex-neutral phrases such as "two persons" have been read in, in their place.[41]

Only when the grammatical construction of the provision in question has made it impossible to eliminate discriminatory language, by reading down, reading in or reading as if, have the courts inserted new sexuality-specific classifications into statutes that have been challenged under the Charter. For example, in *Rosenberg* v. *The Queen*, the court had to add the phrase "or of the same sex" to the definition of "spouse" in order to extend it to include lesbian and gay couples. Because of the way in which the extended definition of spouse had been formulated in the *Income Tax Act*, merely removing the phrase "of the opposite sex" would have affected not only the definition of cohabitant, but also the definition of formal marriage.[42] Since that Charter challenge focussed only on the cohabitant aspect of the definition of "spouse," the court did not want to frame an order that would include lesbian and gay couples in the definition of married spouses.

In all other situations, however, the courts have demonstrated a clear preference for neutral language that eliminates all sexual classifications. This is consistent with the mandate of section 15 of the Charter, which directs that all individuals receive the equal benefit and protection of law without discrimination on the basis of personal characteristics.[43]

On a practical level, the judicial approach has several advantages. First, by refusing to eliminate discrimination by setting up separate parallel provisions for lesbian and gay couples, the courts have made it clear that constitutional equality guarantees cannot be satisfied by granting equivalent rights to queer couples. Second, sexuality-neutral provisions counter any tendency on the part of the government or private institutions to continue thinking of lesbian and gay couples as somehow separate from other couples.

Third, because Charter challenges to discriminatory legislation are brought by the people who are disadvantaged by them, and not by the government, litigants have been able to address some of the most serious problems facing lesbian and gay couples, while leaving room for challenges to other provisions in the future.

The fact that it has been lesbian and gay couples who have defined the legal barriers that most need to be challenged has ensured that change has been carried out in direct response to the perceived needs of the lesbian and gay couples themselves. At the same time, lesbian and gay couples have not been forced to face all at once, and after a lifetime of discrimination, the

often significant costs of relationship recognition (discussed in Chapter 3). When striking down provisions that deny relationship benefits to lesbian and gay couples, the courts have left penalty provisions to be dealt with in the future.[44]

Legislative Recognition

Legislative recognition of lesbian and gay couples has emerged from two distinct political dynamics. European legislation, which dates back to the late 1980s, arose not in response to court challenges, but as the result of political lobbying by, and on behalf of, lesbian and gay couples. In contrast, North American legislation has all been enacted in response to litigation, and all of it can be described as backlash legislation.

Every North American statute has given lesbian and gay couples fewer rights than they had asked for in litigation, and all these statutes deliver those rights in predominantly segregated form. Even the most seemingly sympathetic North American legislation seems to have been designed primarily to give lesbian and gay couples enough legal recognition to block future litigation. However, because these statutes are all segregated in one way or another, each one creates third- or fourth-class status for lesbian and gay couples.

When the rights and responsibilities recognized in European, U.S. and Canadian statutes are compared, there are some important structural differences. On a general level, European registered domestic partnership (RDP) statutes extend many of the core incidents of marriage to lesbian and gay couples, but maintain many important distinctions between heterosexual and queer couples, largely in the area of family relationships. The two U.S. statutes can both be roughly classified as RDPs, but each has unique features that place them in their own categories. The Vermont statute creates a civil union that completely parallels marriage, but remains segregated from marriage in name, process and documentation. The Hawaii statute creates a limited RDP for all pairs who wish to register. Lesbian and gay couples, heterosexual couples, friends, relatives, even business partners can register under this legislation.

None of the Canadian models has extended any of the core incidents of marriage to lesbian and gay couples. All the Canadian models merely extend some selection of cohabitant rights and responsibilities to lesbian and gay couples. With the exception of the Nova Scotia domestic partnership election, new in 2001, none of the Canadian models is elective. They all segregate lesbian and gay couples in some manner, either by establishing segregated legal classifications or by deeming them to be cohabitants with fewer rights. The New South Wales model is similar to Canadian cohabitation models, but it is also unique in that it extends some of the core incidents of marriage to all cohabiting couples on a non-elective basis.[45]

The apparently universal principle of statutory discrimination against lesbian and gay couples can be seen in the Netherlands marriage bill slated for enactment in 2001. Even though this bill purports to eliminate all discrimination within marriage on the basis of sexuality by opening civil marriage to queer couples, it will not extend to lesbian and gay couples the presumption of parentage that already applies to heterosexual cohabitants. Lesbian and gay couples who have children together will still be forced to resort to step-parent adoptions to legalize their relationships with their own children.

Ontario Bill 5

Ontario has been the site of many successful Charter challenges to legislation that discriminates against lesbian and gay couples. An early marriage challenge was dropped while cohabitation litigation proceeded, but was initiated again by the City of Toronto on June 14, 2000. An early attempt to adopt an integrated quasi-marital model failed in the early 1990s, and even when this proposal was amended to conform to the discriminatory European RDP model in order to save it, it was defeated.

The Supreme Court of Canada decision in *M.* v. *H.* was pivotal in prompting the Conservative Government in Ontario to initiate new legislation that became effective in March 2000.[46] Although the Court agreed that it would not make any order as to remedy so the province could formulate its own amendments to the cohabitant rules in the *Family Law Act*, Ontario decided to address those narrow issues (which related only to support and cohabitation agreements), as well as some 400 other specific provisions of Ontario law in 60 statutes that related to heterosexual cohabitants. It drafted this legislation in secrecy, passed it in less than 48 hours with no debate and virtually no comment by the government, and attempted to convince constituents that the Court forced it to legislate on nearly the whole of Ontario law.[47]

Bill 5 creates new forms of discrimination on the basis of sexuality in numerous complex ways. First, while Bill 5 extended most of the legal rights and responsibilities that affect heterosexual cohabitants in Ontario to lesbian and gay couples, it has done so by removing queer couples from expanded definitions of "spouse" to which the courts had given them access and by placing them in the new category of "same-sex partner." The definition of "same-sex partner" is exactly the same as the definition of "spouse" to which they had previously been admitted by the courts.[48] The only change that Bill 5 makes to that definition is to remove lesbian and gay couples from it and to reassign them to the new category of same-sex partner.

The government made its discriminatory intent very clear. Although the Attorney General made only very limited comments on Bill 5 in the press and in the legislature, he repeatedly cited "protection of marriage" as the reason for moving lesbian and gay couples out of the category of spouse that they had occupied for nearly a decade.

> The only reason we are introducing this Bill is because of the Supreme Court of Canada decision. Our proposed legislation complies with the decision while preserving the traditional values of the family by protecting the definition of spouse in Ontario law (Ontario, Ministry of the Attorney General 1999).
>
> I stress that the bill reserves the definition of "spouse" and "marital status" for a man and a woman, the traditional definition of "family" in Ontario. The bill introduces into the law the new term called "same-sex partner," while at the same time protecting the traditional definitions of "spouse" and "marital status". ... The decision of the Supreme Court of Canada and this bill are not about redefining the traditional understanding of family. This bill responds to the Supreme Court ruling while preserving the traditional values of family in Ontario....[49]

Second, the government took the position that the essence of the Supreme Court of Canada ruling in *M. v. H.* was that lesbian and gay couples were entitled to rights and responsibilities equivalent to those of heterosexual cohabitants, but not to the status of cohabitant or spouse, even when the legislation included cohabitants in an expanded definition of spouse.

Third, the government claimed it was actually extending a large number of new rights to lesbian and gay couples, when, in fact, the most important rights in provincial law had already been won through litigation.[50] Those extended by Bill 5 are either of relatively limited importance and would be extended if challenged in the courts anyway,[51] or consist of numerous penalty provisions.[52] Thus, the net result of Bill 5 on a substantive level has been to re-enact existing spousal rights as rights of same-sex partners while adding a few new rights to the list to make it look as if the bill improves the legal status of lesbian and gay couples.

In fact, the government has continued to deny lesbian and gay couples all access to a much larger class of relationship rights and responsibilities than those newly extended. The core incidents of marriage remain denied to queer couples because they cannot choose to marry,[53] and many other provisions relating to relationships continue to exclude queer couples as well.[54] This is the fourth way in which Bill 5 discriminates against lesbian and gay couples.

Fifth, Bill 5 now prohibits lesbian and gay couples from continuing to bring complaints arising out of sexual orientation discrimination under the heading of "marital status" to the Ontario Human Rights Commission. Opposite-sex cohabitants and married couples are still considered to have marital status, but Bill 5 has reclassified lesbian and gay couples as having only same-sex partnership status. Because this term is not defined, it enables the government to administer human rights legislation as if same-sex partners are entitled to a very different level of protection.

Sixth, Bill 5 appears to roll back important step-parent adoption rights that had been won through litigation.[55] Bill 5 did not amend the definition of "spouse" in section 136 of the *Child and Family Services Act*. Although the application of this opposite-sex definition of "spouse" to step-parent adoption had been judicially corrected to include lesbian and gay parents, Ontario courts had taken the position that these rulings did not automatically apply across the province and had to be sought in each new court. The government and those entitled to notice in adoption applications may now argue that the omission of section 136 from Bill 5 has effectively overruled these cases, and step-parent adoption is no longer available to lesbian and gay parents.

Seventh, Bill 5 has revised the stranger adoption provisions of the *Child and Family Services Act* in a way that clearly excludes lesbian and gay couples from the category of couples who are entitled to adopt jointly. Under prior law and under Bill 5, heterosexual cohabitants and married couples can jointly adopt a stranger in a one-step process. At best, lesbian and gay couples will be able to engage in stranger adoption in a two-step process, and that depends on whether step-parent adoption continues to be available to them. If it is, then one lesbian or gay partner can complete a stranger adoption as a single individual, and then the other partner

can apply for step-parent adoption. (Some practitioners report that this is being allowed at present, and that courts are permitting both applications to be made jointly for efficiency.) If step-parent adoption is no longer permitted, then the new language in section 146(4) of the *Child and Family Services Act* will restrict stranger adoption to single individuals, and individuals are subject to closer scrutiny and greater judicial discretion "having regard to the best interests of the child" than are heterosexual couples.[56]

Eighth, the government appears to be committed to giving as much effect as possible to this new segregated category of same-sex partner. When the Family Law Rules Committee attempted to revise family court forms to include lesbian and gay couples in the general category spouse, the Attorney General intervened directly. These forms now all provide a separate box marked "same-sex partner" for lesbian and gay couples, while all heterosexual couples—married and cohabiting—are permitted to tick the box marked "spouse" (Buist 2000).

Perhaps most important, before Bill 5 was enacted, the judiciary in Ontario had been extending definitions of cohabitants to lesbian and gay couples whenever they found a provision to be discriminatory. Thus, lesbian and gay couples had become increasingly included in the basic two-category set of relationship rights and responsibilities that previously characterized Ontario law. They continued to be denied the core incidents of marriage,[57] but they were increasingly treated as cohabitants, and where Ontario law deemed cohabitants to be spouses, they were deemed to be spouses as well.

Bill 5 has now replaced this two-tiered definition of "spouse" with a three-tiered system. Opposite-sex cohabitants are now defined separately, but continue to be deemed to be spouses. Married couples continue to share the category "spouse" with cohabitants in many contexts. But now lesbian and gay couples are excluded from both categories and, if they are given particular rights and responsibilities at all, they enjoy them only in their new segregated status as same-sex partner. As a result, a third class of relationships has been created:

- married couples;

- opposite-sex cohabitants, who continue to be deemed to be spouses in over 70 statutes; and

- same-sex partners, who appear in some 65 statutes.

Segregated by legal classification and having fewer rights overall, the net result of Bill 5 is to reinstate discrimination on the basis of sexuality in a way that the government hopes will withstand challenge under the Charter.[58]

British Columbia

As in Ontario, the courts in British Columbia have been leaders in the judicial recognition of lesbian and gay couples. One of the first cases to do so was the B.C. decision in *Knodel* v. *British Columbia (Medical Services Commission)*,[59] in which the court concluded that the partner of a gay man should be considered to be "a man or woman who, not being married to each other, lived as husband and wife" for purposes of provincial health services legislation.

On the legislative level, British Columbia was the first province to extend adoption rights to lesbian and gay couples, and in the last few years has systematically extended the legal rights and obligations of opposite-sex cohabitants to same-gender cohabitants in many other areas of law.[60] These changes have resulted in extensive recognition of lesbian and gay couples in family law (support, child custody, child support, cohabitation agreements, adoption and reciprocal enforcement of judicial orders) and public law (e.g., elections, public service pensions and provisions for crime victims). (See Table A-3, for details.)

The terminology used to extend that recognition is largely inclusive and non-segregating, at least so far as it relates to adult relationships.[61] However, segregating language has been introduced in the law of parentage, which continues to reserve the category of "parents" for the birth mother and her husband or male cohabitant. Instead of extending parental presumptions to lesbian and gay cohabitants, they are classified as "step-parents" even if they were parents from the time conception was imagined, planned or achieved.[62] A term previously reserved for an adult who assumes the role of parent sometime after the birth of a child, this use of "step-parent" is unique to lesbian and gay parents. Lesbian and gay cohabitants thus remain excluded from the category of "natural parent" even when, for example, the male cohabitant of a woman who conceives by alternative insemination would be deemed by the law of parentage to be the "natural father" or "natural parent" of the child by virtue of the fact of cohabitation.

Because lesbian and gay parents are still third-class parents, if they are not biological progenitors, and because lesbian and gay couples are still denied many of the legal rights and responsibilities extended to heterosexual couples in B.C. law—including the right to marry and the incidents of marriage—they are just as much third-class couples in British Columbia as they are in Ontario. While it is true that Ontario couples are classified separately while B.C. couples are integrated into the umbrella definition of "spouse" via the cohabitation rules, they do not have fully equal access to the incidents of either heterosexual cohabitation or marriage.

Excluded from marriage and thereby from the matrimonial property provisions of British Columbia legislation, lesbian and gay couples cannot apply for equal division of the net matrimonial estate; they cannot take advantage of pension division provisions on divorce; and they are denied the status of spouse for purposes of inheritance and succession, including the right to a forced share of the estate, preference over creditors and dependant's relief. The government has enacted legislation that will extend dependant's allowances to lesbian and gay survivors, but continues to postpone proclamation. Although the Attorney General promised in the spring of 2000 to consider issuing a marriage licence to a lesbian couple that had applied, no action has yet been taken.[63]

Quebec Bill 32
The status of lesbian and gay couples in Quebec law is governed by the unique Quebec position on non-married cohabitation: Following French law, Quebec treats non-married cohabitation as a "free union" in the sense that the relationship is free of law or has no legal significance. This principle is fully reflected in the *Quebec Civil Code*, which regulates status and relationship issues in much the same manner as the *Code civil des Français*. Thus, there

are no references to non-married cohabitants in the *Quebec Civil Code*, and most of the provisions of the code relating to adult relationships are expressly focussed on marriage only.

Nonetheless, a few provisions of the Civil Code are framed in terms that enable cohabitants to fall within them (provisions relating to joint adoption, joint annuities and insurable interests), and because those provisions are expressed in sex- and sexuality-neutral language, lesbian and gay couples are technically included within them. (See Table A-1.)

The Civil Code regulates private relations such as marriage, filiation and succession. The general statutes of Quebec regulate all other aspects of life in the province. In the revised statutes of Quebec, the status of both opposite-sex couples and lesbian and gay couples is completely different than found under the Civil Code. Most of the general statutory provisions that make mention of marriage also apply to non-married cohabitants. These types of statutes generally relate to government action, programs or benefits, such as health services, the Quebec Pension Plan, workplace standards and automobile insurance standards.

This bifurcated model—recognition of cohabitants in public law versus exclusion in the Civil Code—sets up a dual regime in which only the state of heterosexual marriage gives rise to what are ordinarily understood as marital rights or responsibilities between the spouses. In contrast, either formal marriage or long-term cohabitation can give rise to rights or responsibilities between the couple and the government. Nonetheless, lesbian and gay couples have historically been excluded from public law provisions as well as from the Civil Code.

The *Charter of Human Rights and Freedoms* of Quebec, which was the first human rights code in Canada to prohibit discrimination on the basis of sexual orientation in 1977, has helped ensure that lesbian and gay couples have been included in some aspects of public law. For example, in 1994, a human rights tribunal ruled that a campground that described itself as a "family" service could not exclude a lesbian couple.[64] However, the Quebec Charter has not had much impact on the general status of lesbian and gay couples in that province.

This is the context in which Bill 32 was enacted in June 1999. Bill 32 amended the general statute law to extend the category of cohabitation to lesbian and gay couples. However, it did not make any changes to the Civil Code. Thus, lesbian and gay couples have approximately the same status as opposite-sex cohabitants. They have none of the many rights and responsibilities that attach to the married status, but they have many of the rights and responsibilities that apply to cohabitants. These changes were made by deleting sexuality-specific terms (such as "husband" or "wife") from cohabitation provisions and replacing them with sexuality-neutral provisions (such as "two persons who live together..."), or by adding "of the same sex" to opposite-sex definitions.

Despite the pervasive impact of Bill 32, Quebec continues to recognize three tiers of adult relationships. Cohabitants do not have access to marriage and the Civil Code incidents of marriage, and lesbian and gay couples do not have all the rights and responsibilities of opposite-sex cohabitants—including the right to decide whether they want to marry.[65]

In addition to the matrimonial provisions of the Civil Code, only married couples can obtain reciprocal enforcement of maintenance orders. Only married couples are declared by the *Charter of Human Rights and Freedoms* of Quebec to be subject to the principle of equality in the marriage of rights and obligations; and only married couples are subject to some conflict-of-interest provisions.

Despite Bill 32, many Quebec statues continue expressly to exclude lesbian and gay couples. In addition to some conflict-of-interest provisions, hunting and fishing rights in James Bay are extended only to "legitimate spouses." Other general statutes use sexuality-neutral language that does not clearly guarantee that it will apply to lesbian and gay couples. (The chief one is the use of the term "conjoint" without defining it.) Because of the continuing uncertainty surrounding the *Vaillencourt* decision, which relates to queer survivor options under pension plans, it is not clear whether these usages will apply to lesbian and gay couples, or whether the government will oppose attempts to extend them to queer couples. These provisions include the right to receive information on the death of a spouse, the allocation of Aboriginal land rights to spouses, electoral enumeration definitions of "spouse," substituted services in some proceedings and burdening provisions, such as conflict-of-interest clauses, disclosure of conflict requirements and anti-avoidance provisions.

The current status of lesbian and gay couples in Quebec as the result of Bill 32, the Civil Code, and pre-existing general statutory law is outlined in Table A-2. This table should be read with caution. In addition to the uncertain impact of Bill 32 on the many provisions it has not amended (some 28 in all), it is, as in other jurisdictions, not clear how *Miron* v. *Trudel* and *M.* v. *H.* might affect the application of these provisions.

European RDPs

Unlike Canadian statutes recognizing lesbian and gay relationships, European legislation has extended at least some of the core incidents of marriage to lesbian and gay couples. Whether the legislation is designed to offer a "marriage substitute" to lesbian and gay couples, or whether it is designed to create a separate cohabitant status for queer couples, these registered domestic partnerships are elective, voluntary and formally registered relationship forms.

Though European RDPs do extend at least some of the incidents of marriage to queer couples, as a type of statute and individually, they are discriminatory. Most important, they are completely segregated statutory structures, and the rights they create are expressed, administered and registered on a segregated basis. In addition, whether they are styled "marriage" or "cohabitation" alternatives, none of the RDPs extend the full legal rights and responsibilities of either marriage or cohabitation to queer couples. Thus, like Canadian legislation, they place lesbian and gay couples in a third-class status when compared with married and cohabiting heterosexuals. The Netherlands has drafted a marriage bill that would eliminate all discrimination on the marriage side of relationship recognition. That legislation is expected to become effective in 2001.

Four distinct types of RDPs can be found in Europe. Denmark has created a formal "marriage alternative" with its RDP. The Swedish model is designed to offer a form of recognized cohabitation to queer couples. The French Civil Solidarity Pacts (PaCS) creates an entirely new category of cohabitation for both heterosexual and queer couples, all of whom have been excluded from the Civil Code because of the non-recognized status of "free unions." And Belgium has created something referred to as a "statutory cohabitation contract" that has no legal rights or obligations attached to it. Despite this diversity, what all these forms do have in common is the fact that they are all segregated structures, and none of them extend the full incidents of either marriage or heterosexual cohabitation (where that relationship form is legally recognized) to lesbian and gay couples.

The Danish RDP legislation is constructed around the marriage model, and is designed to offer lesbian and gay partners status similar to that of marriage.[66] Registration is performed civilly after the issuance of a "partnership certificate" and, as with marriage, the partners do not have to prove they will live together or that they have a sexual relationship. Most incidents of marriage apply automatically to registered partners or have been interpreted as applying to them. (This includes support, community property rules, insurance rules, separation, divorce, maintenance and inheritance regimes, death duties, the right to the home, social security benefits and pensions.)[67]

Registered partners are nonetheless denied full equality. Lesbian and gay couples continue to be denied actual marriage rights, and RDPs are not considered a "marriage." Lesbian and gay couples are not permitted to have religious marriages, because RDPs are purely civil unions. This is significant in Denmark because formal marriage is a religious process. Since they are not religiously married, lesbian and gay couples are denied access to clergy mediation. RDPs are limited to Danish citizens or citizens of treaty countries.

RDPs are seen as conferring "spousal" status, but partners have been prevented from forming families together in almost every way. Lesbian and gay partners are prohibited from adopting children jointly, are not permitted access to assisted reproduction, and are not considered to be parents of their partner's children. On relationship breakdown, partners cannot apply for access, joint custody or child support in relation to each other or their children (Nielsen 1992-93: 314; Pedersen 1991-92: 290-291). The only exception is the recent extension of step-parent adoption rules to registered partners. This will open the door to applications for custody, access and support, but it does not affect any of the other barriers to family formation.

Swedish RDP legislation is constructed around the cohabitation model. This legislation is primarily focussed on property rights rather than on the incidents of the relationship itself. The "joint homes" of cohabitants are subject to rules similar to the matrimonial home rules of Canadian legislation. Cohabitants cannot encumber or alienate their home without the written consent of both, and surviving partners are entitled to a statutory forced share in the home, proceeds of sale of the home and its contents. Unlike married couples in Canada, however, partners can opt out of these provisions by written contract in the same way that married couples can opt out of community property by contract. Swedish law also denies lesbian and gay partners the right to adopt jointly, and has not provided for parentage, child custody, access or child support.[68]

The French PaCS gives civil status outside the Civil Code to both lesbian/gay and heterosexual cohabitants. Because free unions exist outside the Civil Code, registrants have none of the matrimonial rights of married couples. Thus, it reinforces the rigid segregation of formal marriage and marital property regimes versus the limited rights/responsibilities ascribed to lesbian and gay couples. The PaCS gives couples the same rights and obligations as married couples in income taxation, inheritance, housing, immigration, health benefits, job transfers, synchronized vacation time, responsibility for debts and social welfare. However, it does not grant parental, adoption or procreation rights.

Registration, administration and execution of the PaCS are rigidly segregated. Because of the furore over the PaCS, the offices in which registrations are to be filed are physically different from those where marriages are performed. (Marriage is entirely a matter of civil law and not of religious practice in French law.) Nonetheless, it is very popular. Some 14,000 couples have registered their relationship since the law came into effect in October 1999, with about half of them being gay couples.

In contrast, the Belgian statutory cohabitation contract has no legal impact and is designed to be largely symbolic. Not surprisingly, it is very unpopular, with only eight couples in Brussels taking advantage of it and very few in other locations. The Belgian parliament has yet to consider legislation that would have any actual legal effect on issues such as social security or taxation.

Although it is true that northern European legislatures have been generally sympathetic in their enactment of RDPs, and RDPs generally pre-date Canadian legislation, all these laws are just as partial and discriminatory—perhaps even more so in some regards—as Canadian statutes. The same issues keep surfacing as bills are presented in new jurisdictions, and change has been difficult to achieve. While RDPs do present more formalized ways to recognize cohabitation, they fall far short of giving lesbian and gay couples either full marriage rights or the full rights of cohabitants in countries that recognize cohabitation.

North American RDPs

Only two registration systems have been adopted in North America. Both can fairly be classified as backlash legislation in that they were adopted to prevent the courts from ordering states to issue marriage licences to lesbian and gay couples. This motivation is clearly expressed in the legislative record of each of these two statutes (Hawaii and Vermont). Ontario and British Columbia have both received proposals for registration systems; the Ontario proposal was also clearly the result of political backlash. The B.C. proposal arises out of sympathy for the lack of a formal recognition of lesbian and gay couples including the refusal to extend marriage to queer couples.

After the Hawaii courts issued the historic decisions in *Baehr* v. *Lewin* and *Baehr* v. *Miike*, both of which found that, constitutionally, the Hawaii government could not refuse marriage licences to lesbian and gay couples, the Hawaii government filed an appeal to the state supreme court and simultaneously sought immediate passage of a "reasonable alternative" to marriage in order to block eventual marriage rights. Adoption of a "marriage alternative" was

designed to convince the appellate court that the appeal was moot or should be decided in favour of the state because new developments have given the court a "compelling justification" to deny lesbian and gay couples full marriage rights.

A state commission on sexual orientation recommended the adoption of registered domestic partnership legislation in 1995, (Coleman 1995: 541) because RDPs were thought to be the non-marriage alternative that would most closely resemble marriage and would, therefore, convince the court that it was justified in denying marriage rights.

When this recommendation was not adopted and time grew short, the government pursued two other strategies. In 1998, a successful referendum required the state to amend the constitution to give the legislature power to reserve marriage to opposite-sex couples. It then adopted reciprocal beneficiary legislation. This statute gives reciprocal beneficiaries some 50 of the hundreds of rights and responsibilities given to married couples. These include joint medical insurance coverage for state employees for a two-year trial period; hospital visitation rights, mental health commitment approvals and notifications, family and funeral leave; joint property rights; inheritance and other survivorship rights; and legal standing for wrongful death, victims' rights and domestic violence family status.

Although the reciprocal beneficiary statute was originally intended to apply only to lesbian and gay couples, religious and moral objections to using the term "same-sex" in state legislation resulted in removal of this language. Thus, the statute permitted any two adults to register as reciprocal beneficiaries. They do not have to be involved in a conjugal relationship or be related to each other in any way.

The final development in Hawaii occurred in 1999 when the reciprocal beneficiary statute was replaced with domestic partnership legislation. This statute maintains a rigid distinction between domestic partners and married couples, and contains provisions that confirm that only couples of the opposite sex can marry. Like the reciprocal beneficiaries legislation, the domestic partnership option is available to any two adults. It extends all the legal incidents of marriage to domestic partners, but the form and the process of registration are entirely separate from that related to marriage.[69]

The Vermont civil union and reciprocal beneficiary provisions also arose as the result of political backlash. Early in 2000, the Vermont Supreme Court ruled in *Baker* v. *State* that denial of civil marriage to lesbian and gay couples violated the common benefits clause of the state constitution. However, instead of formulating a remedial order, the court turned the remedy over to the state legislature, much as the Supreme Court of Canada had in *M.* v. *H.* The legislature made findings that civil marriage is "a union between a man and a woman" and, therefore, created a new form of relationship termed a "civil union" specifically for persons of the same sex.[70]

The civil union statute is unique in that it extends all statutory, regulatory, common-law, equitable and policy features of civil marriage to parties to a civil union. This is done by ensuring that parties to civil unions are included in any definition or use of terms such as "spouse," "family" or similar terms throughout Vermont law.[71] With such expansive statutory

language, it will be difficult to deny parental status, access to reproductive assistance or recourse to family court. Vermont has permitted lesbian and gay couple adoption for nearly 25 years, and the civil union statute will assure that couples who form a civil union will be permitted to adopt.

Nonetheless, the Vermont civil union statute remains discriminatory. The civil union statute is clearly premised on the continuing exclusion of lesbian and gay couples from formal marriage, and it also repeatedly affirms in the preamble and in various provisions that civil union is not a form of marriage. This segregation is built into the administration and registration of civil unions. Parties to a civil union apply not for a marriage licence, but for a civil union licence. While religious celebrants can perform civil unions, the entire system of recording and registering civil unions is rigidly segregated in civil union registries and tabulated in returns of civil union statistics. Small towns are permitted to intermix marriage records with civil union records, but each certificate must be carefully executed to reflect its status, and elsewhere, civil unions are to be filed in separate registry books.[72] In addition, discrimination against queer couples who form a civil union will not be considered discrimination on the basis of marital status, but discrimination on the basis of civil union.

The *Civil Union Act* also established reciprocal beneficiaries as an additional separate status. Like the Hawaii reciprocal beneficiary provisions, this permits non-conjugal pairs to form a reciprocal beneficiaries relationship in order to be treated as spouses for selected legal purposes. Unlike the Hawaii statute, the Vermont statute applies only to two people who are related by blood or adoption. And unlike the Hawaii statute, the Vermont statute focusses on health insurance and health matters: hospital visitation, medical decision making, decision making in relation to organ donations, funerals and disposition of remains, power of attorney for health care, patient care and nursing homes, and abuse prevention. A spouse will have priority over a reciprocal beneficiary, but other family members have lower priority.

The Vermont civil union gives lesbian and gay couples by far the most complete relationship rights of any statute, without, of course, the right to marry. In contrast, the Vermont reciprocal beneficiary status is very narrow. It does not affect property, support or inheritance—not even property management. The separate Civil Union Review Commission has been established to supervise the implementation of both civil unions and reciprocal beneficiaries legislation for two years, and the commission has been charged with considering whether the legal incidents of reciprocal beneficiaries relationships should be expanded in the future.

Only one limited RDP has been enacted in Canada. When comprehensive relationship recognition legislation was teetering on the verge of defeat in Ontario in the early 1990s (Bill 167), the Ontario government offered to replace this proposal with an RDP structure. Bill 167 would have extended several core incidents of marriage to queer couples along with many marital/ cohabitant rights and responsibilities. The government was prepared to recast these rights and responsibilities as separate RDP legislation and, consistent with European RDP legislation, announced that it was removing joint adoption rights from the bill. The bill failed nonetheless.

More recently, the B.C. Law Institute (BCLI) has proposed to augment its marriage and cohabitation regimes with four new relationship categories: registered domestic partnerships, unregistered domestic partnerships, long-term cohabitation and short-term cohabitation. The apparent purpose behind offering two different categories of partnership and of cohabitation is to give queer couples a choice between formal recognition and a less formal status similar to the choice that heterosexual couples have between formal marriage and less formal recognized cohabitation. Unlike marriage and cohabitation, however, both forms of domestic partnership would be open to any two people who wanted to register. They would not be required to be involved in a conjugal relationship or be connected by blood or adoption.

The main elements of the BCLI proposals are outlined in Table A-5. If adopted, B.C. law would then recognize four categories of relationships: marriage, registered domestic partnership, long-term unregistered cohabitation (after 10 years) and short-term unregistered cohabitation (after two years). Cohabitation for less than two years would remain unrecognized. Parties to any of the four recognized forms of relationships would be included in the proposed new definition of "spouse."[73]

Although the BCLI proposals effectively create four different paths to the status of spouse, not all choices would be available to all couples. All lesbian and gay couples would continue to be barred from formal marriage, and non-conjugal couples would be barred from the two categories of recognized cohabitation. At the end of the day, however, lesbian and gay couples would always have fewer choices than opposite-sex couples.

Under the BCLI proposals, the following choices would be established.

- Heterosexual conjugal couples would have four choices: marriage, registered domestic partnership, and long- and short-term unregistered cohabitation. (Unrecognized cohabitation is no longer a choice after cohabiting for two years.)

- Lesbian and gay conjugal couples would have three of those four choices: registered partnership, long-term cohabitation and short-term cohabitation (compulsory after two years).

- Non-conjugal, opposite-sex pairs would also have three choices: marriage, registered partnership or unrecognized cohabitation.

- Non-conjugal same-sex pairs have only two choices: registered partnership and unrecognized cohabitation.

The choices this structure would give lesbian and gay couples do not really parallel the choices available to heterosexual couples. The fact that non-conjugal couples, such as friends or relatives, would be able to form registered partnerships demonstrates that this structure is not really a genuine alternative to marriage.[74] Second, lesbian and gay couples would still be denied the right to marry.

Lesbian and gay couples could acquire many of the rights and responsibilities associated with marriage in two different ways. One route would be to register their partnership.[75] The other way would be to cohabit long enough to pass from unrecognized cohabitation (under two years) to short-term partnership (over two years), to long-term partnership (over 10 years). After 10 years, they would be deemed to be registered domestic partners.

Regardless of which route lesbian and gay couples take, they will still not be able to achieve all the rights and responsibilities of actual marriage. First, they will still be denied the right to marry that all opposite-sex pairs have. Second, during the 10 years before deemed registration status would be attained through length of cohabitation, lesbian and gay couples would be denied the matrimonial home, family property, inheritance and pension division rights of married couples. Third, even after actual or deemed registration, lesbian and gay couples would still not be considered to be "natural parents" via parentage presumptions that apply to heterosexual cohabitants and married couples. Instead, they would be considered to be "step-parents," even if they were actually involved in their children's lives from the moment they planned to have children.

Overall, these proposals would create a three-tier hierarchy of relationships:

- marriage (available to opposite-sex couples only);

- registered domestic partnerships (available to any pair of adults of any kind whatsoever);

- marriage-like relationships (recognized cohabitation) (available to both opposite- and same-sex conjugal couples).

Only lesbian and gay couples would be prohibited from exercising all three choices.

Australian legislation
Australian amendments to inheritance and intestacy provisions have set up the categories "domestic partner" and "eligible partner" to deal with the rights of non-married cohabitants. Domestic partner is defined expansively as including "a person other than the person's legal spouse who—whether or not of the same gender as the deceased—lived with the deceased at any time as a member of a couple on a genuine domestic basis."[76] As in other countries, married couples remain separate from this new category. However, in some circumstances, a same-sex partner can actually be preferred over the formally married spouse of the same person in matters of intestacy.[77]

New South Wales has also created a new category for cohabitants that is separate from married couples. Opposite-sex and same-sex cohabitants are both considered to be in de facto relationships. The rights and responsibilities of de facto and married couples overlap to a certain extent, for some of the property rights usually reserved for married couples in Canadian law are now available to those in de facto relationships.[78]

Methodological Heterosexism

As can be seen from this short overview, new forms of relationship recognition fall on a continuum ranging at one extreme from the Vermont civil union, which is nearly equivalent to marriage, to the Quebec extension of conjoint status to all cohabitants in public law only. As the rights and responsibilities attached to these new categories increasingly overlap with, or resemble, some of the property rights associated with marriage, statutes tend to call for some method of registration (Vermont, Hawaii, European statutes). At the other end of the continuum, couples have to make various kinds of declarations to qualify for public and private law rights such as pensions, employment benefits or tax benefits.

Because of the diversity of these new forms, it is not really possible to draw any generalizations about them. However, it is true that nowhere are lesbian and gay couples given complete equality with either married couples or cohabitants. There are always some differences, most often in relation to family formation, parent–child relationships, access to the core incidents of marriage and access to marriage itself.

For analytic purposes then, it is only possible to draw extremely wide generalizations about the types of legislation that have been devised to recognize lesbian and gay relationships. On a purely structural level, the following categories have emerged.

- **Quasi-marital models** extend nearly all or at least some of the core incidents of marriage to lesbian and gay couples:
  - civil union (Vermont);
  - registered domestic partnerships (Europe, BCLI);
  - declared domestic partnerships (Hawaii); and
  - cohabitants deemed to be spouses (Australia).

- **Cohabitation models** do not extend any of the core incidents of marriage to lesbian and gay couples:
  - cohabitants included in "spouse" (B.C.);
  - cohabitants separate from spouses (Quebec, Canada); and
  - lesbian and gay couples separate from heterosexual cohabitants and married couples (Ontario).

- **Personal rights models** do not depend on cohabitation, registration as partners or marriage, but are mutual elections that have some legal impact:
  - reciprocal beneficiaries (Vermont, formerly Hawaii); and
  - statutory cohabitation agreements (Belgium).

There is wide variation within each category. Despite some superficial structural similarities, the actual statutes that fall within each model vary along three dimensions.

- What kinds of couples can qualify for the form?

- What kinds of rights and responsibilities flow from the form?

- To what degree does the statute integrate or segregate lesbian and gay couples with respect to heterosexual couples?

The impossibility of generalizing on these statutes can be seen when they are grouped according to the types of couples to whom they apply. RDPs can be limited to lesbian and gay couples only (Denmark), to both queer and heterosexual cohabitants (Sweden, France) or to any two persons, related or unrelated (BCLI RDP proposal). The same is true of the statutes based on the cohabitant model. Ontario limits Bill 5 to lesbian and gay couples. France permits either queer or heterosexual couples to use the PaCS. Personal rights statutes can be limited to non-conjugal relatives (Vermont reciprocal beneficiaries) or to any two people without regard to relationship, cohabitation or intimacy (Hawaii).

The groupings change considerably when the focus is on the kinds of rights and responsibilities that flow from a form. Some forms extend all the incidents of marriage to lesbian and gay couples (Vermont). RDPs tend to extend most of the property incidents of marriage to queer couples, but not the parentage rules (Denmark, Sweden, BCLI RDP proposal, French PaCS), while either cohabitation statutes or reciprocal beneficiaries elections can confer some marital property rights. The most consistency is found among the Canadian cohabitation statutes, which tend to extend many cohabitant rights, no marital rights and some parent–child types of provisions.

It is important to note how diverse these alternative forms of relationship recognition are in practice, because, whether evaluating the qualitative impact they have on lesbian women as a class or their distributional/revenue implications, each statute will have its own unique impact. While many generalizations can be drawn, and while specific problems of application arising under a particular model can be isolated, looking at alternative models is not, by itself, particularly illuminating.

However, one generalization can be drawn quite safely on the basis of looking at these alternative models. The Canadian judiciary has quite easily managed to simultaneously remove sex- and sexuality-based classifications from relationship provisions and apply the resulting neutralized language to lesbian and gay couples. The same cannot be said of statutory structures. While some of them do refer to same-sex or same-gender couples merely to confirm that they are to be applied inclusively, none has managed to reverse the long-standing presumption that sex- or sexuality-neutral language refers to heterosexual couples only.

As a result, the continued use of sexuality-based classifications in legislation against the backdrop of such a heterosexual presumption reinforces the tendency to parcel out rights and responsibilities, status and eligibility, to lesbian and gay couples on a right-by-right and responsibility-by-responsibility basis. Substantively, legislation uses heterosexual marriage as the standard of "equality." Nonetheless, the continued vitality of the heterosexual presumption ensures that methodologically, legislation will inevitably perpetuate discrimination on the basis of sexuality.

Thus, it should not be surprising that the same dynamic has produced, in federal Bill C-23, the same discriminatory outcomes.

Bill C-23 "Common-Law Partners"

The jurisdiction of the federal government is very different from that of the provinces. The provinces have jurisdiction over matters relating to property and civil rights, including pensions, for example, and the solemnization of marriage. The federal government has jurisdiction over such areas as taxation, immigration, banking, capacity to marry and employment matters relating to employees of the federal government or its agencies. Lack of clarity as to the division between federal and provincial jurisdiction often complicates the allocation of authority.

In autonomous areas of federal law, the federal government writes its own definitions of terms such as "spouse" and "child." In areas intertwined with provincial law, the federal government has tended to develop definitions of "spouse" and "child" that begin with some basic principles but incorporate, to some degree, provincial definitions.

One area of jurisdiction that is particularly overlapping and even confused is jurisdiction over marriage. Although jurisdiction over capacity to marry is considered a federal matter, the federal government has legislated only in relation to degrees of consanguinity, and has exercised federal power over solemnization in some contexts. In contrast, some provinces have legislated in relation to aspects of capacity, such as prior marriage, mental capacity and age of consent. Such legislation has been upheld to the extent that it can be connected to the province's jurisdiction over the solemnization of marriage.

Over the last 25 years, the federal government has gradually expanded "spouse" to include opposite-sex cohabitants in a variety of circumstances. Beginning with amendments to the *Veterans Act* in 1974, the federal government reduced the number of years of cohabitation required to establish de facto or common-law marriage from seven to just one or two. Also beginning in 1974, Parliament systematically inserted the requirement that cohabitants be of the "opposite sex." Until Bill C-23 came into effect, most federal statutes used some expanded form of "spouse" that was expressly limited to couples of the opposite sex.

The federal government has been extremely slow to recognize both the individual and relationship rights of queers. The federal human rights code had to be amended judicially.[79] Revenue Canada (now known as the Canada Customs and Revenue Agency) had to be ordered to stop administering the *Income Tax Act* as if its sexuality-neutral provisions excluded lesbian and gay couples.[80] The federal government has promised new immigration regulations for years, but still admits lesbian and gay partners only on discretionary compassionate grounds, and then only when virtually threatened with federal court action. At the moment, even after passing Bill C-23, it is still refusing to confirm in its new immigration legislation that lesbian and gay couples will be given spousal status, and has left "common-law partner" completely undefined in that statute. It amended sentencing laws to treat homophobic hatred as an exacerbating factor, but then declared itself legally unable to address hate speech recently imported from the United States.

This governmental resistance was supported by the 1995 Supreme Court of Canada decision in *Egan and Nesbit*, in which a bare majority of the Court concluded that exclusion of lesbian and gay couples from the extended opposite-sex definition of "spouse" in federal social assistance legislation was constitutionally permissible. However, Supreme Court decisions in *Vriend*[81] and *M. v. H.* have subsequently changed the litigation climate considerably.

In particular, the combined effect of *M. v. H.*, *Rosenberg*,[82] and *Moore and Akerstrom* brought the federal government to the realization that it would be only a matter of time before it would be ordered to include lesbian and gay couples in extended definitions of "spouse" throughout federal legislation. Each decision arose out of challenges to the "opposite-sex" definition of "spouse" that has been so extensively incorporated into federal and Ontario legislation. Although *M. v. H.* challenged provincial legislation and *Moore and Akerstrom* was a human rights complaint, all these cases delivered the same message: Excluding lesbian and gay couples from extended opposite-sex definitions of "spouse" is discriminatory, and it is not saved by giving them equivalent rights in segregated categories.[83]

Since *Egan and Nesbit* was decided in 1995, the federal government had displayed a decided preference for extending rights to queer couples—when it had to—on a segregated basis. Thus, it was not surprising that when the government's long-promised omnibus bill to recognize queer couples was introduced in 2000, it did so by removing lesbian and gay couples from the legal category of "spouse."

Bill C-23 accomplished this by repealing 25 years' worth of extended opposite-sex definitions of spouse (which treated opposite-sex cohabitants and married couples as equivalent in the majority of federal enactments) and creating two new categories: "spouses," now reserved for married couples only, and "common-law partners," to which both opposite-sex and same-sex couples who meet statutory criteria have been moved. (The test of common-law partnership is living conjugally for one year or having a child together. Having a child together encompasses de facto parentage through actual care and control of a child.)

On a substantive level, it is clear that the overriding legislative purpose of the abandonment of the extended opposite-sex definition of "spouse" is to remove queer couples from statutory association with married couples and to segregate them—along with heterosexual cohabitants —in the new (old) category of "common-law partner." This can be seen from the changes made to the *Income Tax Act*: Bill C-23 has repealed the existing definition of "spouse"[84] and has re-enacted it word for word as the definition of "common-law partner."[85] The substantive tests of relationship have not been changed at all. Only the name of the category has been changed.

The net result of these changes is twofold. First, Bill C-23 now leaves the term "spouse" undefined except to the extent that it requires marriage. All opposite-sex definitions of "spouse" have been repealed, because they arose only when "spouse" was deemed to include opposite-sex cohabitants. Second, all cohabitants—both opposite-sex and lesbian/gay—are classified as "common-law partners." In effect then, all cohabitants have been segregated from married couples.

This change is intended to make it look as if the federal government perceives marriage to be a unique institution, that heterosexual and queer cohabitants are different from married couples, and that all cohabitants are being treated equally by classifying them together as common-law partners. Superficially, it may appear that the government has replaced the three-tier set of categories that discriminated against lesbian and gay couples with a new "equal" two-tier system.

In reality, however, Bill C-23 has merely replaced one three-tiered system with another three-tiered system. The three new categories are:

- "spouse," reserved for married couples only;
- "common-law partners" of the opposite sex; and
- "common-law partners" who are not of the opposite sex.

Table A-4 outlines the overall impact of Bill C-23 on the status of lesbian and gay couples. There is now greater equivalence among the three classes of relationships listed above. However, the new status of lesbian and gay couples continues to discriminate in several key areas.

- Lesbian and gay couples continue to be denied the right to marry. Giving the appearance that cohabitation outside of marriage is a meaningful basis for legal classifications is belied by the fact that one group of cohabitants cannot marry if they so choose. The denial of the right to marry is made even more offensive by the addition of the marriage clause to Bill C-23.

- The government appears to have backtracked on the constitutionally mandated equality of both lesbian/gay and heterosexual cohabitants[86] in order to carve out a new non-marital status that it obviously hopes will help insulate the third-class status of lesbian and gay couples from Charter challenge.

- Bill C-23 has not eliminated even the most important areas of continuing discrimination in federal law. Two of the most important areas of litigation since section 15 came into effect have been the unequal age of consent rules for sexual activity in criminal law and the refusal to permit lesbian and gay Canadians to sponsor their partners for immigration purposes. Neither form of discrimination affects opposite-sex cohabitants. Neither form of discrimination has been redressed in Bill C-23. When releasing Bill C-23, the federal government stated that it would deal with those issues as part of overall reforms relating to criminal law and immigration law. However, current proposals on both points make it clear that existing discrimination will not be eliminated as either of those sets of amendments go forward. Other miscellaneous provisions relating to married couples continue to discriminate on the basis of sexuality as well.

- The failure to include common-law partnership in federal human rights legislation makes it entirely possible for the government to argue that lesbians and gays can now only file human rights complaints on the basis of individual rights and not on the basis of

relationship rights. As early as 1993, the Supreme Court of Canada ruled that lesbian women and gay men do not have "family status."[87] This ruling appeared to have been surpassed by *Egan and Nesbit*, in which the Court concluded that the expanded "opposite-sex" definition of "spouse" violates the equality guarantees of the Charter not on the basis of "marital status" discrimination, but on the basis of sexual orientation discrimination. But with the repeal of all the expanded opposite-sex definitions of "spouse" in federal legislation, powerful precedents, such as *Egan and Nesbit*, *Rosenberg*, *M*. v. *H* are no longer as legally relevant as they were. Yet, lesbian and gay couples are left without any marital status within the meaning of human rights legislation because of *Mossop*. Further Charter litigation will be needed to test the continued application of the Charter to lesbian and gay couples under federal law.

Instead of simply amending the *Interpretation Act* to insert lesbian and gay couples into various formulations of "spouse," "married couple" and other terms, this piecemeal approach to reform has perpetuated the very form of discrimination that Bill C-23 purports to redress.

Penalty Provisions

One of the most problematic effects of Bill C-23 arises from the massive impact the federal taxation and transfer system has come to have on individuals, couples and families. The tax/transfer system operates through a complex set of direct and indirect tax and expenditure benefits and penalties. The problem with the impact of the tax/transfer system on lesbian women specifically and on queer couples more generally arises from the fact that this entire system has been constructed over the decades around the ideal of the single-income family where the male is the head of the household.

This is not a new problem. The women's movement has already revealed many of the anachronistic assumptions on which it has been based. Tax benefits to those with economically dependent spouses, reduced social security payments to dependent spouses and disqualification from employment insurance benefits to employee spouses—all these tax/transfer provisions are designed around the assumption that the state should subsidize single-income couples, that women's work has no value and that any claims women might make to have worked for their husband are designed to create a basis for false employment insurance or pension claims.

Instead of seriously addressing the rationale behind such provisions, as these assumptions came under scrutiny over the last 25 years, sex-specific terms were merely replaced with gender-neutral language, and marriage-specific terms were replaced with language, such as "opposite-sex cohabitants," to include non-married couples.

With the extension of relationship concepts to include lesbian and gay couples, the irrationality of designing the entire tax/transfer system around the ideal of the single-income couple, headed by the male, has become even more apparent. This is because the less a couple resembles the ideal of the single-income couple headed by the male, the fewer advantages that couple will receive from the tax/transfer system, and the more this system will tend to disadvantage non-conforming couples. The flaw is simply this: The entire tax/transfer system places invisible

penalties on couples to the extent that they deviate from this implicit ideal around which it has been constructed.

This is the penalty effect of Bill C-23. From the tax on marriage to the dependency credits and employment insurance benefit criteria, single-income couples and families will reap more benefits and incur fewer of the fiscal burdens of relationship recognition than other types of couples. The reason for the differential impact of the tax/transfer system is the differential allocation of incomes by gender, race, ability, marital status and sexuality.

While Bill C-23 was being formulated and debated, attempts to raise this problem were consistently met with the contention that "with the benefits of equality come the burdens." But especially for lesbian women and for many gay men, this contention misses the real point.

Like other relationship recognition statutes, Bill C-23 does not extend genuine equality to lesbian and gay couples. It does not even extend full "equivalence" to lesbian and gay couples.

To the extent that it gives lesbian and gay couples fewer benefits and imposes greater penalties on them than when they were treated as individuals under the tax/transfer system, Bill C-23 has imposed the full price of equality on this class of couples, without giving them that equality.

Because lesbian women, gay men and lesbian/gay couples have markedly lower incomes than average women, men and heterosexual couples, lesbian and gay couples will receive considerably fewer benefits from this partial equivalence at the same time that they are exposed to considerably higher penalties.

Thus, lesbian and gay couples are actually paying a proportionately higher price for fewer state benefits than are any heterosexual couples.

Since the tax/transfer system was initially designed, attitudes toward people in relationships have undergone tremendous change. Women were once encouraged to devote most of their productive energies to non-waged domestic work and were often awarded long-term alimony payments in recognition of the fact that this career choice usually rendered them unable to support themselves after divorce. Canadian legal policy now reflects the opposite expectation: All adults should be encouraged to seek self-dependence.

The structural flaw in much of Bill C-23, then, is that applying the existing structure of the tax/transfer system to a class of couples who, more than most other classes of couples, already exhibit a high level of self-dependence and economic autonomy actually results in fewer benefits and greater fiscal penalties than would be received by other classes of couples. This means federal policy will place pressure on lesbian and gay couples to modify their relationship styles in order to maximize their overall financial position.

This is not a criticism of relationship recognition. It is a criticism of the distributional impact of the existing tax/transfer system. This criticism can also be levelled from the perspective of women as a class, adults with a disability as a class, and racially identified individuals and couples. Because of the impact of multiple layers of discrimination on lesbian women and the

severe effects of discrimination on the basis of sexuality on gay men, it is a particularly important issue for lesbian women and gay men.

Ironically, at the same moment that lesbian and gay couples have become recognized in Canadian law, it has become important to shift away from couple-based tax/transfer provisions to using the individual as the basic unit of legal policy. If this criticism of Bill C-23 were to be taken seriously, Canada would not be the first country to move toward the individual as the basic policy unit at the same time that it begins to define legally recognized adult relationships more widely. Most Scandinavian countries that have adopted RDPs have already moved dramatically away from joint tax/transfer provisions.[88]

The impact of specific tax and transfer provisions varies on the basis of a large number of variables, as demonstrated in Chapter 3. It can be seen that although there are winners and losers among lesbian and gay couples as a result of Bill C-23, on the aggregate level, lesbian and gay couples, as a class, will generally lose much more than they will gain.

"Separate but Somewhat Equivalent"

Stepping back from the details of statutory and judicial methods of recognizing lesbian and gay relationships, the overall picture that emerges consists of these elements.

- Lesbian and gay couples are still segregated by statutory classifications and by substantive legal provisions from married and heterosexual couples. The degree of segregation varies from statute to statute, but all statutes are more alike than they are different in this important regard.

- Lesbian and gay couples have fewer rights and responsibilities even in those jurisdictions that claim to have granted them full equivalence with other couples, primarily non-married heterosexual cohabitants. Equivalence is not equality, and it is accurate to say that lesbian and gay couples remain, at best, only partially equivalent in all jurisdictions.

- The only place where lesbian and gay couples approach anything resembling full equivalence is in tax/transfer provisions. They are meticulously included in all this legislation at the federal level. Here, however, the overall impact of these provisions is to impose, on the aggregate, more tax/expenditure penalties on queer couples than new benefits. The quantum of this overall penalty is exacerbated by the pre-existing income disadvantages faced by lesbian women, gay men and queer couples, and is further intensified when one or both partners are racially identified, have a disability or are responsible for children.

In terms of overall legal status, then, it is fair to say that far from having become "equal" in Canadian law, lesbian and gay couples have attained only the lowest rung on the towering ladder they must climb to reach genuine equality. They remain segregated in law and, at best, have obtained legal rights that are only somewhat equivalent to those of cohabiting couples in some jurisdictions in Canada.

3. DISTRIBUTIONAL IMPACT OF EQUIVALENCE: BENEFITS AND BURDENS

Demographically, lesbian and gay couples are disadvantaged in terms of incomes. Three provinces and the federal government have now adopted legislation that treats lesbian and gay couples as being nearly equivalent to married couples for purposes of benefit and penalty provisions. None of these jurisdictions has extended all spousal provisions to lesbian and gay couples. In most of these jurisdictions, however, almost all the "penalty" types of provisions that apply to heterosexual couples have been fully extended to lesbian and gay couples.

This chapter explores the distribution of benefits and penalties that flow from this pattern of law reform. This analysis has been carried out by microsimulation for the taxation year 2000, augmented by textual analysis and other sources of data where useful.

The first part reports on the overall costs, to lesbian and gay couples, of relationship recognition. The main finding is that the benefits lost because of relationship recognition greatly outweigh the benefits gained. The largest losers are lesbian women. Where there are gains, they appear to be divided equally between lesbian and gay couples.

The next parts analyze the distribution of the benefits gained and focus on why the costs of relationship recognition are so much larger than the benefits. The fourth section looks at how the loss of federal tax/transfer benefits at the federal level flows through to the provincial income tax level to produce an additional layer of fiscal penalties flowing from relationship recognition.

The overall conclusion drawn from this analysis is that extending relationship provisions to new classes of largely low-income couples will result in the loss of substantial benefits to them. This, in turn, produces substantial revenue savings to both the federal and provincial governments. This conclusion is relevant to the question of how relationship recognition, as currently structured, affects lesbian women as a class, and to two additional issues: whether the individual or the couple should be the basic tax/benefit unit, and whether relationship-based provisions should be extended to adults in non-conjugal relationships. These issues are discussed in the final sections.

Aggregate Impact of Relationship Recognition

Until Statistics Canada produces valid data on lesbian and gay couples, it will be impossible to measure the impact of any tax or transfer provisions on them. However, it is safe to say that existing lesbian and gay couples are among those currently reported as "unrelated" adults in survey and census instruments. Thus, the methodology used for this microsimulation study has identified all "unrelated" adult pairs of the same sex living together in a household, with and without children. It is unlikely that all or even most of these pairs are actually lesbian or gay couples. These pairs include roommates, companions and others who for some reason share living space. However, by removing those related by kinship or marriage, the most obvious non-lesbian or gay pairs have been eliminated.

Two sets of data were produced for this study. In one, a tight screen was used to select possible queer couples. The tight screen eliminated all students and pairs in which the age difference was so large that a care-giving relationship could be possible. In the other, a loose screen was used to collect data on all same-sex pairs on the assumption that some students are lesbian or gay, and some couples have large age differences.[89]

There is no way of knowing what proportion of either set could be considered lesbian or gay couples. Nor is there any way of knowing whether the lesbian or gay couples among these pairs are distributed evenly across the genders and income classes into which they have been divided. They could be clustered, or they could be distributed evenly.

Although these questions cannot be answered until actual census and survey data are available, the results of this microsimulation study are, nonetheless, useful. Being based on actual household records, all the details of household finance, including details of incomes, tax liability and transfer incomes of those household members are built into the model. The results represent the dynamic interaction of the whole of the federal–provincial tax/transfer system on actual incomes associated with each record, and represent more realistic results than static single-variable analysis could produce. It would be important, however, to test the results of this study against the actual data collected on queer couples in the 2001 census.

Aggregate Data

Table B-1 reports on the aggregate impact of treating the identified same-sex pairs as if they were "spouses" for purposes of all tax and transfer items, adjusted to the year 2000. Using the loose screen, the total gains resulting from spousal treatment would be $14.8 million ($14.0 million for the tight screen). In contrast, the total losses resulting from being treated as spouses would be $124.2 million ($102.6 million for the tight screen).

Those couples that benefited had an average gain of $768 (or $772), while those that lost ground were, on average, down by $967 (or $954). This translated into a loss in consumable income of $570 ($550) across the entire sample. The average consumable income for the pairs in this group, when treated as spouses, fell from $37,498 to $36,948 for both adults combined.[90]

Overall, these results are produced when the tax/transfer penalties arising from application of spousal rules outweigh the financial benefits. They represent the combined effect of a myriad of items that have tax or transfer significance recalculated on the basis that the pairs are treated as spouses for all legal purposes.

Aggregate Data by Income Classes

As Table B-11 demonstrates, the distribution of gainers and losers on the aggregate level is consistent with the distribution of households among the various income classes. This suggests that, on average, the total distribution of gains and losses resulting from being treated as spouses is not significantly affected by the amount of income received by the pair.

There are a few exceptional results, however. Almost 36 percent of all gainers are located in the $20,001 to $30,000 income class. This suggests there are tax benefits or transfer items payable to those pairs that they could not receive before. Because only about 15 percent of all households fall into that income class, that is a significant concentration of benefits in that class. From a tax policy perspective, increasing the gains in that income class would be considered progressive, because the overall distribution of after-tax incomes in Canada is seriously regressive at the lower income levels, and this change would help counter that pattern.

The same effect can be seen in the $40,001 to $50,000 income range. With roughly 12 percent of the households, this group realizes about 23 percent of the gains. Representing the incomes of two adults, this income level is not particularly high. Thus, this effect could also be considered progressive.

Losses are less clustered. Instead, they are spread out somewhat more evenly among the $30,001 to $60,000 income classes. Given that these are pair incomes, this result is regressive. It is also regressive that fewer of the losses are concentrated in the top income classes. However, it could be considered progressive that the two lowest income classes have less than their pro rata share of losses from relationship recognition.

When the average size of gains and losses is examined, the impact of relationship recognition appears to be a little less benign. On the loose screen, the average negative impact for losers in the bottom three income classes is around $1,100 for each class and actually shrinks as income increases. The average gain for those who benefited is smaller, ranging from $952 to $557. It is only at the over $100,000 income level that a larger gain is realized ($1,438).

Aggregate Data by Gender
Table B-3 reveals that within these averages and income classes, gender is a significant factor. The distribution of gainers and losers between male and female pairs is not significantly out of line, but the average gains and losses are. The average loss for male couples is only $689, but the average loss for female couples is $1,301. With average female couple incomes of nearly $2,000 less than male couples, this is a significant difference.

The average gains are more evenly allocated between male and female couples: $717 for male and $845 for female.

Due to the size of the sample constructed for this study, it has not been possible to look at income brackets by gender of the couple. However, data on selected tax/transfer items analyzed below do yield some insight into the source of the larger losses going to female pairs.

Distribution of Gains

The federal system of transfer payments confers a large number of personal benefits on adults. The Guaranteed Income Supplement, the Canada Pension Plan and *Old Age Security Act* are social welfare programs that extend social assistance payments and retirement incomes to adults. The income tax system provides additional personal benefits in the form of

tax reductions of various kinds. These include income tax credits for adult dependants, single parents, low-income couples with children, the Goods and Services Tax (GST) credit for those with low incomes, income tax exemptions for various employee family benefits and retirement contributions, and income tax deductions for child care expenses.

Depending on how eligibility for these benefits is structured, they fall into four basic classifications:

- benefits for supporting an economically dependent conjugal partner;
- family wage types of benefits that are available to anyone with a partner or child(ren) without regard to dependency or income levels;
- benefits that recognize or promote sharing of income or property with a partner or child(ren); and
- benefits that are primarily restricted to low-income taxpayers.

Dependency benefits include such items as the income tax credit for supporting an economically dependent spouse, the *Old Age Security Act* spousal pension allowance and transferable income tax credits of various kinds (disability, age, education, medical, etc.).[91] Family wage benefits include income tax exemptions for employee compensation that takes the form of employee benefits extended to a spouse or child (insurance coverage, interest-free loans for housing for spouse or child). Benefits that recognize or promote sharing of income or property with a partner or child are numerous and range from survivor options or benefits under various pension plans (registered pension plans or retirement savings plans) that permit property of the decedent to be transferred to another member of the family, to tax-deferring rollovers of property to a spouse or child.

Until the enactment of Bill C-23, lesbian and gay couples were treated as if they were individuals for purposes of all four categories of federal legislation. Court decisions had given them access to a few of these benefits.[92] A few others were available because of the wide language used in the legislation,[93] and court challenges to most of the others would probably have been successful. But, the result was that dependency benefits, many family wage type benefits and income/property-sharing benefits were not available to lesbian or gay couples.

All these benefits are constructed around a tax and transfer system in which the basic unit of eligibility is the individual. However, individual eligibility is modified in the case of the first three categories of benefits above, because only individuals with a legally recognized conjugal partner can obtain these benefits. The fourth category is somewhat different, because it contains a group of benefits that are actually reduced for couples in recognized relationships but increased for individuals who may have a relationship that is not recognized.

Thus, benefits that are primarily restricted to low-income taxpayers are not as beneficial consistently for couples as non-targeted benefits. This is because benefits targeted at low-income individuals and couples impose penalties on couples who claim them. This is the infamous spouse in the house rule in effect. Because family income concepts used to test

54

eligibility for many benefits use flat income cutoffs, they are more easily exceeded when there are two income earners in the house instead of one. The items that fall into this category are, for example, the GST credit or the Guaranteed Income Supplement. Both benefits are designed to deliver larger payments to individuals than they do to couples. Whether structured as a tax on marriage or built around presumed economies of scale, presumptions of non-arm's-length dealing or low-income cutoffs, income tax and transfer items targeted for low-income individuals actually impose penalties or losses on adults whose relationships are legally recognized.

Benefit provisions that have this penalty effect are discussed below. The point being made here is that because lesbian and gay couples generally fall into low-income classes, relationship recognition will affect them asymmetrically. Generally, their incomes are not high enough to take much advantage of tax and transfer items in the first three categories, but they are often high enough to disqualify them from receiving tax or transfer benefits that use the same flat income cutoff point for individuals or for couples. While other couples with low incomes may experience the same effect, it is particularly burdensome for lesbian and gay couples, because they have not yet achieved full civil equality with heterosexual couples, and lack the right to marry, for example, which would give them access to other legal rights and responsibilities that would be worth the price of the increased tax burden. In addition, it is likely, based on the projections in Chapter 1, that lesbian couples, in particular, are overrepresented in the class of couples that have virtually no access to these types of benefits, yet will disproportionately lose valuable tax and direct benefits. Like couples affected by racism, the lack of access to middle and high incomes severely constrains access to many types of tax benefits, while low-income couples are exposed to most of the tax penalty items.

Dependency Credits
Total new benefits gained as the result of relationship recognition are projected to be in the range of $14 million to $15 million for 2000. The bulk of these new benefits must be due to new eligibility for the married tax credit. According to Table B-13, treating same-sex pairs as if they were eligible for this credit will produce new tax benefits of $9.4 million to $14.1 million for 2000.

Because myriads of tax and transfer items go to make up the final distribution of after-tax incomes, the distribution of net gains to those who benefit in this simulation will not be identical to the distribution of new claims for the married tax credit.

Analyzing the impact of new eligibility for the dependent spouse credit is complicated because two things are going on in this calculation. On the one hand, extending spousal treatment to same-sex pairs immediately deprives any single parents among those pairs of the equivalent-to-married credit, which is very similar in amount to the dependency credit but which can be claimed only by an adult maintaining a self-contained domestic establishment in which he or she supports a related dependant who is under 18, the taxpayer's parent or grandparent, or infirm.[94] On the other hand, pairs in which one person receives income of less than $572 will qualify for the full dependent spouse credit.

Depending on the relative incomes received by each member of the pair, the dependent spouse credit may completely replace the lost equivalent-to-married credit, may not replace it at all (e.g., if both partners have incomes over the limit) or may replace it only partially. The interaction of these two credits is analyzed in detail below. For purposes of looking at the distribution of new claims for the dependent spouse credit, the net gain over prior claims will be treated as the new eligibility. This is because no single person can claim this credit unless it is for a single parent claiming in relation to a child, and no couple can claim anything but the spousal version of the credit.

The distribution of new claims for the dependent spouse credit is consistent with low couple incomes. Couples with incomes under $20,000 claim some 25 to 39 percent of new dependent spouse credits. These percentages increase to 28 to 32 percent for all couples with incomes under $30,000. This suggests there are large numbers of same-sex pairs with these quite low couple incomes, and that the distribution of income between members of the pair is imbalanced enough to make them eligible to claim the credit.

By the time couple income reaches $50,000, new claims for this credit are almost non-existent. This suggests both that income distribution within the couple is less imbalanced and that there is a low level of economic dependency among couples who could, in fact, exist on one income. When examined from the perspective of impact on same-sex pairs by income class, this distribution of new dependent spouse credits appears to be sharply progressive.

When viewed from the perspective of impact on female versus male pairs, the distribution of the dependency credit appears to be quite fair. New claims for the dependent spouse credit almost exactly mirror the ratio of female-to-male pairs in the sample, with 59 to 60 percent of the credits going to male pairs and the balance going to female pairs.

As discussed below, when the distribution of new claims for the dependent spouse credit is examined in light of the distribution of lost claims for the equivalent-to-married credit formerly claimable by single parents, there is a serious gender skew in the resulting distribution. Female pairs do not make up lost equivalent credits by being able to make new claims for the spousal credit, while male pairs are almost purely winners on this item.[95]

In addition, extending tax credits to taxpayers for supporting an economically dependent adult partner must be questioned seriously for its long-term impact on adult economic self-dependence. It is well recognized in the tax policy literature that joint taxation instruments form hidden tax barriers to, or implicit tax penalties on, the labour force participation rate of lower-income spouses. Although lower-income spouses are overwhelmingly female, the distribution of incomes among lesbian and gay couples suggests that gay couples may also be particularly vulnerable to this effect.[96]

Any group that has disparately low levels of income as compared with members of other groups is thereby less securely attached to the organized and well-paid waged labour force. Such marginalized workers will be more likely to agree to substitute non-waged domestic work for waged work. Allocation of large tax credits, such as the dependent spouse credit, to

potential supporting taxpayers is capable of tipping the balance in favour of non-waged work and, thereby, becomes a subsidy for the support of a middle- or high-income taxpayer as well as a hidden tax barrier to equal wage force participation.[97]

Lesbian women and gay men are both vulnerable to these effects. Gay men have access to the male economy. Thus, the high-low and single-income patterns[98] that attract the maximum dependent spouse credit are within the reach of gay couples, and low- or no-income gay couples are, accordingly, susceptible to the subsidy effect described above. Extension of this tax credit to gay couples would tend, over time, to result in greater discrepancies, perhaps by age, disability, educational attainment or income, in overall wealth.

Lesbian women do not have access to the male economy, but at the margins, the same effect would be expected. As discussed below, lesbian women would be even more vulnerable to this pressure especially when they receive valuable transfer benefits as single parents. As lesbian women lose direct benefits through being deemed partners, they are literally forced to become the dependants they are legally presumed to be. This, in turn, intensifies actual dependency and their partner's eligibility to claim the dependent spouse credit.

While there are many situations in which actual dependency is not an option but a given (e.g., situations of physical disability), extension of the dependent spouse credit to all couples, disabled and non-disabled alike, creates a subsidy for the non-waged work of partners without a disability that is not necessarily justifiable.

Other Tax Benefits

Because the SPSD/M does not model tax items that are too small to measure on the aggregate level, it was impossible to determine the impact of the smaller transfer items that must have played a role in producing the modest tax/transfer gains projected for the newly recognized same-sex pairs found to be gainers in this analysis.

However, changes in the average of all transfer items and total taxes sheds some light on the magnitude of those probable gains. Table B-12 demonstrates that when total pair market income is held constant, the difference between being treated as individuals and as spouses for tax purposes produces additional tax benefits in the order of $200 per couple. The amount of increased benefits varies with income. Couples with the lowest incomes (under $20,000) received an additional $154 in tax benefits; this rises to $300 to $464 for couples in the $20,001 through $50,000 range. The increases almost disappear or become negative at the higher income levels.

Again, this distribution of overall tax benefits is progressive and improves the fairness of the tax system when it is viewed in isolation. The exception to this statement is the relatively small increase in tax benefits realized by the poorest couples. The small size of the increase at this income level is consistent with the regressive incidence of the total tax system at the lowest income levels.

These changes in total average taxes are the result of the overall interaction of the hundreds of specific provisions in the tax system as well as the application of the graduated rate

structure to taxable income. Most of these tax provisions will be of greater value to middle- and high-income couples than they will to those with low incomes. Some of the credits that can be transferred from one partner to another will be of greatest value to low-income pairs. For example, the only limit on claiming the disability and age credits that cannot be used by a partner is that the other partner's income tax liability must be large enough to make use of them. However, other transferable credits can be claimed only so far as the couple has enough money to pay for the items that will then give rise to tax credits. For example, if a couple cannot afford drug or medical treatment not covered by provincial health care plans or private extended insurance, then they will not qualify for transferable medical credits. The same limit will operate in relation to educational expenses, for example.

Beyond the transferable credits, tax benefits arising from Registered Retirement Savings Plan (RRSP) contributions to spousal plans, transfer of RRSPs on a tax-deferred (rollover) basis to a surviving spouse, a tax-deferred transfer of income-producing property to a partner or other tax benefits available to those with investment income or property gains will tend not to be available to low-income pairs precisely because they tend not to have sufficient disposable income to engage in the types of transactions that will qualify them for such tax benefits.

As can be seen from Table B-12, same-sex pairs with incomes under $20,000 have average market income as a couple of only $7,171, and receive more than that in average transfer income—$7,820. With total tax liability of $2,498 when treated as spouses, their average disposable income as a couple is only $14,083. At this after-tax income level, there is virtually no room for discretionary spending, tax-benefited investment behaviour or income splitting that would attract further tax reductions. And at this income level, even if one member of the relationship were able to afford to make tax-benefited contributions to, for example, a spousal RRSP, taxable income is already so low that there would be no actual tax benefit for doing so. Thus, such investment behaviour is not encouraged by the tax system with respect to low-income couples.

At higher income levels, spending for items that qualify as transferable credits, tax-deferred investments, income splitting and other types of behaviour become both rational and possible. This is reflected in the fact that average tax benefits increase substantially in the $20,001 to $50,000 income range, for there is room for spousal sharing and behaviour that will attract tax benefits. At the highest income levels, this capacity for sharing becomes non-rational as both partners inferentially become more able to plan their income, expenditure and tax activities as individuals not dependent on tax benefits to optimize their after-income disposable incomes.

The tax-planning behaviour of both middle- and high-income couples will also be affected by their expectations for their relationships. Those who expect to remain in long-term relationships tend to be interested in benefits such as employment-related benefits, the dependent spouse credit in the *Income Tax Act*, rollover treatment for transfers of property between partners, pension survivor options and RRSP benefits. Those who do not, tend to plan as if they were, in fact, not coupled.

Non-Quantifiable Relationship Benefits

Quite apart from the tax implications of relationship recognition, couples at all income levels may derive other benefits. Having a legal framework within which to identify and define relationship responsibilities and rights, being able to receive employment benefits, knowing that one's partner will be treated as next of kin for purposes of medical consent in emergencies—all these legal rights are of more or less equal value regardless of economic power. Indeed, some of these features grow more valuable as cash incomes drop and conflict or crisis of any kind makes proportionately bigger demands on scarce energy and resources.

Different types of benefits will be more or less attractive at different income levels and for each member of a relationship. A person who expects to be able to make a claim for personal or child support on relationship breakdown will value being in a recognized relationship. A person who expects to have to make such payments will consider that a good reason to avoid relationship recognition. Low-income individuals in stable relationships may welcome the opportunity to seek support if the relationship were to terminate, in order to receive life insurance payouts, guardianship of children or medical care, whereas middle- and high-income individuals may not.

Financial autonomy is another feature of relationship recognition that is little understood at this time. There is some suggestion in the research literature that lesbian and gay couples tend to share the tasks of living on a more egalitarian basis than heterosexual couples, and income differences between partners do not correlate as strongly with power in the relationship or assignment of non-waged or unpalatable tasks.

Those who do not place value on long-term relationships may fear that entering a legally recognized relationship will fetter their financial autonomy by forcing them to share property, their homes or their incomes. Or if members of a couple have actually arranged their financial affairs as separate individuals, relationship recognition may cost them the chance to claim double principal residence exemptions, whereas low-income people are more worried about just being able to afford a joint home.

Distribution of Losses from Relationship Recognition

The net loss to potential lesbian and gay couples from relationship recognition is substantial. As modelled for the year 2000, relationship recognition would reduce the consumable incomes of lesbian and gay couples by $100 million to $124 million.

The net impact on consumable income does not reflect the full impact of relationship recognition, for these net figures are themselves moderated by the gains discussed above. For 2000, the six largest tax and transfer items affected by relationship status will produce projected losses for the potential lesbian and gay couples in this sample in the range of $131 million to $155 million. As with benefits, other smaller items will add to that figure, but cannot be calibrated by this model.

Relationship recognition is costly to all couples because of the mechanisms that have been devised to place limits on adults who receive income tax and transfer payments. Because

individuals and couples who receive various types of tax and transfer benefits are subject to many of the same low-income cutoffs or to other benefit-limiting formulas, low- and middle-income adults are actually better off financially if they are considered to be individuals.

These losses are the result of the application of the following types of relationship penalties to the potential lesbian and gay couples in this sample:

• the tax on marriage, which withdraws some or all financial support from low-income adults when they form relationships;

• low-income cutoffs that trigger benefit reduction formulas;

• economy of scale formulas that reduce couple benefits to reflect assumptions about household consumption patterns;

• deemed non-arm's-length provisions that disqualify some classes of adults from receiving some types of benefits; and

• conflict of interest provisions that disqualify some people from receiving some forms of benefits.

When couples are economically disadvantaged because of the long-term income effects of discrimination or prior exclusion from benefit systems, as are lesbian and gay couples, these effects will be particularly severe. Lesbian women are especially disadvantaged because they do not have any access to the male economy, yet have substantial responsibilities for raising children. Gay men are especially disadvantaged by employment discrimination and frequently have responsibility for children as well, often without the kind of child custody that would entitle them to receive social assistance payments in relation to those children and, often, with child support obligations.

Global Losses

Table B-12 demonstrates that on a global level, when compared with the size of gains realized through new access to income tax benefits, potential lesbian and gay couples in every income class experience significant losses of transfer income. The average loss is $755 per couple. When this average loss is offset by average gains in net income tax benefits, the global loss averages out to $550 per couple.

These losses in transfer incomes are regressive in incidence. Pairs with total incomes under $20,000 have average total incomes of around $14,500. Over half of that income is, on average, made up of transfer incomes; less than half is market income. For this extremely disadvantaged class of couples, the loss of an average of $563 in transfer incomes for 2000 is significant. Offset by a mere $154 in additional tax benefits per couple, this means the net cost to these potential couples of relationship recognition is $409.

The highest costs of relationship recognition are clustered in the lowest income classes. Couples with incomes in the $20,001 to $30,000 range—which means individual incomes on average of $10,001 to $15,000—lose an average of $1,089 in transfer incomes. Those with

incomes of $20,001 to $30,000 lose $1,062. Although gains in tax benefits offset these amounts somewhat, the combination of the two effects produces a regressive scale of effects.

When the net losses to potential couples are expressed as a percentage of average disposable income before relationship recognition, the net price of being treated as spouses ranges from 2.3 percent for those with couple incomes under $20,000 to 0.1 percent for those with incomes over $100,000. The pattern is considered regressive because it imposes the heaviest costs of relationship recognition on those couples with the lowest incomes.

These global losses are distributed regressively by gender as well as by incomes. As reported in Table B-3, the average net loss for female couples in this sample is $1,301, which is 188 percent of male couples' average net loss of $689.

Tax on Marriage

The hallmark of a so-called tax on marriage is that the mere fact of relationship recognition triggers loss of a benefit or the inferential increase in income tax liability that flows from it. Many tax and transfer items function as a tax on marriage, some in combination with economy of scale formulas that reduce couple benefits to reflect assumptions about household consumption patterns.

The equivalent-to-married credit given to single parents who support a dependent child in a separate domestic establishment is an example of a tax on marriage that operates alone. It does not depend on income levels, assumptions about economies of scale or any other targeting devices. A single parent of any income level will receive it, and a parent who is treated as a spouse will not.

The refundable GST credit is more complex in design. Although it is a refundable credit, which means that low- and no-income people can receive it even if they have no income tax liability, it is calculated in two segments: all qualifying people receive the basic individual amount, and single people receive an additional single supplement. Thus, it combines a low-income cutoff (LICO) and an economy of scale formula with the basic tax on marriage mechanism.

Other examples of the tax on marriage are found in the direct transfer system. The Old Age Security spousal pension allowance and the Guaranteed Income Supplement all have a tax on marriage effect to the extent that the size of benefits is linked directly to marital status. Because this scaling of benefits is premised on the assumed economies of consumption available to conjugal couples, they are discussed separately below.

Equivalent-to-married credit

The interaction between the dependent spouse and the equivalent-to-married income tax credits illuminates how relationship recognition intensifies both income regressivity and gender discrimination in the overall operation of the tax and transfer systems.

As discussed above, new tax benefits will flow to newly recognized couples who can claim the dependent spouse credit. This credit has a financial value of $972 in 2000 for those

couples who can take full advantage of it. The distribution of those credits is fairly equitable on both the gender and income dimensions.

However, the price of claiming the dependent spouse credit for any taxpayers with dependent children is the loss of the equivalent-to-married credit. This credit has a financial value of $972 in 2000 for those taxpayers who can claim it. Basically, anyone with an income of more than $7,000 can take partial advantage of the equivalent-to-married credit, and it can be fully utilized by those with taxable incomes of around $13,000 or more.[99] But only single individuals can claim the equivalent credit. Those taxpayers whose relationships are legally recognized cannot claim it.

Not surprisingly, given gender patterns in Canadian society, the bulk of the tax benefits flowing from the equivalent-to-married credit go to women. A growing but still small share goes to men. As seen in Table B-4, one of the most clear-cut effects of extending spousal treatment to lesbian and gay couples is the complete loss of the equivalent-to-married credit. This credit functions as a tax on marriage to the extent that only unmarried individuals can claim any part of it. By extending marital treatment to lesbian and gay couples with children, they are denied the equivalent-to-married credit. The resulting loss for gay men is $1.4 million for 2000; for lesbian women, $8.4 million.

Eligibility for the equivalent-to-married credit is not limited to low-income individuals. All single taxpayers can claim it. At the lowest income levels, loss of this credit may be difficult to make up, especially if the couple has sufficient combined income to lose eligibility for other credits such as the child benefit. At middle- and high-income levels, loss of this credit is offset by increased economic power.

When dealing with potential lesbian and gay couples, loss of the equivalent-to-married credit is not necessarily offset by other tax or transfer items. In looking at the relationship between the dependent spouse credit, for which married couples do qualify, and the equivalent-to-married credit, which is lost when individuals move into the category of recognized couples, it can be seen that while higher-income gay men can expect to more than make up for the loss of the equivalent credit by gaining access to the married credit, the opposite is true for lesbian women.

Thus, the male pairs in Table B-4 lose equivalent-to-married credits of $1.4 million as the result of being treated as if they are married, but they gain new dependent spouse credits of $11.3 million, for a net gain of $9.9 million as the result of spousal treatment. In contrast, the female pairs in Table B-4 lose equivalent-to-married credits of $8.4 million—women traditionally have more responsibility for children than men—but gain only $7.9 million in new dependent spouse credits.

The resulting loss for female pairs is $0.5 million. This is not a surprising result. It is consistent with women's lower incomes, which make it less feasible for any woman to support a female pair. It is also consistent with women's greater responsibility for children.

Taking the allocation of equivalent credits between the female and male pairs in Table B-4 as an indication of the allocation of children between female-pair and male-pair households, it can be seen that even though the female pairs have far more children and much smaller average incomes, they realize a net loss of tax credits as a result of relationship recognition. The male pairs in Table B-4, however, have far fewer children and much larger average incomes, yet they realize a net gain of tax credits larger than the net received by female pairs in the form of the equivalent credit before relationship recognition.

This is symptomatic of the low-income plus children pattern of lesbian couples versus the higher-income without children pattern of gay couples. The result is that gay couples can be predicted to have greater access to a single-income life, subsidized by the married credit, while loss of the equivalent credit and lack of eligibility for the married credit reinforces the tendency of lesbian couples to have to rely on two incomes instead of just one.

The result of this pattern is that lesbian couples—even those with children—will have less access to the inferential tax benefits of the non-waged domestic work of a dependent spouse in the house. Gay males, however, will not only receive the tax benefits of the married credit, which subsidizes single-income couples, but will also then have access to the substantial financial and tax benefits of tax-exempt, non-waged domestic work provided by the non-income-earning partner.

Table B-13 demonstrates the relationship between income levels and claims for the equivalent-to-married credit versus the dependent spouse credit. All the credits in the column under "Married Tax Credit Claimed - Status Quo" are lost because of spousal treatment, and the credits under the heading "Married Tax Credit Claimed - Same Sex Couples" are new. The net figure, "Change in Married Tax Credit Claimed" represents the net of new married credits over lost equivalent credits. All but $1.4 million of the losses were incurred by female pairs, while the majority of the gains were received by male pairs. While pairs who have couple incomes under $20,000 receive nearly a quarter of the new married credits, female pairs did not make up the loss with new married credits. This is due to women's generally lower incomes than men.

GST credit

The equivalent-to-married credit is one of the largest tax credits delivered via the *Income Tax Act*. But it is by no means the most significant. The GST income tax credit involves a much larger loss of tax credits to individuals who are treated as spouses.

The GST replaced the federal manufacturer-level sales tax in the early 1990s. When the GST was enacted, the sales tax credit was replaced by the GST credit in light of the expected incidence of this tax. The result is the refundable tax credit system in section 122.5 of the *Income Tax Act*. Both the sales tax credit and the GST credit that replaced it were intended to ameliorate the admittedly regressive incidence of those flat-rated consumption taxes, such as the sales tax or the GST.

The GST income tax credit is subject to two limitations. Married couples automatically lose the single supplement built into this tax credit, even if their combined incomes are extremely

low. An individual or an adult couple will lose the right to claim this credit once total income rises above a low-income cutoff point. The first limitation—the loss of the single supplement when couples are treated as spouses—operates as a tax on marriage that ensures that even though couple incomes remain below the low-income cutoff, the couple will receive a smaller total credit than if they claimed it as two separate individuals.

The GST tax on marriage reflects the assumption that even if two adults have low incomes, two adults in a conjugal relationship can live more cheaply than one. Most tax and transfer formulas that are built around presumed economies of consumption or economies of scale assume that two individuals can maintain their individual standard of living even if their individual incomes are reduced by 30 percent.

The GST credit tax on marriage is steeper, reducing the rate for each member of a couple to 65 percent of the individual rate. This is accomplished by removing the single supplement from both individuals who form a legally recognized couple. For 1993, the full adult GST credit was $199. Single adults received a single adult supplement of $105.

The GST tax on marriage affects the adult credit as well as the credit extended in relation to dependent children. In this regard, the GST credit functions like the equivalent-to-married credit. A single parent can claim, in addition to the $199 adult credit and the $105 supplement, the adult credit of $199 for one dependent child plus a supplement of $105 for each additional child. In contrast, couples can claim only $199 per adult, for $398 per couple, but receive neither the $105 single adult supplement for either of them nor the $199 adult credit for any dependent child.

Because of the adult and child components of the GST tax reduction features, the amount of the tax on marriage for any particular family will depend on the specific make-up of the family. When two adults are deemed to be spouses for purposes of the GST credit, they lose $210 each year between them. When one child is involved, the amount of reduction is $304 per year; if there are two children, the family loses a total of $397 in credit per year.

Tables B-6 and B-15 set out the impact of this tax on marriage by gender and by income classes. The overall impact is the loss of something between $37.3 million and $42.7 million for 2000 for all the potential lesbian and gay couples in this study. This is the single largest lost benefit at the federal level, second only to the total losses of benefits arising at the provincial level across the country (discussed below).

Substantial losses on the part of female pairs are indicative of the concentration of women in low-income classes. Representing 40.5 percent of pairs receiving the GST credit, female pairs received 45 percent of the tax credit when treated as individuals. When treated as spouses, which would result in the loss of single supplements and single-parent supplements, female pairs incurred 46 percent of the losses. The loss to these female pairs came to $17.3 million ($19.4 million on the loose screen).

64

The male pairs in Table B-6 also lost substantial amounts of GST credit. Their loss was not proportional to their representation in this sample. Although 60 percent of recipients of the GST credit are male pairs, they lost only 54 percent of the lost credit.

Because the GST credit is means-tested (discussed below), it is not surprising that the majority of lost credits are concentrated in the lower income ranges. In Table B-15, the lost GST credits for pairs with incomes under $20,000 and between $20,001 and $30,000 is quite small (only 0.3 and 8.9 percent of the total amount lost, respectively) when compared with their representation in the sample (12.5 and 15.3 percent). However, in the $30,001 to $40,000 and $40,001 to $50,000 income ranges, which imply individual incomes of roughly $15,000 to $25,000 for each partner, the share of the GST credit lost is substantially higher than the percentage representation in those classes. This suggests that the tax on marriage affects high-low and low-middle income classes quite harshly.

On the other hand, the data on individual GST credits for high-income classes suggest that substantial GST claims in high-low income pairs are being lost completely.

On the aggregate level, any tax on marriage—whether it is disqualification from claiming the equivalent-to-married credit for single parents or the GST single supplements—will tend to promote the economic dependency of low-income adults. This will disparately affect women to the extent that they have substantially lower incomes than men. But it will also affect men who earn disparately low income. This class of men will include gay men, men with a disability and racially identified men. The fact that women are disparately burdened by provisions such as this does not mean they cannot also burden selected groups of men. The GST effect on marriage is a clear example of a provision that does just that.

The impact of such a tax on marriage is similar to the extension of dependency credits to no-income spouses. The loss of tax benefits to low-income and marginally employed adults sets them up for choosing economic dependency as an alternative strategy for survival. The amounts lost through the GST tax on marriage are, in the aggregate, quite large. They represent a major item in the total tax/transfer package aimed at delivering income supports to low-income individuals and couples. Withdrawal of this support, as part of the process of recognizing an already-disadvantaged sector of the adult population, is not calculated to encourage revelation of relationship status at the administrative level nor confidence that the total tax/transfer system is fair or equitable.

Low-income cutoffs
Low-income cutoff clauses (LICOs) are designed to restrict eligibility for some spousal benefits to those people who need them the most. Need here is measured not merely by whether a recipient is in a recognized relationship, but by the aggregate amount of income received by the couple.

LICOs are found both in direct government expenditure schemes and in indirect expenditure programs delivered through income tax legislation. They are used to target distribution of

direct social assistance, old age spousal pension allowances, child benefits, the equivalent-to-married tax credit, some transferable tax credits, child-care expense deductions, employment insurance, worker compensation and medicaid provisions.

When LICOs are calculated and administered by reference to both individual income and the incomes of other family members via family-income concepts, many people who would qualify for benefits as individuals are denied benefits (or have their benefits "ground down" to some extent) when their spouse or cohabitant's income is large enough to take the couple or the family over the group-based LICO.

Child-care expense deduction

Some LICO formulas operate indirectly. For example, the LICO in the child-care expense deduction provisions does not place an absolute income ceiling on eligibility, nor does it grind the amount of the benefit down as income increases. Instead, it assigns the deduction to the spouse with the lower income, treating that spouse as having the marginal income to which the deduction relates. Single individuals can claim their own child care expense deductions, no matter their own income level, although the caps on deductible amounts do place absolute limits on the top value of the deduction.

In a sense, the child-care expense deduction has a floating low-income cutoff for couples. This keeps the amount of the deduction that can be claimed below the amount of income earned yet above a subsistence level as measured by the net other credits that can be claimed. The deduction can shift from one partner to another, which means that it will also be scaled to the marginal income tax rate payable by the lower-income partner.

Because the deduction can shift between partners, lesbian or gay parents considered to be common-law partners as the result of Bill C-23 will not be able to continue deducting their own child-care expenses unless two conditions are met: the parent's income is large enough to take advantage of the full deduction, and his or her individual income is lower than the partner's income. When the partner's income is lower, then the partner is required to claim the deduction, or if their partner has no income. If the partner has no income, then even if there is no economic relationship between them or the partner is not involved at all in child care, no deduction can be claimed at all.[100]

Unlike tax credits, the child-care expense deduction is just that—a deduction that can be claimed in calculating taxable income. It is not a tax credit. Thus, it exhibits the "upside down" of tax benefits that deliver larger benefits to taxpayers with larger incomes and smaller benefits to those with smaller incomes.

Child tax benefit

The child tax benefit is a federal transfer item that is delivered through the *Income Tax Act*. The amount of the full benefit is for 1999 was $1,104 (it has increased somewhat for 2001), and is structured as a refundable tax credit. Recipients are deemed to have overpaid their federal income taxes by the amount of the credit for which they qualify. That deemed

overpayment is delivered directly to them by the government, not as part of the income tax return filing process, but in separate transactions entirely outside the annual tax return.

The child benefit is subject to an annual individual or couple low-income cutoff of $25,921 (1999). An individual parent can earn up to that LICO without losing any of the full benefit. If the parent is treated as a spouse, then the incomes of the two adults are combined, and the same LICO is applied to determine eligibility. The cutoff is not scaled for economies of consumption or in any other way adjusted to reflect the higher costs of supporting two adults on the same income.

Not surprisingly, the vast majority of those receiving the federal child benefit are women. Table B-7 indicates that for 2000, over 90 percent of all recipients are women. On an individual level, all the claims are clustered in the two bottom income ranges—below $20,000 and between $20,001 and $30,000. This is a highly targeted benefit. Because the LICO is $25,921 and because there are relatively few single male parents, only a tiny proportion of the benefit is claimed by men.

Table B-7 suggests that recognizing lesbian and gay couples will result in the loss of over half the benefits currently paid to this class. When treated as individuals, the same-sex pairs in this sample received $23.6 million in child benefits. When treated as spouses, those pairs receive only $11.6 million in benefits. This is a substantial portion of the overall cost of relationship recognition to lesbian and gay couples.

Because over 90 percent of the recipients of this benefit are, as indicated in Table B-7, women, it can safely be concluded that nearly all these lost benefits will be relinquished by lesbian women instead of by gay men. Women would have received some 88 percent of the lost benefits. Because even lesbian women have much lower average incomes than any classes of men—except men who are racially identified or have a disability—it is not likely that these women will have partners whose incomes are much higher than their own.

The policy objective behind the use of family- or couple-based LICOs in this context is to ensure that family members turn first to each other for economic support, and then to the state only if they cannot meet their own minimal needs. Both family law and criminal law ensure that this duty to support can be enforced.[101] Unfortunately, this places lesbian women in a particularly difficult situation. Most jurisdictions still do not recognize lesbian or gay couples, let alone their relationships to each other's children. Without an obligation to support each other's children, the loss of valuable federal child benefits on the irrebuttable presumption that there is support burdens lesbian women as compared with heterosexual women and parents with access to some form of the male economy. Charter litigation in this area has produced mixed results, but this may well be an area the courts will have to address.[102]

GST credit "grind-down" formula
The GST tax credit contains both a low-income cutoff, which functions to limit claims to individuals whose family income does not exceed $25,291 and an income grind-down formula. The GST credit is ground down by five percent of the extent to which family income exceeds the relevant LICO. Thus, aggregation of family incomes can grind down the already-reduced

GST credit faster for couples than would occur on the individual level. This, of course, will depend on the specific make-up of family incomes.

This mechanism, like the others of its ilk, tends to promote economic dependency, withdrawal from labour force participation to realize the financial benefits of non-waged domestic labour when there is another supporting individual in the household, and greater dependence on government subsidies.

Economy of Scale Formulas

Numerous elements of the tax and transfer system are built around the assumption that two can live more cheaply than one because of economies of consumption. The GST single supplement is designed to remove the extra support needed for individual people from the benefit when people who are married or treated as married apply for it. Other examples of benefits that are scaled down for married couples are the Old Age Security spousal pension allowance and the Guaranteed Income Supplement.

Treating lesbian and gay couples as spouses will reduce the benefit levels they receive under the GIS substantially. This impact will be felt most severely by lesbian couples and by the lowest income couples.

Table B-5 demonstrates that 91 percent of the GIS benefit losses that result from relationship recognition will be borne by female pairs (loose screen). Male pairs are barely affected. This is due to the greater poverty of women generally. The GIS is an income support program for the very poorest people in Canada. The LICOs used in this program are much lower than for any other tax or transfer program, and they are sharply scaled to reflect presumed economies of consumption. Individuals can earn up to $11,735 and still receive the GIS; couples can earn only $15,312, which is only 65 percent of the combined LICO for two individuals.

Benefits under the GIS are also scaled in the same proportion. Both single recipients and recipients married to non-pensioners can receive benefits of up to $6,048.50 per year (as of March 1, 2000) while recipients married to pensioners receive only $3,939.73 per year. The economy of scale built into these figures presumed that two individuals living together can maintain their standard of living on only 65 percent of what it takes for two individuals living separately (i.e., they can "save" 35 percent overall by living together in a conjugal relationship).

The combined effect of married penalties for eligibility plus married penalties built into the benefit structure means that when adult pairs who have been treated as individuals are given the same treatment as spouses, they lose substantial benefits. This is borne out by the data in Table B-5. Same-sex adult pairs would lose 34 percent of their GIS benefits from being given spousal treatment.

Table B-14 shows how spousal treatment affects recipients by income class. When treated as individuals, pair incomes can range all the way from the lowest to the over-$100,000 level. This is because an individual whose income falls below the LICO of $11,735 can live with someone whose income is $90,000 or more without losing the GIS. Sharing living space

alone does not disqualify individuals from receiving the GIS, so long as the relationship between the parties is not considered a conjugal relationship.

However, the number of instances in which this high-low pattern is present is obviously very small. As the loose screen results in Table B-14 indicate, less than $0.5 million in GIS individual benefits goes to people in such situations. The bulk of the payments under the status quo are concentrated in the two bottom income classes—$0 to $20,000 and $20,001 to $30,000. The very bottom income class is scarcely affected by spousal treatment. In fact, those claims go up by a tiny fraction. However, claims by pairs whose combined incomes fall into the $20,001 to $30,000 income range fall by 28 percent, and claims by those with combined incomes in the $30,001 to $50,000 range fall by 82 percent.

These figures suggests that around 76 percent of the current GIS recipients live with another adult whose income exceeds $3,577 by some degree. The distribution of lost benefits in Table B-14 indicates that these "excess" incomes are concentrated in the $5,001 to $15,000 range.

The principle of equality is thought to be symmetrical: along with new rights should come new responsibilities. But the principle of distributional justice, or equity, looks not only to the strict symmetry associated with formal equality but also to the substance of what is achieved in the name of equality. When looking at the distribution of lost benefits flowing from spousal treatment under the GIS, what becomes clear is that many same-sex pairs live together because they are so extremely poor. If equal treatment produces inequitable treatment, then the structure of the tax/transfer system must be called into question.

Deemed Non-Arm's-Length Provisions

Conflict of interest provisions can be cast in many different forms. One of the tightest barriers to conflict is a type of provision known as deemed non-arm's-length (NAL) provisions. If individuals fall into a category of people deemed to deal not at arm's length, then no matter how much evidence there may be that they are, in fact, dealing completely at arm's length, as if they were total strangers with adverse economic interests, they are not permitted to enter into certain legally recognized transactions.

The concept of non-arm's-length dealing was originally developed for purposes of enabling the Minister of National Revenue to disregard transactions and arrangements involving members of the same family. The presumption on which these provisions are based is that members of a family will always and only ever be motivated by tax avoidance or tax evasion, and they cannot be permitted to deal together.

The definition of "non-arm's-length dealing" in the *Income Tax Act* has remained unchanged and unchallenged for decades. Section 251 stipulates that married couples or others treated as spouses for income tax purposes are deemed to deal not at arm's length. The Minister has the discretionary authority to find that other unrelated people are factually not dealing at arm's length. The key point here is that spouses and other relatives are irrebuttably deemed to not deal at arm's length with each other.

The application of the NAL rules to spouses has a long and difficult history that has persisted into the present. Until 1980, a wife who worked in a family business either as an employee or as a partner was not considered to earn any income of her own, even if she did actually receive a salary or a share of the profits. This was because for taxation purposes, a salary that was actually paid to a wife was deemed to be the husband's income, if the wife was the husband's employee.[103] Family corporations could be used to get around these rules, but the NAL rules empowered the Minister of National Revenue to ignore such salaries if it appeared that they were not "reasonable in the circumstances."[104]

In essence, the prevailing test used to assess the reasonableness of spousal salaries under section 67 remains the test established in *Murdoch* v. *Murdoch*[105] in which the Supreme Court of Canada concluded that a farm wife was not entitled to a share of farm property held in her husband's name on the basis of her labour contributions because she was just doing what "any good farm wife" was expected to do.[106]

This statutory erasure of wives' salaries was not beneficial. Although it had the appearance of relieving wives from liability for income taxation, it was actually designed to prevent spouses from gaining tax advantages that were thought not to be appropriate for the spousal relationship. Those benefits were the overall tax reduction resulting from splitting the profits of family businesses between spouses and the ability of the wife to treat her salary as insurable earnings for unemployment insurance purposes or as pensionable earnings for purposes of the Canada Pension Plan. Thus, the non-deductibility of wives' salaries was one of the ways women were prevented from developing their own social security entitlements and forcing them to rely on their husband for ongoing support during marriage and retirement.

Pressure from the women's movement eventually resulted in the repeal of the non-deductibility provision, but the deemed NAL rules in the *Income Tax Act* were not repealed.[107] After the non-deductibility provisions were repealed, unemployment insurance and CPP rules were modified to incorporate the deemed NAL provisions of the *Income Tax Act* relating to spouses into the *Unemployment Insurance Act* and the *Canada Pension Plan Act*, thereby continuing the exclusion of women from these two benefit schemes, even when they possessed their own independent incomes. Indeed, the NAL rules reached even further than the non-deductibility rules had ever reached, because these provisions could be used to ignore the interposition of a corporate entity.

Eventually, the NAL rules in the CPP legislation were dropped, enabling wives—and by that time, opposite-sex cohabitants—to establish their own CPP eligibility on the basis of earnings from a family business. However, the NAL rules have remained substantially in effect in unemployment/employment insurance legislation, which makes it very difficult for spouses to establish that they are engaged in insurable employment when working for one another. EI benefits cannot be claimed unless the employee can convince the Minister that he or she would have been able to enter into a "substantially similar contract" if dealing with an arm's length party.[108] In practice, this means that if the employment arrangement is constructed around a wife's child-care activities, for example, or reflects other flexibility that spouses

would extend to each other as a matter of family convenience, the Minister will be less likely to treat the employment relationship as bona fide for purposes of EI coverage.

With the extension of the *Income Tax Act* NAL rules to lesbian and gay couples as the result of Bill C-23, lesbian and gay partners are deemed by the new *Employment Insurance Act* to have non-insurable earnings from employment when they work for their partner, for a partnership of which their partner is a member, or for a corporation controlled in whole or together with other unrelated persons by their partner.[109]

Thus, some portion of EI benefits claimable before the enactment of Bill C-23 will become non-claimable as the result of the deemed NAL rules in that legislation. Although there is a reverse onus exception to this deemed NAL rule that enables employees to attempt to establish that the terms of their employment were similar to actual arm's-length relationships, the courts have placed a very heavy burden on those who seek exception from the NAL rule.[110]

The same system of rules will now apply to lesbian and gay partners who seek to establish that they have pensionable earnings for purposes of maintaining or establishing their own CPP entitlement.[111] Partners will acquire an affirmative obligation to convince revenue officers that salary payments are reasonable in the circumstances in order to establish that those payments can continue to be treated as pensionable earnings for purposes of CPP contributions.

Thus, if lesbian couples and partners who work in a family business cannot establish, to the satisfaction of revenue officials, that they have arm's-length contracts, they will not be able to meet the reverse or affirmative test in both statutes. They will cease to have their own EI and CPP accounts. Both of these effects bring lesbian and gay couples into closer conformity with the presumed spousal dependency model out of which these rules grew.

New eligibility for CPP survivor benefits, as well as confirmation of survivor options under employee-registered pension plans and rollovers for undistributed RRSP contributions will enhance the retirement security of lesbian and gay couples. But the offsetting loss for those who are no longer able to maintain independent EI and CPP eligibility will detract significantly from those new benefits.

Conflict of Interest Provisions

Some spouse-based legislative provisions are designed to prevent spouses from collaborating to optimize benefits of various kinds. This includes conflict-of-interest provisions, disclosure of family interest legislation and numerous taxation provisions intended to force family members to deal at arms' length with each other, or that otherwise block tax planning schemes in which family members can be presumed to have collaborated to reduce their overall tax liability.

Conflict-of-interest provisions do not all work in the same way. In addition to the deemed non-arm's-length rules discussed above, other mechanisms are used. For example, the principal residence provisions in the *Income Tax Act* flatly prohibit spouses (including, since 1993, opposite-sex cohabitants) from designating more than one building per year as a principal residence of any of them.[112] Other conflict-of-interest or anti-avoidance rules not

only look to the legal relationship between members of couples, but are buttressed by factual tests of "relatedness" or "connection." Thus, many of these "burden" provisions will have applied to lesbian and gay couples long before new conflict-of-interest provisions extended to them in Bill C-23 come into application.

Federal–Provincial Problems

Substantive federal law exists more or less independently of provincial/territorial law. However, there are two areas where the two levels of authority and legislation overlap in ways that create continuing problems for lesbian and gay couples notwithstanding the provisions of Bill C-23:

- the federal bar to lesbian and gay marriage; and
- the flow-through of federal penalties caused by relationship recognition to the calculation of provincial income tax liability.

Not all these effects can be quantified. The impact of the continuing denial of marriage rights to lesbian and gay couples is both inherently non-quantifiable and has concrete financial implications that cannot be measured. Regardless of whether the federal government continues to deny lesbian and gay couples the right to marry, the incorporation of federal income tax law into provincial income tax law, in circumstances in which provincial law does not recognize lesbian and gay couples, magnifies the costs of relationship recognition without extending any offsetting benefits at the provincial level.

Federal Marriage Bar

Jurisdiction over marriage in Canada is divided between the federal and provincial/territorial governments. The federal government has jurisdiction over capacity to marry, and the provincial/territorial governments have jurisdiction over solemnization.

While the distinction between capacity and solemnization is murky and the case law sketchy and of little authority, it seems to be taken more or less for granted that lesbian and gay couples do not have the right to marry. Opponents to lesbian and gay marriage hope the parliamentary resolution on marriage passed in 1998 or the marriage clause in Bill C-23 will block any effort on the part of the courts to extend marriage rights to lesbian and gay couples. Supporters of equal marriage rights for all couples point to the fact that any marriage bar violates the equality guarantees of the *Canadian Charter of Rights and Freedoms*. To date, two governments have taken the position that the only legal obstacle to equal marriage rights is the federal common law, and have initiated court proceedings to seek a declaration that they can legitimately issue marriage licences to lesbian and gay couples.

The significance of the marriage bar to this study is that the right to marry is one of the many "benefits" that have been withheld from lesbian and gay couples in Bill C-23. If the justification for extending all the most costly burdens and penalties in both tax and transfer programs to lesbian and gay couples is that "equality" carries with it both rights and responsibilities, then continued denial of marriage rights makes it appear extremely unfair to impose those full burdens and penalties on queer couples while they continue to await full equality.

On a practical level, continued federal denial of marriage rights has a cascade effect. It blocks provincial/territorial governments from extending equality in this area even when they believe it to be constitutionally mandated. Lesbian and gay couples cannot take full advantage of the extension, to them, of spousal treatment in the *Income Tax Act,* because even if they were to engage in property or other transactions, to which rollover treatment applies for married couples, they cannot gain access to the status of "married" that qualifies these transactions for tax-exempt or tax-deferred status. Last, many of the tax benefits now lost to lesbian and gay couples carry a provincial increment where, as in most provinces, provincial income tax liability is calculated as a fraction of federal income tax liability. This results in further magnification of the costs of equality at the same time that the full benefits of equality continue to be withheld.

Tax/Transfer Penalties Compounded

Bill C-23 has a flow-through effect on provincial income tax law that increases the costs and penalties of relationship recognition to queer couples. This is a very significant effect. The provincial costs to lesbian and gay couples of relationship recognition are nearly as large as the increased costs and burdens that can be predicted at the federal level.

For example, New Brunswick provincial law does not recognize lesbian and gay couples. Whether the issue is continuation of residential tenancy rights after relationship breakdown or the right to make an application for support, exemption from vehicle transfer taxes, or the right to combine or take each other's last names, lesbian and gay couples are treated as if they were complete strangers to each other for legal purposes.

However, a lesbian or gay couple living in New Brunswick will be treated as if they were spouses for purposes of calculating federal income tax liability. Their provincial income tax liability would be based on the federal amount payable. Continuing the example, if one of the partners was a single parent deemed to be a common-law partner by virtue of cohabitation for 12 months under Bill C-23, then that partner would lose the federal equivalent-to-spouse credit of $972. The partner would incur a further tax penalty in the form of additional provincial tax payable. The provincial penalty would be calculated by looking at how much additional provincial tax would have to be paid because of the loss of the federal income tax benefit.

Provincial taxes in New Brunswick are calculated at the rate of 58.5 percent of federal taxes payable for 2000. If federal tax liability increases by $972 due to the loss of a federal tax benefit, then the provincial tax on that lost benefit would be $972 x 0.585 = $569. Thus, the total cost of relationship recognition to such an individual would be $1,541 on a combined federal and provincial level.

It is well known that the tax-on-tax nature of provincial income tax liability magnifies the value of federal tax benefits. What is less obvious is that every time an income tax benefit is lost at the federal level, provincial income taxation magnifies the amount that is lost.

Provincial income tax provisions do not all operate in this way. As Table B-9 indicates, some lesbian and gay couples will actually receive slightly larger non-refundable provincial tax

credits as the result of relationship recognition. These increases are in the order of $0.5 million for all couples in all provinces.

However, these slight increases are massively offset by reductions in refundable provincial tax credits. Table B-8 indicates that these losses are in the order of $56 million to $72 million for 2000. As tabulated in Table B-10, additional losses from lost provincial tax reductions in the order of $0.4 million to $0.5 million can be expected as well. They will affect male and female pairs roughly equally. However, as indicated in Table B-16, these lost provincial tax credits will strike the lowest-income couples most heavily, and will have negligible effect—if any—on higher-income couples.

In sum, continuing to incorporate federal income tax law into provincial income tax law when provincial general law does not recognize lesbian and gay couples at all has two burdensome effects: it magnifies the costs of relationship recognition at the federal and provincial levels, and continues to withhold even bare legal equality from lesbian and gay couples.

To use the language of the Charter of Rights, it does not appear to be "demonstrably justifiable" to extend the full burdens and responsibilities of relationship recognition to a long-despised class of couples without, at the same time, extending the full benefits that go with relationship recognition to that class of couples. It is possible that as the federal–provincial/territorial tax collection agreement is restructured to give provinces more control over the definition of the tax base and the criteria surrounding tax benefits and rates, the provinces may cease to flow all federal-level credits and penalties through in this fashion. However, the one province that has remained independent of the federal tax collection process—Quebec—has never completely eliminated similar types of credits and penalties, and it would be surprising if other provinces did either. It is more likely that provinces that do not want to recognize lesbian and gay relationships any more than they have to would define credit provisions independently so they could deny them to lesbian and gay taxpayers.

Conclusions

Bill C-23 recognizes lesbian and gay relationships by including them in a new class known as "common-law partners" along with heterosexual conjugal cohabitants. It then extends spousal treatment to those couples in this new class. This results in the creation of some new rights and benefits that have quantifiable value, and others that have either intangible or non-quantifiable value.

However, Bill C-23 does not extend full spousal treatment to these common-law partners. Nor does it fully equalize the status of heterosexual, lesbian or gay common-law partners. Most important, heterosexual cohabitants can marry if they choose, giving them access to all remaining rights and responsibilities of married couples. Lesbian and gay couples cannot.

Although lesbian and gay couples are denied full equality with either heterosexual cohabitants or married couples, they bear all the same responsibilities and costs assigned to those couples throughout federal law. These costs and penalties are of much greater value than the small

benefits that flow from federal relationship recognition. In the aggregate, they are on the level of some $89 million to $140 million for 2000, depending on what assumptions are made.

The distribution of these costs and penalties flowing from relationship recognition is not neutral. Lesbian women, couples with children (which tend overwhelmingly to be lesbian couples rather than gay) and low-income couples bear the largest penalties and incur the highest costs flowing from relationship recognition. This is the direct result of the long-standing practice in federal fiscal policy of tightly limiting the cost of income support and child-focussed benefits by using low-income cutoffs, single-parent rules and other devices.

These penalties and costs have been shown to have a disparate negative impact on women as a class quite apart from issues relating to sexuality. What Bill C-23 has accomplished is to extend this disparate negative impact to lesbian and gay couples, who are also, as the result of sexuality discrimination or gender plus sexuality discrimination, concentrated in low-income classes. It can be predicted that this negative disparate impact will extend to all couples affected by discrimination on the basis of race, age, disability, and/or gender and sexuality.

These aggregate effects call into question both the manner in which relationship recognition is being carried out at the federal level and the motivations of those who have participated in this process. In contrast with the long-term process during which heterosexual cohabitants came to be recognized in federal law, in which some of the benefits of relationship recognition were extended long before most of the costs and penalties flowing from recognition were extended, lesbian and gay couples face a different situation. They must continue to struggle politically, and in their personal life, for the bare necessities of juridical existence at the federal level—the right to sponsor their partners for immigration purposes, the right to equal age of consent laws—and for all forms of relationship recognition in the majority of provinces/territories. Yet, they have already been required to start paying, since January 2001, the same price for partial equality that heterosexual couples pay for full and complete equality.

This asymmetrical pattern of relationship recognition is itself discriminatory.

4. POLICY RECOMMENDATIONS

This study has undertaken an investigation into the impact of relationship recognition on lesbian women. Because important court decisions, federal and provincial proposals, and new legislation were all released in quick succession while this study was being carried out, they and similar developments in other countries have formed the focus for the analysis. In particular, the speedy enactment of federal Bill C-23 in 2000 has made it urgent to assess its impact—along with judicial decisions and other new statutes—on lesbian women and gay men.

The issues that have framed this study have been closely linked to the here and now. Due largely to the strong ruling on discrimination on the basis of sexuality in the Supreme Court of Canada decision in *M.* v. *H.*, it is becoming more acceptable and more urgent to talk about how existing legal rights and responsibilities should be extended to lesbian and gay couples. While many lesbian, gay, bisexual, transgendered, transsexual and two-spirited people continue to be firmly of the view that relationships do not have to have legal status or bear legal rights or responsibilities to have value or to function effectively, the option of non-recognition has not been considered in this study. Nor have the policy issues posed by adult relationships involving three or more persons. That is another issue that needs to be considered carefully.

Instead, this study has taken, as its parameters, the options for relationship recognition that have been on the table in one way or another, either in litigation or in policy recommendations. It has attempted to identify those features that are of benefit or concern to lesbian women. While these options cover quite a range of approaches, theoretical options such as adult communalism, abolition of marriage or withdrawal of the state from the regulation of adult relationships have not been considered. The reason for this is simply that with so much discrimination built into existing political initiatives, it seems unlikely that more visionary approaches to the nexus between law and lesbian relationships will result in more equitable outcomes than do existing initiatives.

This study has not considered the impact of new forms of relationship recognition on lesbian women alone. Lesbian women and gay men share many common experiences of discrimination, erasure and marginalization. As the data generated for this study have demonstrated, lesbian women and gay men share a common experience of economic disadvantage, and now face the sudden onslaught of the substantial financial costs of relationship recognition. Where there are differences in the impact of relationship provisions on lesbian women as distinguished from gay men, those are discussed, but their commonalities are identified as well.

Four main conclusions have been reached in this study. They shape the recommendations made in this chapter.

- There is a serious problem with obtaining data relevant to the lives of lesbian women and gay men, both as individuals and as members of couples and families.

- Lesbian women, gay men, lesbian and gay couples are disproportionately disadvantaged by relatively low incomes. This disadvantage is exacerbated for lesbian couples

particularly, and for any couples additionally affected by race, age, disability and/or family responsibilities.

• Relationship recognition statutes invariably withhold some benefits and provisions from lesbian and gay couples. This is discriminatory.

• Relationship recognition statutes tend to extend all the most costly burdens and responsibilities to lesbian and gay couples. This is also discriminatory.

In addition to the specific policy recommendations that flow from these findings, four general policy conclusions help form a basis for formulating less discriminatory policy in the area of relationship recognition.

• The high costs of relationship recognition to low-income couples can be moderated by moving away from the use of the couple as the basic unit of tax and expenditure policy and toward the use of the individual.

• As adult relationships become more diverse, government subsidies for adult economic dependence should be replaced with tax or direct benefits that promote equal access to fair wages.

• Existing inequities arising from some types of relationship-based provisions can best be eliminated by expanding eligibility for benefits to those in non-conjugal relationships.

• Depending on the type of policy issue in question, it is not necessary for all relationship-based provisions to apply to all classes of relationships.

Policy options relevant to these general findings and policy conclusions are discussed in more detail below, together with concrete proposals for further reform.

Development of Statistical Data

One core problem in a study of this kind or in attempting to formulate responsible and appropriate policy relating to lesbian women and gay men is that after having been invisible in law and policy until the last few years, there is no data on this sector of the population. While including lesbian and gay couples in the 2001 census is a step in the right direction, this will solve only part of the problem. Continuing to exclude issues relating to sexuality or sexual identity from statistical instruments will make it impossible to assess the full range of implications of relationship recognition on sexual minorities.

Lesbian women and gay men who cohabit are not the only queers whose needs and role in Canadian society are important. Until the data routinely collected in relation to gender, age, income, race, ethnic origin, disability, family and household composition, education and other demographic indicators are available to inform policy decisions relating to people who identify as lesbian, gay, bisexual, transsexual, transgender or two-spirited, governments cannot exercise responsible authority in this area of life.

Recommendation 1
All federal statistical survey and census instruments, as well as all other data-collecting officials or agencies, should collect and report full demographic data on lesbian, gay, bisexual, transsexual, transgender and two-spirited relationships, couples, households and their families.

Recommendation 2
As federal data on lesbian, gay, bisexual, transsexual, transgender and two-spirited individuals, and family relationships are tested and developed, interim results should be made available to non-governmental researchers through the federal government's Data Liberation Initiative, making it available without cost through depository libraries.

Eradicating the Heterosexual Presumption

Canadian legal history has revealed that the only way to reverse deeply ingrained presumptions that form the foundation of legal policy is for the courts to issue declarations eradicating those presumptions. Legislation remains a poor and partial method of solving problems of fundamental jurisprudence.

This is demonstrated by the way in which the common-law presumption that married women lacked full adult legal capacity was eventually abolished in Canada. The Privy Council declared in the Persons case that the gender-neutral term "person" had to be read as if it included women. This reversed the long-standing masculinist presumption that gender-neutral words like "person" have to be read to exclude women, and replaced it with a gender-neutral presumption in which the starting point for reading legislation is that it presumptively includes women.

All existing legislation relating to lesbian and gay couples reflects a similar heterosexual presumption. Legislative classifications and judicial decisions have proceeded for so long on the assumption that references to couples in legislation or common law include only heterosexual couples that Canadian law exhibits a fundamental heterosexual presumption.

Only the courts can eradicate the heterosexual presumption. This was achieved at a substantive level in *M.* v. *H.* when the Supreme Court of Canada concluded that the extended "opposite-sex" definition of spouse violates section 15(1) of the Charter. However, when the Supreme Court was persuaded that the Ontario government should be given the freedom to structure its own non-discriminatory support provisions, it left the door open for that government and all other governments to continue to legislate against the backdrop of the continuing heterosexual presumption.

Methodologically, Bill C-23—along with all other relationship recognition legislation—continues to vitalize the heterosexual presumption by creating new and further legislative classifications to which lesbian and gay couples are assigned and which entitle them to only those benefits and rights selected by the government of the day. In addition, history has now demonstrated that left to the pressures of prejudice and intolerance, legislatures cannot be

counted on to enact non-discriminatory remedies for the discrimination they created in the first place.

The only way to eradicate fully the heterosexual presumption is for the courts to abolish it through the declaratory powers of the court.

Even if interpretation legislation were to be adopted to achieve the same result, that would not affect the common law nor the interpretation of fundamental constitutional provisions. Nor would it place repeal of such legislation beyond the reach of the government of the day.

Recommendation 3
The federal government should bring a reference to the Supreme Court of Canada seeking a declaration that, for purposes of all law and policy within federal jurisdiction, lesbian, gay, bisexual, transgendered, transsexual and two-spirited individuals and relationships, and their children, are included in all references to individuals, relationships, children and other relevant terms. The federal government should seek to join as many provinces in this reference as are willing.

Recommendation 4
This principle should be reflected in amendments to the *Interpretation Act* that declare that all references to terms connoting individuals, relationships or children should be read as including lesbian, gay, bisexual, transgendered, transsexual and two-spirited individuals and relationships, and their children unless expressly stated to the contrary.

Recommendation 5
The federal government should repeal the marriage clause in Bill C-23 and rescind the 1998 marriage motion immediately.

Non-Discriminatory Relationship Recognition Legislation

Simply including couples of the same sex in some federal statutes has not eliminated discrimination in federal relationship legislation. Non-married heterosexual couples continue to be denied some of the rights and benefits assigned by virtue of marriage to married couples. Lesbian and gay couples continue to be denied both the right to marry and some of the rights and benefits assigned to married couples and some available to heterosexual cohabitants.

Non-discriminatory relationship legislation would contain two elements: it would extend full access to marriage to all couples without regard to sexual identity, gender identity or legal sex, and it would simultaneously extend the full benefits associated with long-term cohabitation to all couples without any form of discrimination.

In particular, all legislative classifications that differentiate on any basis, other than cohabitation markers or marriage, should be repealed to eliminate the tendency in this area to create separate, but only somewhat equivalent, classifications from federal law.

Recommendation 6
All couples should be given access to marriage in federal marriage legislation.

Recommendation 7
All couples should be given the choice between formal marriage or legally recognized cohabitation.

Recommendation 8
All the rights and incidents applying to married couples should be extended to all couples who marry without any distinctions as to classification, form of union, registration, reporting or legal effects.

Recommendation 9
All the rights and incidents applying to legally recognized cohabitants should be extended to all couples who satisfy the criteria without any distinctions as to sexuality or sexual identity.

Eliminate Relationship Penalties

The federal government has developed its relationship policies almost by rote instead of by careful consideration of the needs of married and unmarried couples. The limited recommendations made in the *Report of the Royal Commission on the Status of Women in Canada* (1970) in relation to the exclusion of common-law wives from some federal benefit programs have led to gradual and largely unquestioning extensions of spousal status to non-married cohabitants.

In the first extension, opposite-sex cohabitants were deemed "spouses" for purposes of federal law in increasing numbers of statutes, regulations and policies. At the end of this period, which ended in 1993 with the full extension of income tax benefits and penalties to heterosexual cohabitants, large numbers of single mothers and low-income couples unexpectedly lost access to important low-income and child-related federal benefits.

In the second extension, lesbian and gay couples have been deemed in Bill C-23 to be "common-law partners" and given spousal treatment for less than all benefit provisions but for all penalty provisions. Large numbers of lesbian and gay couples now face the unexpected loss of access to important low-income and child-related federal benefits, in addition to provincial benefits that are calculated on the federal income tax base.

The asymmetrical extension of relationship penalties to lesbian and gay couples is a form of structural discrimination in federal law. Relationship penalties that were initially constructed around the ideal of the single-income couple headed by the male have now been extended to all couples in Canada. This allocation of relationship penalties disparately affects women (who as a class have far lower incomes than men), lesbian and gay couples (who are disadvantaged in terms of incomes) and couples in which one or both partners are disadvantaged by virtue of race, ethnic origin, a disability and/or gender.

Law reform patterns in other countries that have recognized increasingly diverse relationships and families demonstrate that the continued imposition of couple-based income criteria, the tax on marriage, deemed non-arm's-length provisions and other income-targeting mechanisms are inconsistent with the elimination of poverty and the allocation of income tax liability and government benefits on a progressive or even a neutral basis.

The solution adopted in tax and benefit policy has been to move away from joint instruments of taxation and to adopt the individual as the tax and benefit unit. This has the combined effects of minimizing the regressive impact of joint taxation at the lowest income levels and of eliminating non-neutralities between recognized and non-recognized couples. It is also consistent with the recognition of women as fully self-dependent and autonomous adults.

Recommendation 10
Joint taxation and benefit provisions should be replaced with tax and benefit provisions that treat the individual as the basic unit of legal policy. Provisions or penalties that disparately affect low-income individuals, couples or parents should be carefully restructured to eliminate these effects.

Recommendation 11
Government benefits that are available only to those who support dependent, able-bodied adults should be repealed.

Recommendation 12
All conflict-of-interest criteria should be revised to make the existence of conflict a matter of factual non-arm's-length dealing instead of a matter of legal presumption, even if such presumptions are rebuttable.

Recognition of Non-Conjugal Relationships

Non-conjugal relationships are becoming increasingly recognized in legal policy. Indeed, in Canada, dozens of income tax provisions recognize a wide range of non-conjugal familial relationships in various benefit provisions, as do growing numbers of private employment benefit plans.

As this study has suggested, extension of legal recognition to new classes of relationships by rote and without carefully fitting the scope of application of a provision to the class to be affected can have two undesirable effects. First, it can expand the number of provisions that tend to create government subsidies for adult economic dependency. This runs counter to overall legal policy at this time in Canada. Second, it can expand the number and types of relationships that actually fall within the application of penalties and burdens.

Expansion of the category of relationships to which federal legislation applies must be undertaken with great care. For example, extension of the equivalent-to-married credit to parents of a taxpayer has already increased the risk to low-income women and men, by making that credit available to their children, of becoming economically and functionally dependent. Structuring that benefit as a direct subsidy to parents who are on the economic

margins rather than as a type of caregiver credit, largely for women, would reduce the pressure to substitute non-waged domestic work on the part of the parent in exchange for being supported by a child.

Automatic extension of spousal treatment in benefit provisions to siblings, parent–child pairs, companions or other types of couples would also subject such pairs to the tax/transfer penalties of low-income cutoffs, benefit disqualifications, couple-based benefits and the tax on marriage. As the data on same-sex unrelated adult pairs in the microsimulations used in this study indicate, this sector of the adult population is characterized by low incomes and heavy reliance on the tax/transfer system for transfer and benefit incomes that make subsistence existence possible.

Automatic extension of spousal treatment to non-conjugal relationships could also open the door to unintended tax avoidance. For example, if tax-deferral rollovers are made available to a wider class of non-familial relationships, such transactions could be used as a way to avoid recognition of capital gains or income in transactions that would otherwise be considered ordinary market transactions.

On the other hand, employment benefits (e.g., health-related, survivor and other benefits), especially as enhanced by the exemption of such benefits from income taxation, are subsidized by single workers and taxpayers. Extension of such benefits and tax exemptions to non-conjugal relationships would represent a second-best solution to the current disparity in this area. In the alternative, extending a small refundable income tax credit to single taxpayers would equalize this disparity.

Recommendation 13
Tax and direct subsidies for the support of economically dependent, able-bodied adults should not be extended to non-conjugal relationships.

Recommendation 14
Tax and direct subsidies relating to sharing or redistributing income within family groupings should not be extended to non-familial and non-conjugal relationships.

Recommendation 15
Tax and benefit provisions that inferentially impose penalties on low-income couples should not be extended to non-conjugal or non-familial relationships.

Recommendation 16
Extension of employee benefits and income tax exemptions for employee benefits to non-conjugal and/or non-familial relationships would equalize discrimination on the basis of single status in employment standards and income taxation.

Asymmetry in Relationship Provisions

Existing relationship recognition policy at the federal level is, in fact, not completely symmetrical. Federal members of Parliament may take a travelling companion with them on government business, while federal employees may make survivor elections under their employment pensions only in relation to their conjugal spouse. This asymmetry is essential to maintaining substantive connection and balance between formal equality demands and the delivery of substantive equality.

Such non-neutralities should be created consistent only with the principles of equity, substantive equality, inclusiveness and the progressive incidence of taxes and penalties as measured by genuine economic capacity to bear costs or lose benefits.

Recommendation 17
Differences in the substantive treatment of different types of relationships are appropriate when required by the subject matter or the impact of the benefit or penalty in question.

Recommendation 18
Such differences should be shaped consistent with the requirements of horizontal equity, substantive equality and progressivity in the impact of the total tax/transfer system on low-income and disadvantaged groups of people.

Ongoing Commission Supervision

In jurisdictions that have begun to move into the new and challenging area of legally recognizing lesbian, gay and other relationships on a spousal or quasi-spousal basis, governments have accepted responsibility for supervising the transition into this area of government regulation by establishing a commission or government department responsible for collecting data on, reporting on and recommending further law reform initiatives.

In addition, the creation of new classes of legally recognized relationships without extending express jurisdiction over discrimination relating to those relationships to the federal human rights commission creates the risk that the ongoing effects of prejudice and homophobia cannot be addressed once Bill C-23 has come fully into effect.

Recommendation 19
The federal government should create a commission on relationship recognition to stand for at least five years and charged with collecting data on, reporting on and making recommendations for further law reform to Parliament in relation to Bill C-23 and related legislation, litigation and policy.

Recommendation 20
The federal *Human Rights Act* should be amended to confirm that it has jurisdiction to accept under the heading of "marital status" complaints brought on the basis of discrimination against couples in which one or both members are lesbian, gay, bisexual, transgendered, transsexual, two-spirited or of the same legal sex.

APPENDIX A: RELATIONSHIP RIGHTS AND RESPONSIBILITIES IN SELECTED JURISDICTIONS

Table A-1. Rights and Obligations of Married Persons, Opposite-Sex Cohabitants, and Lesbian and Gay Couples, Ontario, Before and After Bill 5

	Married Couples	Opposite-Sex Cohabitants	Lesbian/Gay Cohabitants	Bill 167 (spouse)	Bill 5 (same-sex partner)
Family Law					
Capacity to marry	X	X			
Emergency consent	X	medical	medical		
Matrimonial home	X				
Share of family property	X				
Marr/cohab agreements	X	X		X	X
Alimony	X	X	*M. v. H.*	X	X
Equitable remedies for division of property	not needed	equity	equity		
Child support	X	X	X	X	X
Filiation	X	X	parent	not natural parent	
Custody/access	X	X	X		X
Joint adoption	X	X	X		
Support obligations	X	X			X
Joint annuities	X	X			
Insurable interest	X	X	case law		X
Debtor protection	X	X			X
Human Rights					
Sexual orientation - individual rights			X		
Included in protection for marital status	X	X	limited		
Relationship status protected in some other way				X	same-sex partner status
Pension rights protected	X	X	*Dwyer*		X
Social benefits protected	X				

Table A-1 (Cont'd)

	Married Couples	Opposite-Sex Cohabitants	Lesbian/Gay Cohabitants	Bill 167 (spouse)	Bill 5 (same-sex partner)
Public Law					
Health services	X	X	X	X	X
Access to artific. insemin.	X	X	X		
Worker protections	X	?			X
Legal aid/courts	X	X			
Taxation	X	X		prov only	
Vehicle trans. tax exemption	X	X	X		
Banking, investing	X				X
Auto insurance	X	X	X		X
Public employee benefits	X	X	some		X
Public employee pension	X	X	some		X
Publicly funded pensions	X	X	X		X
Low income supports	X	X			X
Family benefits	X	X			X
Student assistance	X	X			X
Miscellaneous					
Maint. Order enforce	X				X
Info. Re spouse's death	X	X			X
Electoral enumeration	X	X			X
Conflict of interest	X	X			X
Disclosure of conflict	X	X			X
Anti-avoidance rules	X	X			X

Table A-2. Rights and Obligations of Married Persons, Opposite-Sex Cohabitants, and Lesbian and Gay Couples, Quebec, Civil Code and Bill 32

	Married Couples	Opposite-Sex Cohabitants	Lesbian and Gay Cohabitants
Civil Code			
Capacity to marry	X	X	
Marital obligations	X		
Emergency consent	X	medical	medical
Matrimonial home	X		
Share of family prop.	X		
Elect prop. regime	X		
Right to change regime	X		
Default regime	X		
Alimony	X		
Equitable remedies for division of property	not needed		
Child support	X	X	
Filiation	X	X	
Joint adoption	X	X	X
Succession rights	X		
Annuity reversions	X		
Joint annuities	X	X	
Debtor protection	X		
Irrev. benefic. des.	X		
Jurisdiction	X		
Charter of Human Rights			
Sexual orientation - individual rights			X
Included in protection for marital status	X		
Relat. status protected in some other way	X	X	
Pension rights protected	X	X	
Social benefits protected	X	X	
Added by Bill 32			
Health services	X	X	X
Workplace standards	X	X	X
Legal aid/courts	X	X	X
Taxation	X	X	X
Banking, investing	X	X	X
Auto insurance	X	X	X
Public employee benefits	X	X	X
Public employee pension	X	X	X
Quebec Pension Plan	X	X	X
Low-income supports	X	X	X
Family benefits	X	X	X
Student assistance	X	X	X
Immigration	X	X	X

Table A-2 (cont'd)

Excluded from Bill 32			
Maintenance order enforcement	X		
James Bay Aboriginal rights	X	X	?
Aboriginal land rights	X	X	?
Electoral enumeration	X	X	?
Info. re sps. death	X	X	?
Substituted service	X	X	?
Conflict of interest	X	some	?
Disclosure of conflct	X	some	?
Anti-avoidance rules	X	X	?

Table A-3. Rights and Obligations of Married Persons, Opposite-Sex Cohabitants, and Lesbian and Gay Couples, British Columbia

	Married Couples	Opposite-Sex Cohabitants	Same-Sex Cohabitants
Family Law			
Capacity to marry	X	X	
Emergency consent	X	X	X
Matrimonial home	X		
Share of family prop.	X		
Marr/cohab agreements	X	X	X
Alimony	X	depends on facts	depends on facts
Equitable remedies for division of property	not needed	depends on facts	depends on facts
Child support	X	X	X
Filiation	X	X	Step-parent
Custody/access	X	X	X
Joint adoption	X	X	X
Support obligations	X	only to partner or children	only to partner or children
Succession rights	X		
Joint annuities	X	X	X
Insurable interest (life only)	X	X	X
Debtor protection	X		
Jurisdiction	X	X	X
Human Rights			
Sexual orientation-individual rights			X
Included in protection for marital status	X		
Relat. status protected in some other way	X	X	case law
Pension rights protected	X		
Public Law			
Health services	X	X	X
Access to artific. insemin.	X	X	X
Worker protections	X	X	X
Legal aid/courts	X	X	X
Taxation	X	X	X
Banking, investing	X	X	X
Auto insurance	X	case law	unclear
Public employee benefits	X	X	X
Public employee pension	X	X	X
Private pension plans	X	X	X
Low income supports	X	X	X
Family benefits	X	X	X
Student assistance	X	X	X

Table A-4. Rights and Obligations of Married Persons, Opposite-Sex Cohabitants, and Lesbian and Gay Couples, Canada, Before and After Bill C-23

	Married Couples	Opposite-Sex Cohabitants	Lesbian/Gay Cohabitants	Bill C-23
Family Law				
Capacity to marry	X	X		
Division of pension	X	X		X
Filiation	X	*de facto* parent	*de facto* parent	*de facto* parent
Debtor protection	X	X		X
Child support guidelines	X	X		X
Human Rights Law				
Sexual orientation - individual rights			X	
Included in protection for marital status	X	X	yes, according to some tribunal decisions	
Relationship status protection in some other way	not necessary	not necessary		
Pension rights protected	X	X		
Social benefits protected	X	X		
Public Law				
Unemployment insurance	X	X		X
Tax benefits	X	X	health, pension survivor options	X
Tax penalties	X	X		X
Banking, invsting	X	X		X
Public sector employee benefits	X	X	X	X
Public sector pension rights	X	X	X	X
Canada Pension Plan survivor benefits	X	X	mixed tribunal rulings	X
Low income supports	X	X		X
Immigration	X	X	discretionary	
Other				
Aboriginal legislation	X			
Evidence not compellable against spouse	X			
Electoral enumeration	X	X		X
Conflict of interest	X	some	if factual conflict, in some contexts	X
Disclosure of conflict	X	some	if factual conflict, in some contexts	X
Anti-avoidance measures	X	X	if factually not dealing at arm's length	X
Census enumeration	X	X	in 2001	

Table A-5. Rights and Obligations of Married Persons, Opposite-Sex Cohabitants, and Lesbian and Gay Couples under B.C. Law Institute Proposals

	Married couples	Opposite-Sex Cohabitants	Lesbian/Gay Cohabitants	Registered Domestic Partners	Unregistered Domestic Partners
Family Law					
Capacity to marry	X	X		opposite sex only	opposite sex only
Marital obligations	X			X	X
Emergency consent	X			X	X
Matrimonial home	X	X >10 yrs	X >10 yrs	X	X < 3rd parties
Share of family property	X	X >10 yrs	X >10 yrs	X	X < 3rd parties
Elect prop. regime	X	cohab agreement	cohab agreement	X	X < 3rd parties
Marr/cohab agreements	X	X	X	X	X
Default regime	X	X	X	X	X
Alimony	X	depends on facts	depends on facts	X	X
Equitable remedies for division of property	X	depends on facts	depends on facts	X	X
Child support	X	X	X	X	X
Filiation	X	X	step-parent	opposite sex: natural parent; same-sex step-parent	opposite sex: natural parent; same-sex step-parent
Custody/access					
Joint adoption	X	X	X	X	X
Support obligations	X	only to partner or children	only to partner or children	X	
Succession rights	X	depndnt relief	depndnt relief	X	?
Annuity reversions	X	?	?	X	X
Joint annuities	X	X	X	X	X
Insurable interest	X	X	X	X	X
Debtor protection	X			X	X < 3rd parties
Irrev. Benefic. Des.	?			?	X < 3rd parties
Jurisdiction	X	X	X	X	X
Human Rights					
Sexual orientation - individual rights			X	same sex only	
Included in protection for marital status	X			X	
Relationship status protected in some other way	X	X	X	X	
Pension rights protected	X	X	X	X	
Social benefits protected	X	X	X	X	

Table A-5 (cont'd)

Public Law					
Health services	X	X	X	X	
Access to artific. insemin.	X	X	X	X	X
Worker protections	X	X	X	X	X
Legal aid/courts	X	X	X	X	X
Taxation	X	X	X	X	X
Banking, investing	X	X	X	X	X
Auto insurance	X	X	X	X	X
Public employee benefits	X	X	X	X	X
Public employee pension	X	X	X	X	X
Low income supports	X	X	X	X	X
Family benefits	X	X	X	X	
Student assistance	X	X	X	X	X

APPENDIX B: DISTRIBUTIONAL IMPACT OF RECOGNIZING LESBIAN AND GAY RELATIONSHIPS UNDER BILL C-23 (fy2000)

Table B-1. Summary of Fiscal Data on Same-Sex Pairs, Tight versus Loose Screen

Selected Quantities for Households - Status Quo versus Same-Sex Couples and Change

Year 2000 (in $ millions)

	Tight Screen			Loose Screen	
	Status quo (base) $	As same-sex couples (variant) $	Change in amounts $	Status quo (base) $	As same-sex couples (variant)
Market income	7,834.6	7,834.7	0.1	8,500.2	8,500.3
All transfer income	871.6	749.6	(122.0)	1,169.9	1,023.9
Federal transfer income	354.0	288.1	65.8	518.1	444.5
Provincial transfer income	517.6	461.4	(56.2)	651.8	579.4
All taxes	2,647.3	2,614.2	(33.1)	2,870.5	2,834.3
Federal taxes	1,705.5	1,688.6	(16.9)	1,850.7	1,832.0
Provincial taxes	941.6	925.6	(16.0)	1,019.7	1,002.3
Federal taxes less transfers	1,351.6	1,400.5	48.9	1,332.6	1,387.5
Provincial taxes less transfers	424.0	464.1	40.1	367.9	422.9
Federal transfer income	354.0	288.1	(65.8)	518.1	444.5
Total federal child benefits	23.6	11.6	(12.1)	24.5	12.0
OAS benefits	58.2	58.3	-	80.1	80.2
GIS benefits	33.2	18.2	(15.0)	50.8	33.9
Spouse's allowance	-	-	-	-	-
Federal social assistance	-	-	-	-	-
Federal sales tax credit	60.3	23.1	(37.3)	73.0	30.3
Unemployment Insurance/ Employment Insurance benefits	10.9	10.9	-	15.8	15.8
CPP/QPP payable	114.5	114.5	-	145.7	145.8
Quebec tax abatement (refundable)	0.1	0.1	-	0.1	0.1

Table B-1 (cont'd)

	Tight Screen			Loose Screen	
	Status quo (base) $	As same-sex couples (variant) $	Change in amounts $	Status quo (base) $	As same-sex couples (variant)
Other taxable demogrants	-	-	-	-	-
Other SA or guarantees	-	-	-	-	-
Provincial family programs	1.1	1.7	0.5	1.4	1.7
Provincial social assistance	439.2	439.2	-	548.1	548.1
Refundable provincial tax credits	76.5	20.5	(56.0)	101.6	29.4
Federal taxes	1,705.5	1,688.6	(16.9)	1,850.7	1,832.0
Federal income tax payable	949.6	938.2	(11.4)	1,017.1	1,005.2
Basic federal tax	982.1	969.9	(12.2)	1,051.4	1,038.7
Federal tax reduction	-	-	-	-	-
Quebec tax abatement (applied)	31.3	30.5	(0.8)	32.9	32.1
Other federal tax credits applied (416)	3.7	3.7	-	3.7	3.7
Federal surtax	4.3	4.2	-	4.3	4.3
UIC contributions	149.4	149.5	0.1	161.8	161.9
CPP/QPP contributions	217.7	217.9	0.1	236.1	236.2
Social benefits repayments	0.1	0.1	-	0.1	0.1
Federal commodity taxes	388.3	382.9	(5.4)	435.2	428.5
Provincial taxes	941.6	925.6	(16.0)	1,019.7	1,002.3
Provincial income tax payable	568.2	557.7	(10.5)	603.1	592.5
Provincial commodity taxes	373.3	367.9	(5.4)	416.4	409.8
Disposable income	6,821.0	6,721.0	(100.0)	7,651.6	7,528.1
Consumable income	6,059.0	5,970.1	(88.8)	6,799.6	6,689.9

Source:
SPSD/M version 7.0, adjusted to 2000.

Table B-2. Same-Sex Pairs, by Gender and Income, Canada, 2000

Base Total Income ($)	Gender of Couple			Males (%)	Females (%)
	Male (000s)	Female (000s)	Both (000s)		
Tight Screen					
Min-20,000	14.5	5.6	20.1	15	9
20,001-30,000	13.2	11.6	24.8	14	18
30,001-40,000	12	10.4	22.3	12	16
40,001-50,000	14.6	5.9	20.5	15	9
50,001-60,000	5.8	9.2	15	6	14
60,001-75,000	14.8	9.1	23.9	15	14
75,001-100,000	11.7	8.4	20.1	12	13
100,001-Max	9.6	5.4	15	10	8
All	96.1	65.5	161.6	100	100
Loose Screen					
Min-20,000	23	10.3	33.3	20	14
20,001-30,000	15.8	12.3	28.1	14	16
30,001-40,000	14.8	12.5	27.3	13	16
40,001-50,000	16.2	6.6	22.8	14	9
50,001-60,000	8.5	10.9	19.4	7	14
60,001-75,000	15.5	9.7	25.1	13	13
75,001-100,000	12.8	8.4	21.2	11	11
100,001-Max	9.8	5.4	15.1	8	7
All	116.3	76	192.3	100	100

Source:
SPSD/M version 7.0, adjusted for 2000.

Table B-3. Gainers and Losers, by Gender

	Tight Screen			Loose Screen		
	Male	Female	Both	Male	Female	Both
Number of gainers	10,361	7,797	18,158	10,690	8,592	19,282
Number of losers	60,893	46,604	107,497	73,768	54,649	128,417
Total gains among gainers ($ millions)	7.4	6.6	14.0	7.6	7.2	14.8
Total losses among losers ($ millions)	(42.0)	(60.6)	(102.6)	(54.3)	(54.3)	(124.2)
Average gain for gainers	717	845	772	707	843	768
Average loss for losers	(689)	(1,301)	(954)	(736)	(1,278)	(967)
Average change in consumable income	(361)	(827)	(550)	(404)	(825)	(570)
Unit count	96.1	65.5	161.6	116.3	76	192.3
Distribution of losers (%)	56.6	43.4	100	57.4	42.6	100
Distribution of gainers (%)	57.1	42.9	100	55.4	44.6	100
Distribution of households (%)	59.5	40.5	100	60.5	39.5	100
Average total income — status quo ($)	54,842	52,475	53,882	50,714	49,601	50,275
Average disposable income — status quo ($)	42,656	41,565	42,214	39,845	39,681	39,780
Average consumable income — status quo ($)	38,068	36,661	37,498	35,560	35,030	35,351
Average consumable income — same-sex couples ($)	37,707	35,835	36,948	35,157	34,205	34,780

Source:
SPSD/M version 7.0, adjusted to 2000.

Table B-4. Married Credit, Individual versus Spousal Treatment, by Gender

Gender of Couple	Married Tax Credit Claimed - Status Quo ($ millions)	Married Tax Credit Claimed - Same-Sex Couples ($ millions)	Change in Married Tax Credit Claimed ($ millions)	Average Married Tax Credit Claimed - Status Quo ($)	Average Married Tax Credit Claimed - Same-Sex Couples ($)	Change in Average Married Tax Credit Claimed ($)	Unit Count	Distribution of Households (%)
				Tight Screen				
Male	1.4	11.3	9.9	14	117	103	96.1	59.5
Female	8.4	7.9	(0.5)	129	121	(8)	65.5	40.5
Both	9.8	19.2	9.4	61	119	58	161.6	100.0
				Loose Screen				
Male	1.4	14.4	13.0	12	124	112	116.3	60.5
Female	8.8	9.8	1.0	116	129	14	76	39.5
Both	10.1	24.2	14.1	53	126	73	192.3	100

Source:
SPSD/M version 7.0, adjusted to 2000.

Table B-5. GIS Benefits, Individual versus Spousal Treatment, by Gender

Gender of GIS Couple	GIS Benefits - Status Quo ($millions)	Average GIS Benefits - Status Quo ($)	GIS Benefits - Same-Sex Couples ($ millions)	Average GIS Benefits - Same-Sex Couples ($)	Change in GIS Benefits ($ millions)	Number of GIS Recipients - Status Quo ($)	Number of GIS Recipients - Same-Sex Couples
			Tight Screen				
Male	2.1	1,740	0.8	2,804	(1.3)	1,200	280
Female	31.1	3,235	17.4	2,092	(13.7)	9,630	8,340
Both	33.2	3,069	18.2	2,115	(15.0)	10,830	8,620
			Loose Screen				
Male	3.0	1,545	0.8	2,804	(2.2)	1,942	280
Female	47.8	2,975	33.1	2,438	(14.8)	16,082	13,572
Both	50.8	2,821	33.9	2,445	(17.0)	18,024	13,852

Source:
SPSD/M version 7.0, adjusted to 2000.

Table B-6. GST Credit, Individual versus Spousal Treatment, by Gender

Gender of Couple	Federal Sales Tax Credit - Status Quo ($ millions)	Federal Sales Tax Credit - Same-Sex Couples ($ millions)	Change in Federal Sales Tax Credit ($)	Average Federal Sales Tax Credit - Status Quo ($)	Average Federal Sales Tax Credit - Same-Sex Couples ($)	Change in Average Federal Sales Tax Credit	Unit Count (000s)	Distribution of Households (%)
				Tight Screen				
Male	33.3	13.3	(20.0)	346	138	(208)	96.1	59.5
Female	27.1	9.8	(17.3)	413	150	(264)	65.5	40.5
Both	60.3	23.1	(37.3)	373	143	(231)	161.6	100.0
				Loose Screen				
Male	41.3	18.0	(23.3)	355	155	(200)	116.3	60.5
Female	31.7	12.3	(19.4)	417	161	(256)	76.0	39.5
Both	73.0	30.3	(42.7)	380	158	(222)	192.3	100.0

Source:
SPSD/M version 7.0, adjusted to 2000.

Table B-7. Child Benefit, Individual versus Spousal Treatment, by Gender

Gender of Couple	Total Federal Child Benefits - Status Quo ($ millions)	Total Federal Child Benefits - Same-Sex Couples ($millions)	Change in Federal Child Benefits - Status Quo ($)	Average Federal Child Benefits - Status Quo ($)	Average Federal Child Benefits - Same-Sex Couples ($)	Number of Recipients - Status Quo	Number of Recipients - Same-Sex Couples
			Tight Screen				
Male	2.5	1.0	(1.5)	616	390	3,987	2,490
Female	21.2	10.6	(10.6)	782	457	27,104	23,151
Both	23.6	11.6	(12.1)	761	450	31,091	25,641
			Loose Screen				
Male	2.5	1.0	(1.5)	616	390	3,987	2,490
Female	22.1	11.1	(11.0)	781	456	28,246	24,293
Both	24.5	12.0	(12.5)	761	450	32,233	26,783

Source:
SPSD/M version 7.0, adjusted to 2000.

Table B-8. Refundable Provincial Credits, Individual versus Spousal Treatment, by Gender

Gender of Couple	All Refundable Provincial Tax Credits - Status Quo ($ millions)	All Refundable Provincial Tax Credits - Same-Sex Couples ($ millions)	Change in All Refundable Provincial Tax Credits ($ millions)	Average Provincial Refundable Tax Credits - Status Quo ($)	Average Provincial Refundable Tax Credits - Same-Sex Couples ($)	Change in Average Provincial Refundable Tax Credits ($)
			Tight Screen			
Male	42.2	10.4	(31.8)	439	108	(331)
Female	34.3	10.1	(24.2)	523	154	(369)
Both	76.5	20.5	(56.0)	473	127	(346)
			Loose Screen			
Male	56.8	14.9	(41.8)	488	128	(359)
Female	44.8	14.4	(30.4)	589	190	(399)
Both	101.6	29.4	(72.2)	528	153	(375)

Source:
SPSD/M version 7.0, adjusted to 2000.

Table B-9. Non-Refundable Provincial Credits, Individual versus Spousal Treatment, by Gender

Gender of Couple	Non-Refundable Provincial Tax Credits - Status Quo ($ millions)	Non-Refundable Provincial Tax Credits - Couples ($ millions)	Change in Non-Refundable Provincial Tax Credits ($ millions)	Average Provincial Non-Refundable Tax Credits - Status Quo ($)	Average Provincial Non-Refundable Tax Credits - Couples ($)	Change in Average Provincial Non-Refundable Tax Credits
			Tight Screen			
Male	2.7	3.3	0.5	29	34	6
Female	0.6	0.6	-	10	9	-
Both	3.4	3.9	0.5	21	24	3
			Loose Screen			
Male	2.7	3.3	0.6	23	28	5
Female	0.5	0.5	-	6	6	-
Both	3.1	3.7	0.6	16	19	3

Source:
SPSD/M version 7.0, adjusted to 2000.

Table B-10. Provincial Tax Reduction, Individual versus Spousal Treatment, by Gender

Gender of Couple	Provincial Tax Reduction - Status Quo ($ millions)	Provincial Tax Reduction - Same-Sex Couples ($ millions)	Change in Provincial Tax Reduction ($ millions)	Average Amount - Status Quo	Average Amount - Same-Sex Couples	Change in Average Amounts
			Tight Screen			
Male	2.5	1.3	(1.2)	26	13	(12)
Female	1.4	2.2	0.8	22	34	12
Both	3.9	3.5	(0.4)	24	21	(2)
			Loose Screen			
Male	3.1	1.9	(1.3)	27	16	(11)
Female	2.0	2.7	0.7	26	36	10
Both	5.1	4.6	(0.5)	26	24	(3)

Source:
SPSD/M version 7.0, adjusted to 2000.

Table B-11. Gainers and Losers, by Income Group

Base Total Household Income ($)	Number of Gainers	Number of Losers	Total Gains among Gainers ($ millions)	Total Losses among Losers ($ millions)	Average Gain for Gainers ($)	Average Loss for Losers ($)	Average Change in Consumable Income ($)	Unit Count (000s)	Distribution of Households (%)	Distribution of Gainers (%)	Distribution of Losers (%)	Average Total Income - Status Quo	Average Disposable Income - Status Quo ($)	Average Consumable Income - Status Quo ($)	Average Consumable Income - as Same-Sex Couples ($)
Tight Screen															
Min-20,000	1,840	10,221	1.4	(9.5)	748	(931)	(408)	20.1	12.5	9.5	14,991	14,544	12,339	11,931	
20,001-30,000	6,467	16,308	4.6	(20.1)	717	(1,235)	(625)	24.8	15.3	15.2	26,253	23,562	20,941	20,316	
30,001-40,000	2,947	17,135	2.8	(19.4)	958	(1,131)	(744)	22.3	13.8	16.2	33,818	29,584	25,964	25,220	
40,001-50,000	4,275	15,852	2.4	(13.1)	557	(826)	(524)	20.5	12.7	15.9	45,104	36,289	32,468	31,943	
50,001-60,000	566	13,998	0.6	(13.4)	1,109	(960)	(853)	15	9.3	13	54,590	43,664	38,738	37,885	
60,001-75,000	1,064	20,824	0.7	(14.1)	692	(676)	(562)	23.9	14.8	19.4	67,755	51,819	46,120	45,558	
75,001-100,000	-	10,565	-	(10.0)	-	(943)	(502)	20.1	12.4	9.8	85,791	63,312	55,157	54,654	
100,001-Max	999	2,594	1.4	(3.0)	1,438	(1,145)	(102)	15	9.3	2.4	128,227	92,184	84,152	84,049	
All	18,158	107,497	14.0	(102.6)	772	(954)	(550)	161.6	100	100	53,882	42,214	37,498	36,948	
Loose Screen															
Min-20,000	2,054	16,084	1.8	(17.7)	867	(1,097)	(480)	33.3	17.3	12.5	14,411	14,033	12,043	11,562	
20,001-30,000	6,796	18,620	4.8	(21.7)	701	(1,165)	(602)	28.1	14.6	14.5	25,964	23,461	20,876	20,274	
30,001-40,000	2,947	21,774	2.8	(25.0)	958	(1,149)	(816)	27.3	14.2	17	33,985	29,862	26,307	25,491	
40,001-50,000	4,275	18,206	2.4	(17.1)	557	(940)	(646)	22.8	11.9	14.2	44,823	36,408	32,722	32,076	
50,001-60,000	1,147	17,364	0.9	(14.8)	761	(850)	(712)	19.4	10.1	13.5	54,387	43,609	38,720	38,008	
60,001-75,000	1,064	22,066	0.7	(14.5)	692	(657)	(551)	25.1	13.1	17.2	67,686	51,690	46,048	45,497	
75,001-100,000	-	11,709	-	(10.5)	-	(894)	(499)	21.2	11	9.1	85,567	63,167	54,986	54,487	
100,001-Max	999	2,594	1.4	(3.0)	1,438	(1,145)	(101)	15.1	7.9	5.2	128,218	92,205	84,151	84,049	
All	19,282	128,417	14.8	(124.2)	768	(967)	(570)	192.3	100	100	50,275	39,780	35,351	34,780	

Source:
SPSD/M version 7.0, adjusted to 2000.

Table B-12. Average Income and Transfer Amounts, Individual versus Spousal Treatment, by Income Groups

Base Total Income ($)	Average Total Income - Status Quo ($)	Average Total Income – Same-Sex Couples ($)	Average Market Income - Status Quo ($)	Average Market Income - Same-Sex Couples ($)	Average Transfer Income - Status Quo ($)	Average Transfer Income – Same-Sex Couples ($)	Average Taxable Income - Status Quo ($)	Average Taxable Income – Same-Sex Couples ($)	Average Total Taxes - Status Quo ($)	Average Total Taxes – Same-Sex Couples ($)	Average Disposable Income - Status Quo ($)	Average Disposable Income - Same-Sex Couples ($)	Average Consumable Income - Status Quo ($)
Tight Screen													
Min-20,000	14,991	14,428	7,171	7,171	7,820	7,257	6,697	6,698	2,652	2,498	14,544	14,083	12,339
20,001-30,000	26,253	25,165	17,485	17,486	8,768	7,679	18,513	18,514	5,312	4,848	23,562	22,858	20,941
30,001-40,000	33,818	32,756	23,781	23,782	10,036	8,974	24,709	24,710	7,854	7,536	29,584	28,728	25,964
40,001-50,000	45,104	44,155	41,413	41,414	3,690	2,742	38,587	38,588	12,636	12,212	36,289	35,708	32,468
50,001-60,000	54,590	53,681	51,329	51,330	3,260	2,351	47,922	47,922	15,851	15,796	43,664	42,697	38,738
60,001-75,000	67,755	67,104	64,966	64,967	2,788	2,137	59,063	59,064	21,634	21,546	51,819	51,199	46,120
75,001-100,000	85,791	85,401	82,764	82,764	3,027	2,637	77,067	77,067	30,634	30,746	63,312	62,752	55,157
100,001-Max	128,227	127,985	126,801	126,801	1,427	1,184	111,029	111,029	44,075	43,936	92,184	92,064	84,152
All	53,882	53,127	48,488	48,488	5,394	4,639	44,999	45,000	16,384	16,179	42,214	41,595	37,498
Loose Screen													
Min-20,000	14,411	13,800	7,360	7,361	7,050	6,439	7,140	7,141	2,368	2,238	14,033	13,484	12,043
20,001-30,000	25,964	24,938	16,811	16,812	9,153	8,126	17,995	17,996	5,089	4,664	23,461	22,784	20,876
30,001-40,000	33,985	32,899	23,361	23,362	10,624	9,537	24,840	24,841	7,679	7,409	29,862	28,932	26,307
40,001-50,000	44,823	43,783	38,647	38,647	6,176	5,136	38,535	38,536	12,101	11,707	36,408	35,698	32,722
50,001-60,000	54,387	53,592	50,549	50,550	3,837	3,042	47,174	47,175	15,667	15,584	43,609	42,801	38,720
60,001-75,000	67,686	67,048	64,503	64,504	3,182	2,544	58,995	58,996	21,637	21,551	51,690	51,082	46,048
75,001-100,000	85,567	85,170	82,181	82,181	3,385	2,989	76,921	76,921	30,580	30,683	63,167	62,610	54,986
100,001-Max	128,218	127,978	126,807	126,807	1,411	1,171	111,052	111,052	44,067	43,929	92,205	92,087	84,151
All	50,275	49,516	44,192	44,192	6,082	5,323	41,643	41,643	14,924	14,735	39,780	39,138	35,351

Source:
SPSD/M version 7.0, adjusted to 2000.

Table B-13. Married Credit, Individual versus Spousal Treatment, by Income Group

Base Total Income ($)	Married Tax Credit Claimed - Status Quo ($ millions)	Married Tax Credit Claimed - Same-Sex Couples ($ millions)	Change in Married Tax Credit Claimed ($ millions)	Average Married Tax Credit Claimed - Status Quo	Average Married Tax Credit Claimed - as Same-Sex Couples	Change in Average Married Tax Credit Claimed	Unit Count (000s)
			Tight Screen				
Min-20,000	0.4	4.7	4.2	21	231	210	20.1
20,001-30,000	1.3	4.8	3.6	51	195	144	24.8
30,001-40,000	2.0	3.4	1.3	91	151	59	22.3
40,001-50,000	0.4	3.2	2.8	21	158	137	20.5
50,001-60,000	1.4	0.6	(0.8)	97	42	(55)	15
60,001-75,000	1.0	0.9	(0.1)	43	39	(5)	23.9
75,001-100,000	2.2	-	(2.1)	109	2	(106)	20.1
100,001-Max	1.0	1.5	0.5	65	99	35	15
All	9.8	19.2	9.4	61	119	58	161.6
			Loose Screen				
Min-20,000	0.4	9.4	9.0	13	283	270	33.3
20,001-30,000	1.3	5.0	3.7	45	178	132	28.1
30,001-40,000	2.3	3.4	1.1	83	124	41	27.3
40,001-50,000	0.6	3.2	2.7	24	141	117	22.8
50,001-60,000	1.4	0.7	(0.7)	75	38	(37)	19.4
60,001-75,000	1.0	0.9	(0.1)	41	37	(4)	25.1
75,001-100,000	2.2	-	(2.1)	103	2	(101)	21.2
100,001-Max	1.0	1.5	0.5	64	98	34	15.1
All	10.1	24.2	14.1	53	126	73	192.3

Source:
SPSD/M version 7.0, adjusted to 2000.

Table B-14. GIS Benefits, Individual versus Spousal Treatment, by Income Group

Base Total Income Group	GIS Benefits - Status Quo ($ millions)	Average GIS Benefits - Status Quo ($)	GIS Benefits - Same-Sex Couples ($ millions)	Average GIS Benefits - Same-Sex couples ($)	Change in GIS Benefits ($ millions)	Status Quo Receivers of GIS	Receivers of GIS - Same-Sex Couples
Tight Screen							
Min-20,000	-	-	-	-	-	-	-
20,001-30,000	23.6	3,777	16.1	2,578	(7.5)	6,246	6,246
30,001-40,000	9.2	2,411	2.1	900	(7.1)	3,828	2,374
40,001-50,000	-	-	-	-	-	-	-
50,001-60,000	-	-	-	-	-	-	-
60,001-75,000	-	-	-	-	-	-	-
75,001-100,000	0.1	515	-	-	(0.1)	252	-
100,001-Max	0.3	572	-	-	(0.3)	504	-
All	33.2	3,069	18.2	2,115	(15.0)	10,830	8,620
Loose Screen							
Min-20,000	12.1	2,894	12.5	2,995	0.4	4,178	4,178
20,001-30,000	26.7	3,664	19.2	2,633	(7.5)	7,300	7,300
30,001-40,000	9.2	2,411	2.1	900	(7.1)	3,828	2,374
40,001-50,000	2.4	1,202	-	-	(2.4)	1,962	-
50,001-60,000	-	-	-	-	-	-	-
60,001-75,000	-	-	-	-	-	-	-
75,001-100,000	0.1	515	-	-	(0.1)	252	-
100,001-Max	0.3	572	-	-	(0.3)	504	-
All	50.8	2,821	33.9	2,445	(17.0)	18,024	13,852

Source:
SPSD/M version 7.0, adjusted to 2000.

Table B-15. GST Credit, Individual versus Spousal Treatment, by Income Group

Base Total Income ($)	Federal Sales Tax Credit - Status Quo ($ millions)	Federal Sales Tax Credit - Same-Sex Couples ($ millions)	Change in Federal Sales Tax Credit	Average Federal Sales Tax Credit - Status Quo	Average Federal Sales Tax Credit - Same-Sex Couples	Change in Average Federal Sales Tax Credit	Unit Count (000s)	Distribution of Households (%)
Tight Screen								
Min-20,000	8.2	8.1	(0.1)	407	400	(7)	20.1	12.5
20,001-30,000	12.9	9.7	(3.3)	523	391	(132)	24.8	15.3
30,001-40,000	12.3	4.8	(7.5)	552	216	(336)	22.3	13.8
40,001-50,000	8.9	0.4	(8.5)	436	20	(416)	20.5	12.7
50,001-60,000	7.2	-	(7.2)	481	1	(481)	15	9.3
60,001-75,000	6.6	0.1	(6.4)	274	4	(270)	23.9	14.8
75,001-100,000	3.1	-	(3.1)	156	-	(156)	20.1	12.4
100,001-Max	1.1	-	(1.1)	72	-	(72)	15	9.3
All	60.3	23.1	(37.3)	373	143	(231)	161.6	100
Loose Screen								
Min-20,000	13.6	13.3	(0.3)	410	399	(10)	33.3	17.3
20,001-30,000	14.7	11.0	(3.7)	522	392	(131)	28.1	14.6
30,001-40,000	14.9	5.5	(9.4)	547	201	(345)	27.3	14.2
40,001-50,000	10.3	0.4	(9.9)	450	18	(433)	22.8	11.9
50,001-60,000	8.2	-	(8.2)	422	-	(421)	19.4	10.1
60,001-75,000	6.8	0.1	(6.7)	270	4	(266)	25.1	13.1
75,001-100,000	3.5	-	(3.5)	164	-	(164)	21.2	11
100,001-Max	1.1	-	(1.1)	71	-	(71)	15.1	7.9
All	73.0	30.3	(42.7)	380	158	(222)	192.3	100

Source:
SPSD/M version 7.0, adjusted to 2000.

Table B-16. Refundable Provincial Credits, Individual versus Spousal Treatment, by Income Group

Base Total Income Group	All Refundable Provincial Tax Credits - Status Quo ($ millions)	All Refundable Provincial Tax Credits - Same-Sex Couples ($ millions)	Change in All Refundable Provincial Tax Credits	Average Provincial Refundable Tax Credits - Status Quo	Average Provincial Refundable Tax Credits - Same-Sex Couples	Change in Average Provincial Refundable Tax Credits
Tight Screen						
Min-20,000	21.1	10.0	(11.1)	1,047	494	(553)
20,001-30,000	24.4	8.3	(16.1)	987	337	(650)
30,001-40,000	8.8	1.6	(7.3)	396	70	(326)
40,001-50,000	10.1	0.2	(9.9)	494	10	(484)
50,001-60,000	2.5	-	(2.5)	168	-	(168)
60,001-75,000	6.3	0.3	(6.0)	262	11	(252)
75,001-100,000	3.1	0.1	(3.0)	154	6	(148)
100,001-Max	0.1	0.1	(0.1)	7	4	(3)
All	76.5	20.5	(56.0)	473	127	(346)
Loose Screen						
Min-20,000	37.9	17.3	(20.6)	1,139	520	(618)
20,001-30,000	26.8	9.2	(17.5)	953	329	(624)
30,001-40,000	13.2	2.0	(11.1)	483	75	(409)
40,001-50,000	10.4	0.3	(10.0)	454	14	(440)
50,001-60,000	3.4	-	(3.4)	174	1	(173)
60,001-75,000	6.5	0.3	(6.3)	259	10	(249)
75,001-100,000	3.3	0.1	(3.2)	156	5	(151)
100,001-Max	0.1	0.1	(0.1)	7	4	(3)
All	101.6	29.4	(72.2)	528	153	(375)

Source:
SPSD/M version 7.0, adjusted to 2000.

APPENDIX C: RELATIONSHIP-BASED INCOME TAX PROVISIONS
(FEDERAL)

Table C-1. Income Tax Subsidies for Support of Economically Dependent Spouse

Provisions that are expressly conditioned on specific income levels:

118(1)(a)	Credit for support of spouse

Provisions that can be claimed by supporting spouse if lower income spouse cannot use them:

118.8	Transfer of unused tax credits to spouse, which include:
118.5	Tuition credit
118.6	Education credit
118(2)	Age credit
118(3)	Pension income credit
118.3(1)	Mental/physical impairment credit

Provisions that will apply when difference in incomes of spouses results in agreement or court order for payment of support:

56, 60	Shifts income tax liability for alimony payments to recipient

Source: *Income Tax Act*, R.S.C. 1985, c. 1 (5th Supp.), as amended for the 1999 taxation year.

Table C-2. Tax Provisions that Provide or Magnify "Family Wages" for Couples

Provisions that make it possible to split incomes or shift deductions between spouses:

8	Deduction for cost of maintaining home for spouse (railway workers)
62, 64	Costs of moving spouse's personal property can be deducted as part of "household" moving expenses
104, 108	Income splitting by way of use of trust
118.2	Credits for payment of medical expenses of spouse
118.2(2)(q)	Credits for payment of premiums for medical insurance covering spouse
146	Taxpayer can receive tax deductions for contributions to spouse's RRSP
146	Joint and survivor benefits can be paid out of RRSP assets
Reg. 8501	Permits redirection of RPP benefits to separated or divorced spouse

Provisions that shelter benefits to spouses from taxation:

6	Tax exemption for employee benefits that extend to spouse (dental, medical, counselling)
15	Tax exemption for employee shareholder loan taken out to provide housing for spouse
248(1)	Tax-exempt payment of up to $10,000 death benefit to spouse

Provisions that organize and/or subsidize survivor pensions:

60(j.2)	Surviving spouse can roll deceased spouse's RPP or DPSP into own RRSP
146.3	Surviving spouse benefits can be paid out of retirement income funds (RIFs)
Reg. 8503, 8506	Surviving spouse benefits can be paid out of RPPs

Source: *Income Tax Act*, R.S.C. 1985, c. 1 (5th Supp.).

Table C-3. Income Tax Provisions Relating to Sharing Income or Property With Spouse, 1999

Provisions that make it possible to transfer assets between spouses without tax liability:

24	Tax-deferred rollover for transfer of eligible capital property to spouse
40	Tax-deferred rollover for transfer of farming property to spouse
40	Capital gain on home held in trust for spouse can be tax exempt under principal residence exemption
54	Capital gain on home owned by one spouse for use and occupation by other spouse exempt from taxation as principal residence
60(j.2)	Tax-deferred rollover for transfer of funds from registered pension plan or deferred profit sharing plan to spousal RRSP
70	Tax-deferred rollover for transfer of property to surviving spouse or spousal trust
70, 73	Tax-deferred rollover for transfer of farming property used by spouse
73	Tax-deferred rollover for transfer of capital assets to spouse or spousal trust during life
74.5	Tax-deferred rollover for transfer of capital assets to spouse living apart
96	Non-recognition of partnership income and gains when spouse takes over other spouse's partnership interest
146	Tax-deferred transfer of RRSP assets to surviving spouse's RRSP
147	Tax-deferred rollover of spouse's deferred profit sharing plan (DPSP) to other spouse's own registered plans
47.3	Tax-deferred rollovers from deceased or separated spouse's registered pension plan (RPP) to other spouse's own RRSP or DPSP
148	Tax-exempt transfer of life insurance policies between spouses

Provisions that make it possible to transfer tax benefits from one spouse to another:

104	Flow-through of tax benefit items where property held in spousal trust, but income is paid to spouse personally
110.6	Flow-through of enhanced capital gain exemption where property rolled over to spouse

Source: *Income Tax Act*, R.S.C.1985, c. 1 (5th Supp.).

REFERENCES

Apps, Patricia. 1981. *A Theory of Inequality and Taxation.* Cambridge: Cambridge University Press.

————. 1999. "Tax Reform, Ideology and Gender." *Sydney Law Review.* 21: 437-452.

Australian Bureau of Statistics. 1997. *1996 Census of Population and Housing.* Canberra: ABS.

Badgett, M.V. Lee. 1995. "The Wage Effects of Sexual Orientation Discrimination." *Industrial and Labor Relations Review.* 48(4): 726.

Bancroft, John (ed). 1997. *Researching Sexual Behaviour: Methodological Issues.* Bloomington: Indiana University Press.

BCLI (British Columbia Law Institute). 1999. *Proposed Family Status Recognition Act.* Vancouver: British Columbia Law Institute.

Beaujot, R., K.G. Basavarajappa and R.B.P. Verma. 1988. *Current Demographic Analysis: Income of Immigrants in Canada.* Ottawa: Statistics Canada. pp. 66-67, Tables 23, 24 (analyzing census data).

Becker, Gary. 1957. *The Economics of Discrimination.* Chicago: University of Chicago Press.

Blumstein, Philip and Pepper Schwartz. 1983. *American Couples.* New York: Wm. Morrow and Co.

Boskin, Michael J. and E. Sheshinski. 1983. "Optimal Tax Treatment of the Family: Married Couples." *Journal of Public Economics.* 20: 281-297.

Briggs, Norma. 1985. "Individual Income Taxation and Social Benefits in Sweden, the United Kingdom, and the U.S.A. — A Study of Their Inter-Relationships and Their Effects on Lower-Income Couples and Single Heads of Household." *International Bureau of Fiscal Documentation.* 243.

Brodsky, Gwen. 1994. "Out of the Closet and Into a Wedding Dress? Struggles for Lesbian and Gay Legal Equality." *Canadian Journal of Women and the Law.* 7: 523-535.

Brooks, Neil. 1996. "The Irrelevance of Conjugal Relationships in Assessing Tax Liability." In *Tax Units and the Tax Rate Scale.* Edited by Richard Krever and John Head. Melbourne: Australian Tax Research Foundation. 36.

Brown, D.A. 1997. "Race, Class, and Gender Essentialism in Tax Literature: The Joint Return." *Washington and Lee L. Rev.* 1469.

112

Buist, Margaret. 2000. "Segregation and Sexuality." Law Society of Upper Canada/Canadian Bar Association (Ontario) Sexual Orientation and Gender Identity Committee Pride Day Roundtable, June 21.

Canada, Revenue Canada. 1995. *Taxation Statistics, 1993.* Ottawa: Minister of Supply and Services.

Canada, Royal Commission on Taxation. 1967. *Report of the Royal Commission.* Volumes 1-6. Ottawa: Queen's Printer.

Canada, Statistics Canada. 1989a. *Profile of Ethnic Groups.* Ottawa: Statistics Canada. Cat. no. 93-154.

———. 1989b. *Profile of the Immigrant Population.* Ottawa: Statistics Canada. Cat. no. 93-155.

———. 1995. CANSIM matrices, June 12.

———. 1992. *1996 Census Consultation Guide.* Ottawa: Statistics Canada.

———. 1994. *Social Policy and Simulation Database/Model.* Ottawa: StatsCan MicroSimulation Project, version 5.2, adjusted to years 1985-1995.

———. 1995. *Public Sector Finance, 1994-95.* Catalogue no. 68-212.

———. 1996. *Dimensions, Canadian Income and Earnings 1990-1995.* Ottawa.

———. 1997a. *1996 Census Consultation Report Number 2.* Ottawa: Statistics Canada.

———. 1997b. *1996 Survey of Consumer Finance.*

Casswell, Donald G. 2001. "Canada's Lotusland." In Wintemute, Robert. *Legal Recognition of Same-Sex Relationships in National and International Law.* London: Hart Publishing.

Christian, Amy C. 1997. "The Joint Return Rate Structure: Identifying and Addressing the Gendered Nature of the Tax Law." *Journal of Law and Politics.* 13: 241.

Coffield, James. 1970. *A Popular History of Taxation: From Ancient to Modern Times.* London: Longman Group Ltd.

Coleman, Thomas F. 1995. "The Hawaii Legislature Has Compelling Reasons to Adopt a Comprehensive Domestic Partnership Act." *Law and Sexuality.* 5: 541.

Davis, James Allen and Tom W. Smith. 1991. *General Social Surveys 1972-1991.* Chicago: National Opinion Research Center.

Fair Tax Commission. 1993. *Discussion Paper: Searching for Fairness.* Toronto: Fair Tax Commission, pp. 60-62.

Fair Tax Commission, Women and Taxation Working Group. 1992. *Women and Taxation.* Toronto: Fair Tax Commission.

Gann, Pamela. 1980. "Abandoning Marital Status as a Factor in Allocating Income Tax Burdens." *Texas L. Rev.* 59: 1.

Gavigan, Shelley. 1993. "Paradise Lost, Paradox Revisited: The Implications of Familial Ideology for Feminist, Lesbian and Gay Engagement to Law." *Osgoode Hall L. J.* 31: 589-624.

Grbich, Judith. 1991. "The Tax Unit Debate Revisited: Notes on the Critical Resources of a Feminist Revenue Law Scholarship." *Canadian Journal of Women and the Law.* 4: 512.

Griffin, Kate and Lisa Mullholland (eds). 1997. *Lesbian Motherhood in Europe.* London: Cassels.

Henson, Deborah M. 1993. "A Comparative Analysis of Same-Sex Partnership Protections: Recommendations for American Reform." *International Journal of Law and the Family.* 7: 282-313.

Herman, Didi. 1994. *Rights of Passage: Struggles for Lesbian and Gay Legal Equality.* Toronto: University of Toronto Press.

Kinsey, Alfred C., Wardell B. Pomeroy and Clyde E. Martin. 1948. *Sexual Behavior in the Human Male.* Philadelphia: W. B. Saunders.

Kinsey, Alfred C., Wardell B. Pomeroy, Clyde E. Martin and P. H. Gebhard. 1953. *Sexual Behavior in the Human Female.* Philadelphia: W. B. Saunders.

Klawitter, Marieka M. and Victor Flatt. 1995. *Antidiscrimination Policies and Earnings for Same-Sex Couples.* Seattle, WA: University of Washington Graduate School of Public Affairs, Working Papers in Public Policy Analysis and Management.

Kornhauser, Marjorie E. 1997. "What Do Women Want: Feminism and the Progressive Income Tax." *American University L. Rev.* 47: 151.

Kurdek, L. 1995. "Lesbian and Gay Couples." In *Lesbian , Gay, and Bisexual Identities Over the Lifespan.* Edited by A. D'Augelli and C. Patterson. New York: Oxford University Press.

Lahey, Kathleen. 1998. "The Political Economies of 'Sex' and Canadian Income Tax Policy." Toronto: CBAO.

114

———. 1999. *Are We 'Persons' Yet? Law and Sexuality in Canada.* Toronto: University of Toronto Press.

———. 2001a. "Becoming 'Persons' in Canadian Law: Genuine Equality or 'Separate but Equal'?" In Wintemute, Robert. *Legal Recognition of Same-Sex Relationships in National and International Law.* London: Hart Publishing.

———. 2001b. *The Benefit/Penalty Unit in Income Tax Policy: History, Impact, and Options for Reform.* Ottawa: Law Commission of Canada.

Law Reform Commission of Nova Scotia. 1997. *Final Report on Reform of the Law Dealing with Matrimonial Property in Nova Scotia.* Halifax: LRCNS.

LeFebour, Patricia. 1993. "Same Sex Spousal Recognition in Ontario: Declarations and Denial — A Class Perspective." *Journal of Law and Social Policy.* 9: 272.

LeFebour, Patricia and Michael Rodrigues. 1995. "Estate Planning for Same-Sex Couples." Toronto: CBAO, Eleventh Semi-Annual Estate Planning.

Lefkowitz, Mary R. and Maureen B. Fant. *Women's Life in Greece and Rome.* Baltimore: Johns Hopkins University Press.

Leuthold, Jane H. 1984. "Income Splitting and Women's Labor-Force Participation." *Industrial and Labor Relations Rev.* 98.

———. 1985. "Work Incentives and the Two-earner Deduction." *Public Finance Quarterly.* 13: 63-73.

Lund-Andersen, Ingrid. 1990. "Moving Towards an Individual Principle in Danish Law." *International Journal of Law and the Family.* 4: 328-342.

Major, Henri. 1974. *Background Notes on Areas of Federal and Provincial Jurisdiction in Relation to Family Law.* Ottawa: Advisory Council on the Status of Women.

———. 1975. *Notes on Selected Federal Statutes Recognizing Common Law Relationships.* Ottawa: Advisory Council on the Status of Women.

McCaffery, Edward. 1993a. "Slouching Towards Equality: Gender Discrimination, Market Efficiency, and Social Change." *Yale Law Review.* 103: 595.

———. 1993b. "Taxation and the Family: A Fresh Look at Behavioral Gender Biases in the Code." *U.C.L.A. L. Rev.* 40: 983.

———. 1997. *Taxing Women.* Chicago: University of Chicago Press.

Mickman, Robert. 1999. "Discrimination Against Same-Sex Couples in Tax Law." *International Journal of Law, Policy and the Family.* 13: 33.

Ministers Responsible for Social Services. 1998-99. *In Unison: A Canadian Approach to Disability Issues.* Ottawa.

Moran, B. and W. Whitford. 1996. "A Black Critique of the Internal Revenue Code." *Wisconsin L. Rev.* 75

Nelson, Julie A. 1991. "Tax Reform and Feminist Theory in the United States: Incorporating Human Connection." *Journal of Economic Studies.* 18: 11-29.

Nielsen, Linda. 1992-93. "Denmark: New Rules Regarding Marriage Contracts and Reform Considerations Concerning Children." *Journal of Family Law.* 31: 309.

————. 1990. "Family Rights and the 'Registered Partnership' in Denmark." *International Journal of Law and the Family.* 4: 297-307.

OECD (Organization for Economic Co-operation and Development). 1993. *Taxation in OECD Countries.* Paris: OECD.

Ontario, Ministry of the Attorney General. 1999. "Ontario protects traditional definition of spouse in legislation necessary because of Supreme Court of Canada decision in *M.* v. *H.*" Press release. October 25.

Ontario Law Reform Commission. 1993. *Report on The Rights and Responsibilities of Cohabitants Under the Family Law Act.* Toronto: OHRC.

Pedersen, Marianne Hojgaard. 1991-92. "Denmark: Homosexual Marriages and New Rules Regarding Separation and Divorce." *Journal of Family Law.* 30: 289.

Polikoff, Nancy, interview, reported in Fenton Johnson. 1996. "Wedded to an Illusion: Do gays and lesbians really want the right to marry?" *Harper's Magazine.* November: 43-50.

Royal Commission on the Status of Women. 1970. *Report of the Royal Commission on the Status of Women in Canada.* Ottawa.

Sherman, David. 1992. "Till Tax Do Us Part: The New Definition of 'Spouse'." *Canadian Tax Foundation Conference Report.* 20: 1.

Sweet, James A. 1980. "The Employment of Wives and the Inequality of Family Income." In *The Economics of Women and Work.* Edited by Alice H. Amsden. Markham, Ont.: Penguin Books, pp. 400-409.

Tellier, Nicole. 1995. "Support and Property Issues for Same Sex Couples: Domestic Contract, Court Challenges and Remedies." Toronto: Special Lecture.

Waaldijk, Kees and Andrew Clapham (eds). 1993. *Homosexuality: A European Community Issue — Essays on Lesbian and Gay Rights in European Law and Policy.* Dordrecht: Martinus Nijhoff.

Wakkary, Albert. 1994. Affidavit filed in *Rosenberg* v. *The Queen.* (Ont. Gen. Div., Court File No. 79885/94) (sworn June 2, 1994).

Wintemute, Robert. 2001. *Legal Recognition of Same-Sex Relationships in National and International Law.* London: Hart Publishing.

Young, Claire. 1994. "Taxing Times for Lesbians and Gay Men: Equality at What Cost?" *Dalhousie L. J.* 17: 534.

Zelenak, L. 1994. "Marriage and the Income Tax." *Southern Calif. L. Rev.* 67: 339.

ENDNOTES

[1] In 1999, Quebec Bill 32 became effective and British Columbia continued its program of gradually amending provincial statutes to include lesbian and gay couples. In 2000, Ontario enacted Bill 5 and the federal government enacted Bill C-23. All these bills recognize lesbian and gay couples as cohabitants. Elsewhere, Vermont enacted its civil union bill in April 2000, and in 1999, Hawaii enacted domestic partnership legislation. These bills are discussed in detail in Chapter 2.

[2] The Ontario challenge was filed on June 14, 2000 in Divisional Court and the B.C. challenge was announced in July. Both challenges are proceeding at the behest of the governments, which have taken the position that they are under an obligation to issue marriage licences but are prevented from doing so by federal law. The Quebec challenge, recommenced in 2000, does not have governmental support.

[3] Netherlands, Parliamentary paper 26672, Amendment of Book 1 of the Civil Code, concerning the opening up of marriage for persons of the same sex (Act on the Opening up of Marriage) (introduced July 8, 1999 and effective as of April 1, 2001), trans. Kees Waaldjik (copy on file with author).

[4] The most up-to-date source is Wintemute (2001), which reports on such legislation around the globe.

[5] Canada, House of Commons, *Debates and Proceedings*, 7th Sess., 12th Parl., IV: 4102, 4103 (August 3, 1917), Thomas White.

[6] Ibid., IV: 4103, Mr. Verville.

[7] Ibid., IV: 4106, Mr. Middlebro.

[8] Ibid., IV: 4105, Mr. Knowles.

[9] Ibid., IV: 4104, Mr. Graham.

[10] Ibid., IV: 4109, Thomas White.

[11] Bill C-4, 1st Sess., 30th Parl., 23 Eliz. II, 1974, amending the *War Veterans Allowance Act*, R.S., c. W-5, c. 34 (2d Supp.) (Royal Assent given November 1974) reduced the period of cohabitation from seven to three years but required public holding out by a man that his partner was his wife; Bill C-16, *Statute Law (Status of Women) Amendment Act*, 1974, 1st Sess., 30th Parl., 23-24 Eliz. II, 1974-5 (Royal Assent given July 30, 1975) added the "opposite-sex" definition of deemed spouse to social programs such as the Canada Pension Plan and the *Old Age Security Act*.

[12] *Re North and Matheson* (1974), 52 D.L.R. (3d) 280 (Man. Co. Ct.), per Philp Co. Ct. J. (gay couple denied marriage licence); *Adams* v. *Howerton*, 486 F. Supp. 199, 673 F. 2d 1036 (C.C.A. 9, 1983), cert. den. 458 U.S. 1111, 102 S. Ct. 3494 (U.S.S.C., 1985) (marriage licence issued to gay couple and subsequent marriage not recognized for purposes of immigration sponsorship).

[13] *Equality Rights Statute Law Amendment Act*, 1986, S.O. 1986, c. 64.

[14] Legislative Assembly of Ontario, January 19, 1987, 4665-6; November 25, 1986, 3622.

[15] [1995] 2 S.C.R. 513.

[16] [1998] 1 S.C.R. 493.

[17] *M.* v. *H.*, [1999] 2 S.C.R. 3.

[18] *Substitute Decisions Act*, 1992, S.O. 1992, c. 30, ss. 1(2), 17(1), giving a "partner" the rights extended to spouses under this statute.

[19] These are collected in Lahey, (1999, ch. 11).

[20] Statistics Canada, Social Policy Simulation Database/Model, version 7.0, made available for this study by the Data Liberation Initiative (Canada), with assistance from Brian Murphy, Statistics Canada Microsimulation Unit, and Andrew Mitchell, statistician.

[21] The justification sometimes given for this decision has been the assertion that lesbian and gay couples would not want to reveal themselves in the census. Lesbian and gay commentators have never found this justification to be convincing, especially when it has been coupled with concern that questions relating to sexuality would upset or alienate other groups of people and thereby endanger the entire census process. Note, however, that Census Canada did include a question about "living common-law" in the May 15, 2001 Census. Release of these data will certainly be a big improvement.

[22] Kinsey and his colleagues (1948: 357-361, 610-666; 1953: 474-475) concluded that 13 percent of United States males could be classified as homosexual and that the equivalent figure for women was roughly seven percent. For an analysis of the methodological factors that influence results in this area of research, see Bancroft (1997).

[23] Australian Bureau of Statistics (1997). The question that led to the collection of these data stated: "What is your relationship to householder #1?" The total population over the age of 15 in that census was found to be 13,914,897.

[24] Badgett (1995: 726, 734) analyzing data from Davis and Smith (1991).

[25] The Australian census was deliberately designed to collect data on lesbian and gay couples, but they were treated as a sub-set of de facto relationships, and after the census, there were widespread complaints that lesbian and gay couples could not figure out how to report their relationships.

[26] Statistics Canada (1992: 36; 1997a: 18-19) gave several reasons for excluding questions on sexuality from the 1996 census: it discounted the demand for inclusion as really being nothing more than a demand to legitimize the status of same-sex unions; it felt there was too much public resistance and concluded that many lesbian and gay couples found such questions to be potentially threatening. It expressed fear that controversy over the questions might lead people to boycott the census, endangering the utility of the responses, and there was just too much negative reaction to the suggestion. In the end, the 1996 census did not list same-sex couples as a response option, but Statistics Canada published a memorandum instructing lesbian and gay couples to write in "same-sex partner of Person 1" or "same-sex partner of Person _" with choices for up to six persons per household if they wished to select "Other-Specify" in answering Question 2 (relationships of members of the household). Statistics Canada memorandum, received by EGALE (Equality for Gays and Lesbians Everywhere) in 1996. Statistics Canada has refused to release this information, despite statements to the contrary, but now appears to be willing to include questions on sexuality in the 2001 census.

[27] These data were then presented by Albert Wakkary in an affidavit filed in *Rosenberg* v. *The Queen* (Ont. Gen. Div., Court File No. 79885/94) (sworn June 2, 1994), para. 8-9, at 7-8 and Exhibit B.

[28] This research was carried out as part of this Status of Women Canada project. The main researcher was Tara Doyle, assisted by Deirdre Harrington, Law '00. All research files are archived at the Faculty of Law, Queen's University, with the author.

[29] Statistics Canada, Social Policy Simulation Database and Model (SPSD/M) is a tool designed to analyze the financial interactions of governments and individuals in Canada. It allows the assessment of the cost implications or income redistributive effects of changes in the personal taxation and cash transfer system. See Table B-1 for detailed income levels by couple and gender.

[30] See generally Moran and Whitford (1996); Brown (1997).

[31] *Canada Act 1982*, 1982, c. 11 (U.K.) [Proclaimed in force April 17, 1982], SCHEDULE B, *Constitution Act, 1982*, PART I, *Canadian Charter of Rights and Freedoms* [Am. by Constitution Amendment Proclamation, 1983, SI/84-102; Constitution Amendment, 1993 (New Brunswick), SI/93-54, section 15(1): "Every individual is equal before and under the law and has the right to the equal protection and equal benefit of the law without discrimination and, in particular, without discrimination based on race, national or ethnic origin, colour, religion, sex, age or mental or physical disability."

[32] Men under the age of 60 and women under the age of 50 were required to be married, and bequests to unmarried men or married women with no children were void. See Lefkowitz and Fant (1982: 182). See also Coffield (1970: 25-26). Special inheritance taxes were imposed on bequests to unmarried men, childless married men and unmarried women with fewer than three children. Many of these laws were first enacted by Augustus between 30 B.C. and 14 A.D.

[33] As of June 2001, lesbian and gay couples in Nova Scotia can gain access to some of the rights by forming a registered domestic partnership. See Bill 75 (2000).

[34] See Ontario Law Reform Commission (1993) (recommending inclusion of opposite-sex cohabitants in definition of 'spouse' for purposes of matrimonial property law after cohabiting for three years or parents); Law Reform Commission of Nova Scotia (1997: 5) (recommending adoption of a new matrimonial regime for those in a "domestic relationship" of economic dependence or parents); British Columbia Law Institute (1999: s. 1(1)) .

[35] As at June 24, 2000, the Northwest Territories and Nunavut have extended family property and spousal intestacy provisions to non-married opposite-sex cohabitants. *See Family Law Act*, S.N.W.T. 1997, c. 18, s. 33 spouse; *Intestate Succession Act*, R.S.N.W.T. 1988, c. I-10, s. 1(1) spouse; *Family Law Act* (Nunavut) S.N.W.T. 1997, c. 18, as duplicated for Nunavut pursuant to the *Nunavut Act*, S.C. 1993, c. 28, s. 29; as am. S.C. 1998, c. 15, s. 4. The Nova Scotia Court of Appeal has ruled that exclusion of non-married heterosexual cohabitants from matrimonial property provisions unjustifiably violates section 15(1) of the Charter. See *Walsh* v. *Bona*, [2000] N.S.J. No. 117 (QL; file no. 159139, April 19, 2000), per Glube C.J.N.S., Roscoe and Flinn JJ.A., supplementary reasons for judgment released June 5, 2000 [[2000] N.S.J. No. 173; no appeal filed as at June 24, 2000.]

[36] *Re North and Matheson* (1974), 52 D.L.R. (3d) 280 (Man. Co. Ct.), per Philp Co. Ct. J.; *Layland* v. *Ontario (Minister of Consumer and Commercial Relations)* (1993), 14 O.R. (3d) 658 (Ont. Div. Ct.), per Southey and Sirois JJ., Greer J. dissenting.

[37] See, for example, *B.* v. *A.* (1990), 1 O.R. (3d) 569 (Ont.), per Cork, Master; *Canada* v. *Owen*, [1993] F.C.J. No. 1263 (F.C.T.D.), per Rouleau. J; *L.C.* v. *C.C.* (1992), 10 O.R. (3d) 254 (Ont. Gen. Div.), per Jenkins J. In all these cases, "incomplete" male-to-female transsexual surgery was given as the reason for invalidating marriages that had already been carried out with a marriage licence, some as long as 21 years before the legal action in question. See also *Sherwood Atkinson (Sheri de Cartier)* (1972), 5 Imm. App. Cases 185 (Imm. App. Bd.).

[38] Nova Scotia Bill 75, unveiled by the government in the fall of 2000, opens up the possibility that other provinces may take similar steps.

[39] Not all constitutional challenges to discriminatory legislation have succeeded, of course. For a detailed account of the entire litigation record since 1974, see Lahey (1999), chapters two and three. By the late 1990s, most Charter challenges to discriminatory legislation had become successful, but not all.

[40] *Veysey* v. *Correctional Service of Canada* (1990), 109 N.R. 300 (F.C.A.), per Iacobucci C.J., Urie and Decary JJ., aff'g on different grounds (1989), 29 F.T.R. 74.

[41] Some of the cases that illustrate this approach are *Knodel* v. *British Columbia (Medical Services Commission)* (1991), 58 B.C.L.R. (2d) 346 (S.C.); *Veysey* v. *Canada (Correctional Service),* (1990), 109 N.R. 300 (F.C.A.); *Dwyer* v. *Toronto (Metropolitan),* [1996] O.H.R.B.I.D. No. 33 (Ontario Board of Inquiry (Human Rights Code)); *Leshner* v. *Ontario* (1992), 16 C.H.R.R. d/184; 92 C.L.L.C 17, 035 (Ont. Bd. of Inquiry); *Kane* v. *Ontario (A -G)* (1997), 152 D.L.R. (4th) 738; *Ontario Public Service Employees Union Pension Plan Trust Fund (Trustees of)* v. *Ontario (Management Board of Cabinet),* [1998] O.J. No. 5075, 20 C.C.P.B. 38 (Ont. Gen. Div); *Re Canada (Treasury Board-Environment Canada) and Lorenzen* (1993), 38 L.A.C. (4th) 29; *Coles and O'Neill* v. *Ministry of Transportation and Jacobson,* File No. 92-018/09 (October, 1994) (Ont. Bd. Inq.); *Canada (Attorney-General)* v. *Moore,* [1998] 4 F.C. 585 (T.D.); *M.* v. *H.* (1996), 31 O.R. (3d) 417, 142 D.L.R. (4th) 1 (Ont. C.A.), per Doherty and Charron J., Finlayson J. dissenting, aff'g (1996), 27 O.R. (3d) 593, 132 D.L.R. (4th) 538 (Ont. Gen. Div.), Epstein J., but varied as to remedy [1999] 2 S.C.R. 3.

[42] *Rosenberg* v. *Canada (A-G)* (1998), 38 O.R. (3d) 577; (1998), 158 D.L.R. (4th) 664 (Ont. C.A.). This has also been necessary in the Ontario step-parent adoption cases. See *Re K.* (1995), 23 O.R. (3d) 679, (1995), 125 D.L.R. (4th) 653 (Ont. Prov. Ct.); *Re C.E.G. (No. 1),* [1995], O.J. No. 4072 (Ont. Gen. Div.); *Re C.E.G. (No. 2) (Re),* [1995], O.J. No. 4073 (Ont. Gen. Div.).

[43] For a discussion of the unconstitutionality of "separate but equal" classifications, see *Canada (Attorney-General)* v. *Moore,* [1998] 4 F.C. 585 (T.D.).

[44] There are of course some drawbacks to litigation, even in a generally supportive jurisprudential climate. Litigation is expensive, time-consuming, ad hoc and individualistic. Unless litigation is brought forward as part of a coherent program, the cases that first reach courts are not necessarily the best cases. However, in Canada, the record demonstrates that litigation has achieved tremendous breakthroughs, while legislation has tended to perpetuate discriminatory classifications and the pattern of partial extension of rights.

[45] This discussion of Canadian legislation expands on, and updates, the discussion in Lahey (2001).

[46] *M.* v. *H.,* [1999] 2 S.C.R. 3, aff'g (1996), 27 O.R. (3d) 593, 132 D.L.R. (4th) 538 (Ont. Gen. Div.), Epstein J, aff'd (1996), 31 O.R. (3d) 417, 142 D.L.R. (4th) 1 (Ont. C.A.), per Doherty and Charron J., Finlayson J. dissenting.

[47] The government even went so far as to entitle the entire statute *An Act to amend certain statutes because of the Supreme Court of Canada decision in M.* v. *H.,* S.O. 1999 (October 28, 1999).

[48] Bill 5 defines "same-sex partner" as "either of two persons of the same sex who have cohabited (a) continuously for a period of not less than three years, or (b) in a relationship of some permanence, if they are the natural or adoptive parents of a child."

[49] Legislative Assembly, *Ontario Hansard* (27 October 1999) at 1830-1840.

[50] See Table A-1. With the exception of the items relating to emergency consent, where 1992 legislation extended the right to act for each other in medical emergencies, to receive medical information, and to visit in hospital as family, all the items under the heading "lesgay cohabs" in Table A-1 were extended to lesbian and gay couples as the result of litigation. These include public sector employee pension survivor rights; employment benefits for partners and children; tax exemptions for those benefits; the right to apply for cohabitant support; the right to take each other's last names; recognition of parental, custody and access rights; the right to co-adopt their own children to secure inheritance rights; insurance benefits; protection from discrimination as couples under the Human Rights Code; exemption from vehicle transfer taxes; and the right to apply for dependant's relief from a partner's estate.

[51] These include rights under the *Coroners Act* (making funeral arrangement, demanding an inquest), rights to compensation for victims of crime, proceeds of wrongful death suits, the right to take advantage of the support payment system run by the province, the right to share rooms in nursing homes and rest homes, the power to direct organ donations and clarified eligibility for dependant's relief. If Bill 5 had not been passed, these rights when claimed on the authority of *M.* v. *H.* would have been extended to lesbian and gay couples as "cohabitants deemed to be spouses," that is, on an integrated basis. Because of Bill 5, they are extended to lesbian and gay couples only as same-sex partners.

[52] These largely consist of dozens of conflict of interest provisions and compulsory exclusion provisions in statutes such as security legislation.

[53] These include matrimonial home provisions, sharing of family property, inheritance and forced shares on death, along with all the other rights and responsibilities listed in the first part of this chapter.

[54] The following statutes were omitted from Bill 5: *Family Law Act* marriage provisions; presumptions of parentage in the *Children's Law Reform Act*; all the tax credits and benefits delivered provincially and federally under the *Income Tax Act*; *Marriage Act*, even though it is sex- and sexuality-neutral; *Municipal Tax Sales Act*; *Budget Measures Act, 1994*; *Planning and Municipal Statute Law Amendment Act, 1994*; *Workers' Compensation and Occupational Health and Safety Amendment Act, 1994*; *Statute Law Amendment Act (Government Management and Services), 1994*; *Social Assistance Reform Act, 1997*; *Education Quality Improvement Act, 1997*; *Junior Farmer Establishment Act*; *McMichael Canadian Art Collection Act.*

[55] Step-parent adoption typically involves a child of one parent being adopted by that parent's spouse. Same-sex couples have been granted access to step-parent adoptions by decisions

like *Re K.* and *Re C.E.G.*, which have made it possible for both parents to be listed on the child's birth certificate. However, this method of securing parental status is itself a second-best solution to discrimination caused by other statutes, for *the Children's Law Reform Act* continues to define "natural parent" by presuming that either the husband or the "opposite-sex cohabitant" of a birth mother is deemed to be a natural parent. Lesbian and gay cohabitants have been excluded from that provision.

[56] *Child and Family Services Act*, R.S.O. 1990, c. C.11, s. 146(4); Assembly, *Ontario Hansard* (27 October 1999) at 1830.

[57] See, for example, *Obringer* v. *Kennedy Estate*, [1996] O.J. No. 3181 (Ont. Gen. Div.), per Sheard J.

[58] See the discussion of this issue below.

[59] [1991] B.C.J. No. 2588 (B.C.S.C.), per Rowles J.

[60] These statutes have included the *Health Care Consent Act*, the *Pension Benefits Standards Amendment Act*, Bill 100, 1999, the *Adoption Act*, the *Wills Variation Act*, the *Family Relations Act*, the *Representation Agreement Act*, and *the Family Maintenance Enforcement Act*. Table A-3 reflects the state of the law in force as at March 1, 2000. For full citations and references to specific provisions of this legislation, see Casswell (pending).

[61] For example, the *Representation Agreement Act*, R.S.B.C. 1996, c. 405, section 1 spouse (effective February 28, 2000, B.C. Reg. 12/00) defines "spouse" as a married person or "a person who...is living with another person in a marriage-like relationship and...the marriage or marriage-like relationship may be between members of the same sex." The same effect is achieved by including "persons of the same gender" in the *Family Relations Act*, R.S.B.C. 1996, c. 128, section 1(c), as amended by Bill 31, section 1(c): "spouse" includes either a married person or "a person who...lived with another person in a marriage-like relationship for a period of at least 2 years...and...the marriage-like relationship may be between persons of the same gender."

[62] *Family Relations Act*, R.S.B.C. 1996, c. 128, sections 94 and 95, set out rules of parentage and presumptions of paternity in terms of "the male person" who is "the father" by virtue of either marriage or cohabitation. As amended by Bill 31, section 1(c) defines a person as the "stepparent of a child if the person and a parent of the child were married or lived together in a marriage-like relationship for a period of at least 2 years and...the marriage-like relationship may be between persons of the same gender."

[63] However, the B.C. government appears to have been planning for the day when lesbian and gay couples can marry. Eight statutes expressly state that "spouse" includes a person who is married to another person or is living with another person in a marriage-like relationship, "and for purposes of this definition, the marriage or marriage-like relationship can be between

members of the same sex." See *Adult Guardianship Act*, R.S.B.C. 1996, c. 6, s. 1 spouse; *Criminal Injuries Compensation Act*, R.S.B.C. 1996, c. 85, s. 1(1) immediate family member (a)(ii); *Family Maintenance Enforcement Act*, R.S.B.C. 1996, c. 127, s. 1(1) spouse; *Health Care (Consent) and Care Facilities (Admission) Act*, R.S.B.C. 1996, c. 181, s. 1 spouse (b); *Medicare Protection Act*, R.S.B.C. 1996, c. 286, s. 1(1) spouse; *Representation Agreement Act*, R.S.B.C. 1996, c. 405, s. 1 spouse (b); *Securities Act*, R.S.B.C. 1996, c. 418, s. 1(1) spouse; *Victims of Crime Act*, R.S.B.C. 1996, c. 478, s. 1 spouse.

[64] *Trudel et Commission des droits de la personne du Quebec* c. *Camping & Plage Gilles Fortier Inc.*, [1994] J.T.D.P.Q. no. 32 (Que. H.R. Trib.), per Brossard (December 13, 1994).

[65] As in Ontario and British Columbia; however, Quebec is facing a constitutional challenge to the denial of marriage rights to lesbian and gay couples.

[66] Act No. 372 of June 7, 1989, effective October 1, 1989, cited in Pedersen (1991-92: 289, note 2).

[67] For details, see Pedersen (1991-92: 290-91); Henson (1993: 286-87) community property, inheritance and intestacy provisions; Nielsen (1990).

[68] Henson (1993: 309, note 28). See also Griffin and Mullholland (1997); Waaldijk and Clapham (1993). Activism has coalesced around these issues, but progress has been slow.

[69] *An Act Relating to Domestic Partners*, House of Representatives, 20th Legisl., 1999, Hawaii, H.B. No. 884.

[70] *An Act Relating to Civil Unions*, H.847 (signed April 26, 2000), s. 3, amending 15 V.S.A., c. 23, s. 1202(2).

[71] Civil Unions, s. 3, amending 15 V.S.A., c. 23, s. 1204(a), (b).

[72] Civil Unions, s. 5, amending 18 V.S.A., c. 106, ss. 5001-5012, 5160-5169(e).

[73] Proposed Family Status Recognition Act, section 1(1) (Vancouver: British Columbia Law Institute, 1999).

[74] For example, registrants could be roommates, friends, siblings, parent and child, lesbians or tennis partners.

[75] Registration of the relationship would carry with it many of the incidents of marriage, including forced shares of a deceased partner's estate, the partnership home and the net partnership estate, as well as rights to support and the right to renounce the deceased partner's will. Registration would not have to be public. A secret registered partner would have the above rights and responsibilities, but third parties would not be affected by the registration.

[76] Family Provision (Amendment) Bill 1996, *An Act to amend the Family Provision Act 1969*, 1996, Legislative Assemb. Australian Cap. Terr., section 5, domestic partner, domestic relationship, eligible partner, legal spouse and spouse. See also the same definitions in Administration and Probate (Amendment) Bill 1996, *An Act to amend the Administration and Probate Act 1929*, 1996, Legislative Assemb. Australian Cap. Terr., section 8.

[77] Administration and Probate (Amendment) Bill 1996, section 10, amending section 45A in the legislation to provide that an eligible partner who lived with an intestate for more than the five years immediately preceding death would take the whole of the spousal share, even to the exclusion of a surviving spouse.

[78] *Property (Relationships) Legislation Amendment Act* 1999 (NSW).

[79] *Haig and Birch* v. *The Queen* (1991), 5 O.R. (3d) 245 (Ont. Gen. Div.), per McDonald J., aff'd (1992), 9 O.R. (3d) 495 (Ont. C.A.), per Lacourcière, Krever and McKinley JJ.A.

[80] *Moore and Akerstrom* v. *The Queen*, [1996] C.H.R.D. No. 8 (Can. Human Rts. Trib.), per Norton, Chair, Ellis, and Sinclair, Members, aff'd [1998] F.C.J. No. 1128 (QL: Court File Nos. T-1677-96, T-954-97, August 14, 1998) (F.C.T.D.), MacKay JJ.

[81] *Vriend* v. *Alberta* (1998), 156 D.L.R. (4th) 385 (S.C.C.), per Cory and Iacobucci JJ.

[82] *Rosenberg* v. *A.-G. Canada* (1995), 127 D.L.R. (4th) 738, 25 O.R. (3d) 612 (Ont. Gen. Div.), per Charron J., rev'd [1998] O.J. No. 1627 (O.C.A.) (QL), per McKinley, Abella and Goudge JJ.A.

[83] In *M.* v. *H.*, the Supreme Court concluded that an Ontario extended opposite-sex definition of "spouse" violated the Charter equality guarantees. In *Rosenberg* v. *Canada*, the Ontario Court of Appeal ruled that notwithstanding a similar extended opposite-sex definition of "spouse" in the federal *Income Tax Act*, lesbian and gay employees were constitutionally entitled to select survivor options under their employer's registered pension plans. In *Moore and Akerstrom*, the Federal Court Trial Division concluded that the federal government's proposal to segregate lesbian and gay employees in separate employment benefit plans was constitutionally impermissible.

[84] *Income Tax Act*, section 252(4), enacted effective for the 1993 taxation year.

[85] To be found in section 248(1) of the *Income Tax Act* as amended by Bill C-23.

[86] See *Miron* v. *Trudel*, (1995), 13 R.F.L. (4th) 1 (S.C.C.), which established that common-law couples cannot be denied spousal rights, and *M.* v. *H.*, which established that lesbian and gay couples cannot be denied the rights of opposite-sex cohabitants.

[87] *Mossop*, Supreme Court of Canada, 1993. See also *Leshner*, Ont. Bd. of Inq., 1992, in which a tribunal held that discrimination on the basis of being in a lesbian or gay relationship is not discrimination on the basis of "marital status" under the *Ontario Human Rights Act*.

[88] At about the same time Sweden enacted RDP legislation, most of the provisions of the Swedish income tax system that were premised on adult relationships were repealed. The system now has almost no provisions based on adult relationships. See OECD (1993). See also Lund-Andersen (1990).

[89] Statistics Canada, SPSD/M version 7.0, custom databases prepared for this study. This database and model include all provisions of the *Income Tax Act*, all federal and provincial transfer programs, and most key demographic features of individuals, couples and families, as collected by the census and surveys of consumer finances. No significant tax or transfer programs are omitted from this tool.

[90] Consumable income is total income minus all taxes. It is distinguished from disposable income, which is total income minus federal and provincial income taxes.

[91] Tax credits for care of non-conjugal dependants are not included in this analysis. They are not credits that are extended on account of conjugality, and because these credits are restricted to relatives of dependent adults, lesbian or gay couples do not stand to lose them when they are deemed to be cohabitants under Bill C-23. The caregiver credit is worth $406 federally and can be claimed by dependants with income of $11,661 or less; the infirm dependant credit is also worth $406 federally, but is reduced once the dependent's income exceeds $4,845 (2000).

[92] *Rosenberg* had extended survivor options under retirement pension plans to lesbian and gay couples; *Hodder* and *Fisk* had extended survivor rights to lesbian and gay couples under the Canada Pension Plan.

[93] *Income Tax Act* s. 6(1)(a) does not impose any relationship criteria on the exemption of employer-financed family benefit plans from inclusion in the tax base; s. 62(3)(a)-(e) permits taxpayers to deduct moving expenses relating to anyone in their "household."

[94] *Income Tax Act*, s. 118(1)(b).

[95] See the discussion of the penalty effect of this provision below.

[96] See generally Lahey (2001b).

[97] The foundational work in this area is Apps (1981). See also Boskin and Sheshinski (1983); Leuthold (1985); Briggs (1985); Apps (1999, esp. 448-449).

[98] The high-low income pattern is one in which one partner has a high enough income to be able to afford to support the couple, and the other partner's income is low enough that it will not disqualify the high-income partner from taking full advantage of that credit. The single-income

pattern is one in which only one partner earns income, and that income is large enough to support both partners.

[99] These figures in this discussion treat this credit as if it exists only at the federal level. This is not accurate; it shows up in the calculation of provincial income tax liability as well. See "Federal–Provincial Problems" in this chapter for a discussion of the provincial layer of this credit.

[100] *Income Tax Act*, s. 63.

[101] *Criminal Code*, R.S.C. 1985, c. C-46, s. 215(1)-(4).

[102] See *Poulter* v. *M.N.R.*, [1995] T.C.J. No. 228 (T.C.C.) (Action No. 94-2119(IT)I, March 16, 1995), per Christie T.C.J. See also (Ont. Div. Ct., June 30, 2000, appeal pending); *Rehberg* (1994) N.S.S.C.; *Walsh* v. *Bona*.

[103] *Income Tax Act* ss. 18(1), 74(3), repealed. The same rule applied to salary paid to a wife by a partnership of which her husband was a member (s. 74(4)). In addition, the Minister of National Revenue had discretion to deem a wife-partner's share of partnership profits to the husband under s. 74(5).

[104] *Income Tax Act*, s. 67.

[105] (1973), 41 D.L.R. (3d) 367 (S.C.C.).

[106] See, for example, this evaluation of whether a farm wife actually worked for her husband for purposes of s. 67.

[107] *Income Tax Act*, s. 251.

[108] *Employment Insurance Act*, s. 5(2)(3)(b).

[109] This is because the *Employment Insurance Act*, ss. 5(2)(i) and 5(3) excludes salaries received by persons with whom an employer does not deal at arm's length from the definition of "insurable earnings." NAL dealing is to be determined in accordance with section 251(1)(a) of the *Income Tax Act*, which provides that "related persons shall be deemed not to deal with each other at arm's length," and section 251(2)(a) stipulates that "related persons include individuals connected by blood relationship, marriage or adoption." Section 251(2)(b) expands the circle of related persons to include corporations controlled by a related person or related group. Bill C-23 has amended these definitions of relationship to include lesbian and gay couples.

[110] See, for example, *Cook* v. *MNR*, [1999] T.C.J. No. 15 (QL; Court File No. 97-375(UI), January 8, 1999) (T.C.C.), per Cuddihy T.C.J.; *Garland* v. *MNR*, [1999] T.C.J. No. 73 (QL; Court File No. 97-477(UI), February 1, 1999) (T.C.C.), per Cuddihy T.C.J.

128

[111] See *Canada Pension Plan Act*, R.S.C. 1985, c.-8, s. 2(1) "excepted employment" and s. 6(2)(d), incorporating *Income Tax Act* NAL rules and tests of deductibility of salaries into the CPP Act by reference.

[112] *Income Tax Act*, s. 54 principle residence.

We Value Your Feedback

Your comments and suggestions can help us make sure our publications are useful. If you have a moment, please answer and return the following questionnaire. Thank you for your time.

Title of Report _____

1. Was the report useful to you?   1   2   3   4   5
   Not useful   *very useful*

a) Which part of the report did you find most helpful?

_____
_____

b) How could it have been more useful?

_____
_____
_____

2. How did you use the report? As a tool in:

☐ Policy development   ☐ Policy research   ☐ Advocacy

☐ Other _____

3. Are you affiliated with:

☐ Women's Organisations   ☐ Federal Government

☐ Other non-governmental organisations ☐ University/college

☐ Provincial/Territorial Government   ☐ Municipal Government

☐ Other:_____

Please return this questionnaire by mail or fax to:

Status of Women Canada
Research Directorate
McDonald Building
123 Slater Street, 10th Floor
Ottawa, Ontario
K1P 1H9

Fax (613) 995-4800

Vos commentaires nous sont précieux

Vos commentaires et suggestions peuvent nous aider à conserver l'utilité de nos publications. Si vous avez un moment, auriez-vous l'amabilité de compléter le questionnaire suivant et de nous le retourner. Merci.

Titre du rapport_____

1. Le rapport vous était-il utile?   1   2   3   4   5
                                    Pas très utile   *extrêmement utile*

a) Quelle partie du rapport avez-vous trouvé la plus utile?
_____
_____

b) Comment aurait-on pu le rendre plus utile?
_____
_____
_____

2. Comment avez-vous utilisé le rapport? Comme outil dans :

☐ l'élaboration de politique   ☐ la recherche en   ☐ le plaidoyer
                                       matière de politique

☐ autre :_____

3. Êtes-vous affilié(e) avec:

☐ un organisme de femmes   ☐ le gouvernement fédéral

☐ un autre organisme   ☐ un gouvernement
    non-gouvernemental   provincial/territorial

☐ un gouvernement provincial/territorial ☐ un gouvernement municipal

☐ autre:_____

Prière de retourner ce questionnaire par la poste ou par télécopieur à l'adresse suivante:

Condition féminine Canada
Direction de la recherche
Édifice McDonald
123,rue Slater, 10ième étage
Ottawa (Ontario)
K1P lH9   Télécopieur : (613) 995-4800